40

LES MÉTAMORPHOSES
DE LA FÊTE EN PROVENCE
DE 1750 À 1820

BIBLIOTHÈQUE D'ETHNOLOGIE HISTORIQUE

Collection dirigée par Jacques Le Goff

Les sciences de l'homme ont accédé au premier plan de la scène scientifique et de la curiosité du public. Elles y sont ensemble. De nouveaux territoires se dessinent où les chercheurs habitués à travailler chacun dans son domaine se mettent à franchir les frontières et trouvent dans ces transgressions un enrichissement et un renouvellement. De ces anciennes frontières aucune n'est plus perméable que celle qui séparait histoire et ethnologie. A tel point qu'un nouveau territoire semble se constituer pour lequel on a forgé le mot d'ethnohistoire. Nous avons préféré à ce néologisme l'expression d'ethnologie historique qui marque l'essentiel à nos yeux : l'ouverture à l'ethnologie et à l'historien d'un champ nouveau ; pour l'ethnologue, celui des sociétés dites historiques qui semblait lui échapper, pour l'historien celui de la part quotidienne et apparemment stable des sociétés qu'il ne saisissait que dans le changement rapide de la façade de l'histoire. Ethnologie historique enfin plutôt qu'anthropologie historique car s'il s'agit bien d'une science de l'Homme cette collection mettra plutôt en valeur l'étude des hommes, des groupes d'hommes dans la diversité de leurs organisations économiques, sociales, politiques et des représentations qu'elles s'en font.

DÉJÀ PARU

André Burguière, *Bretons de Plozévet*.

A PARAITRE

Maurice Agulhon, *Le Folklore de la IIIᵉ République*.
Nicole Belmont, *Folklore historique de la France*.
Jean Cuisenier, *Ethnologie des sociétés européennes*.
Daniel Fabre et Jacques Lacroix, *Bandits en Languedoc*.
Claudie Marcel-Dubois, *Espace musical et tradition*.
Paul-Henri Stahl, *La Vengeance et le Pardon*.
Marie-Louise Tenèze, *Le Conte merveilleux*.
Emmanuel Le Roy Ladurie, *Rétif de la Bretonne ethnographe*.
Georges-Henri Rivière, *La Culture rurale traditionnelle de la France*.

MICHEL VOVELLE

LES MÉTAMORPHOSES DE LA FÊTE EN PROVENCE DE 1750 A 1820

avec la collaboration de
Mireille Meyer et Danielle Rua

AUBIER/FLAMMARION

INTRODUCTION

LES MÉTAMORPHOSES DE LA FÊTE

L'enquête sur les métamorphoses de la fête en Provence s'insère dans le cadre d'une réflexion plus large que nous menons avec obstination, sur le tournant des comportements et attitudes collectives qui a eu lieu, entre 1750 et 1800, et à l'issue duquel toute une partie des cadres mentaux à l'intérieur desquels s'inscrivait la vie des Français se sont trouvés profondément bouleversés. Hier historien des attitudes devant la mort, demain, nous l'espérons, analyste de l'onde déchristianisatrice de l'an II ; l'approche d'aujourd'hui sur la fête provençale ne correspond pas pour nous à l'attrait d'une mode, ou à l'association un peu facile, encore que très intime, de la fête et de la mort : elle répond à une étape des interrogations qui s'imposent à nous, et que nous définirons comme l'étude des rapports du temps long, celui de la fête de longue durée, façonnée par les siècles ; et du temps court de l'événement révolutionnaire, porteur d'un modèle profondément original de la fête.

En nous attaquant, peut-être imprudemment, à cette dialectique de la longue durée et du temps court, nous avons conscience d'aborder un des problèmes les plus ardus qui puissent se poser à l'histoire actuelle des mentalités : dans la patiente trame que tissent actuellement des approches multipliées en valorisant les séries des témoignages sur la vie, l'amour ou la mort, se dessine une histoire et comme une respiration pluriséculaire, scandée de significatives mutations. Faire pénétrer cette procédure dans l'univers de la fête trop souvent figé encore dans l'intemporalité des approches des folkloristes ou ethnographes est déjà grande ambition. La pousser plus loin encore en essayant de saisir l'impact d'un événement à la fois aussi ponctuel — comme il se doit — et aussi bouleversant que la Révolution française c'est, semble-t-il compliquer comme à plaisir la question, naviguer sans cesse entre l'écueil d'une lecture événementielle, au ras des faits, et celui d'une lecture structurelle qui risque de compromettre la place même de l'histoire...

Compliquer la question... ou peut-être se rendre mieux à même de l'approfondir, à partir d'un cas exemplaire. La Provence offre à l'âge classique le terrain propice d'un système festif extraordinairement riche, élaboré et articulé, pièce essentielle de la sociabilité méridionale dont Maurice Agulhon a, voici peu, fait connaître l'originalité. Sur ce terrain d'expérimentation, la Révolution s'impose comme secousse singulièrement violente, plus ardemment vécue de part et d'autre que dans beaucoup d'autres sites : et la fête révolutionnaire, accueillie, rejetée, inventée aussi, s'affirme dans ce jeu avec toute son importance.

A partir de cette rencontre, se formulent déjà, dans l'abstrait, plusieurs séries de questions :

— *Le système de la fête traditionnelle une fois repéré dans ses traits essentiels, dans quelle mesure peut-on dire que s'y dessinent déjà les traits d'une évolution amorcée, d'une attente pressentie ?*

— *Sous quelles formes la fête révolutionnaire s'est-elle insérée dans ce systèmes préexistant : quelles ont été les modalités du relais ; ou, pourquoi pas ? — le cérémonial de la Révolution s'est-il imposé brutalement sans se couler dans les structures anciennes ? Question complexe à laquelle des réponses modulées dans le temps peuvent être apportées.*

— *Quelle que soit la procédure par laquelle la fête révolutionnaire s'est implantée, la greffe a-t-elle été réussite ou échec ? Fête accueillie, fête rejetée ; à la limite, coexistence de fêtes parallèles et rivales, tout est concevable en ce domaine.*

— *Le problème des lendemains n'est pas moins essentiel : quelle a été la postérité de la fête révolutionnaire, trouble éphémère, ou longuement ressenti dans ses prolongements ? Sous quelle forme s'en est perpétué le souvenir ? D'un autre côté, on peut se demander si la fête restaurée au lendemain de la Révolution l'a été dans son intégralité, ou si elle traduit à sa manière l'impact du choc reçu.*

Pour mener à bien telle étude, nous ne sommes point sans référents méthodologiques : sur le plan national, les études déjà publiées de Mona Ozouf, sur les Cortèges révolutionnaires, *comme sur le* Discours de la Révolution sur elle-même, *offrent aujourd'hui des perspectives de traitement, dans lesquelles l'expérimentation sur un échantillon régional telle que nous la concevons prend sa valeur spécifique. Par ailleurs, dans le cadre provençal, l'étude de Maurice Agulhon sur la sociabilité méridionale dans son ouvrage sur* Pénitents et Francs-Maçons *a frôlé à plus d'une reprise — et de façon pénétrante — le problème de la fête dans le réseau des rapports sociaux en Provence à la fin de l'Ancien Régime, comme il la redécouvre réinstallée dans sa* Société en Provence *intérieure à la fin de la Révolution, au titre des restaurations reçues. Acquittons notre dette à l'égard des ethnologues, en reconnaissant toutes les interrogations sur lesquelles nous laisse, parmi d'autres références, la lecture d'A. Varagnac dans* Sociétés traditionnelles et genres de vie *: fût-ce pour insister de nouveau sur la responsabilité que nous tentons de transférer ici à l'histoire, par une réévaluation de son rôle au niveau même de l'événement.*

Mais il est bien certain que l'entreprise tentée n'aurait pu être menée si nous n'avions disposé, en Provence, de la possibilité de confronter deux corpus de documents également riches, l'un pour la fête traditionnelle, l'autre sur la fête révolutionnaire.

Le premier est constitué pour l'essentiel à partir du traitement exhaustif des dictionnaires et descriptions qui se multiplient alors en Provence comme ailleurs, en ces temps où la statistique reçoit droit de cité. On verra sous peu de façon détaillée la richesse du fichier de près de 450 fêtes décrites par le médecin Achard dans son Dictionnaire des communautés de Provence et du Comtat Venaissin, *publié en 1787. Nous lui avons associé, soit à titre de compléments soit à titre de coupes échelonnées, l'ensemble des statistiques préfectorales, consulaires, impériales, ou de la monarchie censitaire. C'est dans les descriptions et récits de voyages qui se multiplient alors que nous avons recherché l'épaisseur du vécu et l'intensité du ou des regards portés sur la fête.*

Tel réseau de sources avoue ses indigences : et nous sommes conscients que pour n'avoir point recherché dans les sources judiciaires manuscrites les traces de la fête, un des pans de celle-ci nous échappe pour bonne part : celui que nous dirons de la fête carnavalesque, ou subversive, celle-même qui pour n'être pas codifiée n'est pas décrite, ou fort peu : et qui risque par là d'être sous-estimée.

L'ampleur du fichier constitué à ce jour à Aix-en-Provence à partir des sources imprimées, incite toutefois à un optimisme que l'on jugera peut être justifié : c'est une mise en contexte à la fois large et diversifiée qui s'en trouve facilitée, et qui a été préparée, faute des moyens d'une programmation qui se fût imposée, par l'imposant travail fourni par Mlle Eliane Aumage dans le cadre d'un mémoire de maîtrise réalisé sous notre direction, dont les données relatives à la fête ont été traitées par Mlle Mireille Meyer, collaboratrice technique à l'université de Provence.

Au premier corpus de près de 500 fêtes d'Ancien Régime ainsi constitué, il a été possible de confronter les données d'un fichier quasi équivalent de fêtes révolutionnaires provençales. Le dépouillement de base a été fourni ici par le très gros travail réalisé par Mme Danielle Bernardini, alors Mlle Rua, dans le cadre de la préparation d'un mémoire de maîtrise, également sous notre direction. Ce sont les milliers de transcriptions ou de photocopies de ce fichier qui ont fourni matière à l'exploitation que nous en avons menée. Même si la conception et la réalisation de l'ensemble du travail nous reviennent, nous tenions à insister sur l'aspect de recherche d'équipe qu'il a revêtu dans sa préparation, comme sur l'importance des collaborations reçues. Dans les conditions artisanales qui sont généralement celles de la recherche en province, il va de soi qu'il serait, autrement, impossible de procéder à l'analyse statistique de deux corpus de près de 500 fêtes, susceptibles de fournir de 50 à 100 données d'exploitation pour chacune.

Sur la base de cette documentation, comme de cette problématique, on s'est efforcé, au fil de la rédaction, d'associer de manière équilibrée, structurel et conjoncturel, entendons, le tableau qui décrit et analyse, et le récit plus que jamais indispensable dans la période. C'est ainsi que nous passerons du tableau initial de la fête tradition-

nelle, ou de longue durée, dans ses différents visages, à une ou plutôt deux séquences évolutives : la première s'attachant à détecter dans
la fête du second XVIII° siècle les changements ressentis, comme le
nouveau discours qui s'élabore sur elle ; la seconde s'efforçant de
« coller » à l'événement révolutionnaire en mettant en place les
phases qui en rythment l'évolution en Provence. Tel récit, qui ne serait
que récit, risquerait de demeurer à la surface des choses : et c'est
pourquoi nous avons repris dans un troisième moment l'analyse du
nouveau modèle de la fête que propose la Révolution en Provence.
Au risque de paraître tomber dans le compromis bourgeois, nous avons
ainsi voulu offrir successivement de la fête révolutionnaire en Provence
les deux lectures — historisante puis structurelle — qui, loin de faire
double emploi, se complètent. Nous n'avons pas voulu donner au problème de la fête restaurée plus que l'ampleur d'un chapitre de conclusion : on se doute peut-être de la raison pour laquelle nous avons résisté
à cette tentation, d'ailleurs forte. Aller plus loin, entendons, déborder
l'horizon des années 1820-1830, où la fête renoue le fil des temps, c'eût
été envisager toute une autre problématique : celle de la réinvention
de la fête traditionnelle à l'époque félibréenne, de sa renaissance
relative, de sa transfiguration... comme de ses faux-semblants. Problème passionnant mais qui nous eût à coup sûr entraîné trop loin.

Il est temps de céder la place à l'histoire, celle qui raconte et décrit,
à l'issue de cette introduction bien austère. Il y a une enquête à mener,
il y a un secret à découvrir. Et c'est Mistral qui nous dit lequel au
chapitre IX de ses Memori et raconte : à la veille de 1848, l'enfant
qu'il est s'inquiète des questions mystérieuses que pose à son père la
vieille Riquelle, une vieille de Maillane, sur le retour attendu du
« temps des pommes rouges ». Et c'est le père, revenant sur sa propre
jeunesse, qui expliquera qui est la vieille Riquelle qui veut pas mourir
avant d'avoir vu revenir ce temps-là. En 93, au temps de la Terreur,
alors que fêtes et dimanches étaient abolis, Riquelle, dans la fraîcheur
de ses seize ans, était la fille du maire jacobin du village, un cordonnier.
Fille superbe et pour cela même choisie pour incarner la déesse Raison
dans les fêtes. Et d'évoquer les scènes, encore vivement revécues, où
Riquelle, assise sur le maître-autel de l'église transformée en temple
de la Raison se présente coiffée du bonnet de la Liberté, la cuisse

demi-nue, les seins offerts. Tel est le spectacle, qu'un temps — fort bref — les Provençaux se sont donnés à eux-mêmes : puis ils l'ont, non pas oublié, mais enfoui, ou exorcisé.

Ce secret de la rencontre de la vieille société provençale dans ses rites et ses traditions, et de l'intrusion de la Révolution sous la forme de la fête libératrice, c'est celui qu'il nous faut tenter de décrypter.

PREMIÈRE PARTIE

LA FÊTE
DANS LE TEMPS LONG

I

DES SAISONS DE LA VIE AUX SAISONS DE L'ANNÉE

La Provence offre sans doute à l'étude de la fête pré-révolutionnaire un site exceptionnel. Les textes nombreux qui s'attachent alors à ce thème insistent sur la forte tradition festive d'une province privilégiée.

Au niveau des sources, deux séries de documents, parmi d'autres, autorisent un tableau assez complet à la fin de l'ancien régime : l'un quantitatif, l'autre descriptif. La première est constituée par les dictionnaires que cette période préstatistique voit naître : et particulièrement cette *Description historique, géographique et topographique des villes, bourgs, villages et hameaux de la Provence...* que le médecin Achard publie à Aix en 1787. Document d'une exceptionnelle richesse dans de multiples domaines et actuellement aisément exploitable grâce à la mise en fichier à laquelle nous avons fait procéder : sur quelques 775 lieux-dits présentés dans ce dictionnaire, dont 477 villes, bourgs et villages, les fêtes sont décrites au nombre de 427, en 272 lieux, soit dans plus de la moitié, 57 % pour être précis, des communautés véritables. Les notices sur les fêtes vont de quelques lignes à plusieurs pages pour les sites les plus célèbres.

Cette source remarquable n'est pas unique : on peut avec profit en confronter les apports avec ceux des statistiques départementales du premier tiers du XIXᵉ siècle : du Consulat à la Restauration, les préfets qui en ont été les auteurs, Fauchet dans le Var, Delacroix dans la Drôme, Villeneuve dans les Bouches-du-Rhône, ont prêté attention à la fête et leurs descriptions post-révolutionnaires permettent de faire la part de la continuité comme de la mutation : nous avons particulièrement tiré profit de la statistique des Bouches-du-Rhône du baron de Villeneuve, qui présente un état aux alentours de 1820.

L'autre série de sources qui autorise une coupe fructueuse à la charnière des deux siècles, est celle des récits de voyages, ou tableaux descriptifs qui découvrent alors la Provence, plus peut-être encore que les autres provinces, dans le cadre de la perception nouvelle d'une personnalité originale, et d'un certain « exotisme ». Ces récits sont nombreux ; et nous les avons fait étudier par ailleurs. Quelques-uns n'accordent aux fêtes qu'une attention distraite, d'autres au contraire en font un thème d'investigation privilégié. C'est le cas pour les célèbres (en leurs temps) *Soirées provençales* de Bérenger, parues en 1787, comme c'est le cas pour le *Voyage dans les départements du Midi* qu'effectue le voyageur érudit Millin en l'an 12. Là encore deux documents se répondent et se complètent de part et d'autre de la Révolution, plus en termes de continuité, d'ailleurs, que de contrastes.

Les approches que l'on peut mener à partir de ces témoignages restent sans doute, par certains points, légères. Elles ont fourni cependant une bonne partie de leur information aux folkloristes puis aux ethnologues qui depuis la fin du siècle dernier se sont attachés à relever les traditions provençales : depuis Bérenger-Féraud, auteur dans les années 1880, d'un recueil de *Réminiscences du passé provençal,* qui reste une mine de données, jusqu'aux maîtres d'hier, ainsi Fernand Benoit dans son ouvrage sur *la Provence et le Comtat Venaissin.* Chez ces chercheurs, l'enquête directe et la recherche des survivances complètent l'apport livresque.

Il faudrait aller aux sources manuscrites : c'est ce qu'ont fait plusieurs chercheurs actuels. On rappellera pour mémoire l'importance de l'enquête menée par Maurice Agulhon dans ses *Pénitents et Francs-Maçons* : les structures de la sociabilité méridionale telles qu'il les analyse l'amènent à faire une place aux institutions municipales chargées de l'organisation de la fête : Abbé de la Jeunesse, Prince d'amour ou Capitaine de ville par exemple. Si Maurice Agulhon se défend de traiter la fête pour elle-même, son étude est très riche de suggestions et d'hypothèses de travail : et il a fortement souligné les formes de l'évolution profane, comme du passage de la fête patronale ou votive, aux réjouissances hebdomadaires de la jeunesse qui danse. On rappellera également, dans ces approches récentes, l'article de P.A. Février (*Provence historique,* 1961) sur les « Fêtes religieuses de l'ancien diocèse de Fréjus ». Enfin, nous avons pour notre part été amené à nous interroger sur certains aspects particuliers du cérémonial provençal de l'âge baroque dans *Piété baroque et déchristianisation, attitudes devant la mort en Provence au XVIIIe siècle...* : si tant est qu'on veuille bien admettre les pompes funèbres comme un rameau de la fête.

Sujet ouvert donc et déjà plus qu'effleuré. Les sources dépouillées autorisent un tableau à la fin de l'Ancien Régime, qui fera passer d'une morphologie de la fête dans ses différents visages, aux perceptions d'un changement en cours, dont un discours renouvelé sur la fête est l'expression.

Province festive, avons-nous dit, et de commune renommée : si la fête est omniprésente, il est d'autant plus difficile d'en organiser les aspects ; on tentera du moins de les hiérarchiser par ordre d'importance, en assumant tout ce que cette procédure pédagogique peut avoir d'artificiel.

LA FÊTE FAMILIALE : LES SAISONS DE LA VIE

La fête familiale est-elle déjà la fête telle qu'elle nous intéresse ici ? On pourrait en douter à première vue. Cependant à toutes les étapes de la vie, la fête familiale peut encore déboucher sur des rassemblements, parfois importants, qui excèdent nettement les limites du groupe étroitement défini.

Le mariage

Dictionnaire et voyageurs le disent, du baptême comme du mariage, qui intéresse encore bien souvent, dans la Provence rurale du moins, des foules véritables. Ceci est surtout vrai de la Haute-Provence alpine, qui connaît encore des solidarités familiales élargies. A Barcelonnette, nous dit le dictionnaire d'Achard il y a foule aux baptêmes comme aux mariages et enterrements et parfois plus de 150 personnes, ce qui, dans une paysannerie pauvre est cause de dépenses incon-

2

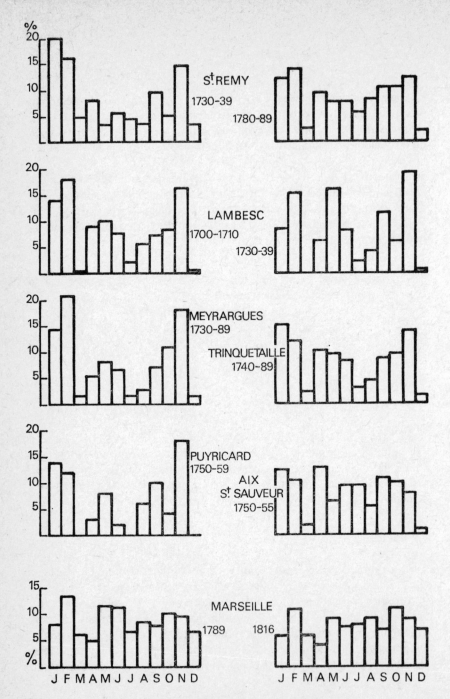

La saison du mariage en Provence au XVIIIᵉ siècle

sidérées. Ce qui est vrai de la vallée de Barcelonnette se retrouve à Signes, localité isolée dans le massif de la Sainte-Baume : qu'il s'agisse d'obsèques... ou d'un sanglier que l'on tue, comme de la visite d'un agent des fermes, et ce sont autant de rassemblements spontanés, dit-on, qui tournent à la fête, où l'on pleure, où l'on mange, où l'on tourne l'intrus en dérision, dans un cadre familial ou villageois.

Au mariage de la Haute-Provence alpine, on pourrait déjà opposer le mariage urbain tel que le décrit à Marseille, Bérenger, dans ses *Soirées provençales* ; l'atmosphère en a changé : à « une certaine simplicité touchante et patriarcale » s'est substitué le coûteux cérémonial qui, par la « longueur des accords, le faste et la fréquence des repas » ouvre des brèches irréparables dans les fortunes bourgeoises et commerçantes, en provoquant une « émulation ridicule autant que coûteuse ».

Il est un moyen à la fois très simple et en même temps expressif, de prendre sur le fait la place que tient le mariage dans la vie collective d'une communauté et en même temps de matérialiser les contrastes perçus entre le mariage rural et le mariage à la ville : c'est d'en suivre au fil des registres paroissiaux le mouvement saisonnier.

Telle étude nous est rendue possible par les données fournies dans les monographies de démographie historique dirigées à l'université de Provence par M. Terrisse, sur des communautés de Basse-Provence, surtout rurales : mais il est possible aussi de prendre des points de référence urbains.

Au bourg le calendrier des mariages, avec beaucoup de convergence, apparaît très bien scandé : deux temps morts presque unanimement respectés, l'Avent et le Carême, pour raisons liturgiques, un troisième qui ne l'est pas moins : le mois de juillet des moissons. Entre ces trois creux, deux fortes poussées, l'une de janvier-février, mariages de morte saison, une autre qui débute fin août pour s'enfler en fin novembre à son maximum, puis une troisième poussée plus médiocre mais sensible, celle du printemps : l'abstention du mois de mai apparaît bien, à contrario, comme une innovation du XIX° siècle.

Ce calendrier suggère plusieurs remarques : on ne saurait extrapoler à partir de l'exemple de la Basse-Provence occidentale, peut-être des sites de Haute-Provence réserveraient-ils un bilan plus proche de celui qui a été récemment présenté pour la montagne corrézienne avec une poussée presque exclusive d'hiver, en pays de migration saisonnière estivale. C'est donc un modèle, parmi d'autres possibles, d'équilibre entre calendrier liturgique et calendrier agricole, qui apparaît ici : il sera d'autant plus intéressant de le confronter au calendrier des fêtes patronales avec lequel il offre des ressemblances comme des discordances révélatrices.

Ensuite, on notera le vif contraste ville-campagne qui s'affirme, et qui confirme les notations impressionnistes des observateurs sur la dissolution urbaine des rythmes de la fête familiale. Deux types de comportements urbains s'imposent : à Aix, ville du quant-à-soi, il n'y a pas d'incidence d'un calendrier dominé par les travaux agricoles, mais les temps interdits sont très marqués, alors qu'à Marseille leur respect a pratiquement disparu dès la fin de l'Ancien Régime, ce qui donne une courbe atypique où les creux et les bosses de la Provence rurale disparaissent : à Marseille on se marie en toute saison, et la Révolution n'y changera rien, car elle n'aura plus rien à changer.

La campagne tend-elle à se rapprocher du modèle urbain ? C'est ce qu'on serait tenté de penser, à considérer l'exemple malheureusement isolé où les calendriers du début et de la fin du siècle ont pu être confrontés : à Saint-Rémy-de-Provence, la marche du temps uniformise ce qui était autrefois très nettement scandé.

Le charivari

Le mariage, fête sociale, n'échappe pas au contrôle de la communauté : entre la fête familiale et la fête villageoise, les passerelles sont multiples. Cela commence avant le mariage : c'est, on le verra, dans le cadre de la fête votive que se font les rencontres. Mais des pratiques collectives ritualisent la fréquentation des jeunes. La plantation des « mais » par les galants sous la fenêtre de leur belle n'est rappelée par le dictionnaire d'Achard que dans quelques localités (Goult, Cucuron, Maillane) mais peut-être est-ce preuve que la pratique est trop répandue pour qu'on la relève. Là où l'intervention de la communauté se fait plus précise, c'est dans le cas des manquements à la discipline du groupe : à Sourribes près de Sisteron, l'étrangère qui vient épouser un garçon du pays est attendue par le groupe des femmes qui lui font promettre à l'entrée du village de n'être « ni meilleure, ni pire que les autres ». Plus généralement, du moins dans la Haute-Provence alpestre, la mariée « étrangère » est attendue dans les villages qu'elle traverse par le groupe armé des jeunes gens, qui lui présenteront les armes et feront la décharge de la « bravade », à charge par le futur de les « récompenser » au cabaret. C'est bien le spectacle que rencontre Millin dans les Alpes, en Dauphiné déjà, il est vrai, entre Aspres-sur-Buech et Serres. Cette vigilance de la jeunesse en corps constitué n'épargne pas les gens mariés : Maurice Agulhon a traité du droit de pelote que prélève la jeunesse sur les veufs remariés, comme il a évoqué le charivari qui est, en Provence comme ailleurs, le moyen de pression employé. Mais à Gap, Millin, encore lui, est témoin d'un divertissement « sauvage » qui rentre dans cette catégorie, lorsqu'il rencontre le cortège du mari battu par sa femme que l'on promène à califourchon sur un âne, la tête tournée vers la queue de l'animal. La pratique se retrouve en Basse-Provence, aux Saintes-Maries où l'on juge le premier jour de Carême un mari battu et ridicule cependant qu'à Trets on roule dans sa brouette le vieux Mathurin, le mal marié (Villeneuve).

Obsèques et pompes baroques

Plus spectaculaires encore que les fêtes qui accompagnent le mariage, parce que plus « publiques » encore sont les cérémonies qui accompagnent les obsèques. Car ce sont fêtes à leur manière, et élément essentiel du cérémonial baroque, que ces cortèges funèbres strictement codifiés par le testateur, comme par la coutume, qui régit le « tour de ville » : nous avons traité ailleurs (« Pitié baroque et déchristianisation... ») de cet aspect, et nous nous dispenserons d'y insister. Dans l'aspect le plus « festif » du cérémonial de la mort, on doit du moins faire une place au banquet funèbre qui y avait tenu un rôle longtemps essentiel. Nous avons dit comment les villes y avaient renoncé à la fin du XVIIe siècle : et comment les dévôts de la Compagnie du Saint-Sacrement, tel que Séguiran, président du parlement d'Aix, avaient fait disparaître vers 1680 ces festins de « renouvellement de parenté » où « s'engloutissaient les héritages ». Mais si la ville se détourne de ces pompes, comme nos courbes urbaines le démontrent, la campagne connaît encore les cérémonies funèbres dans la grande tradition. Millin est frappé à Vence du spectacle des obsèques d'un enfant que d'autres enfants conduisent à sa dernière demeure. C'est bien dans cette région (Vallauris) que Bérenger-Féraud rencontrera encore, près d'un siècle plus tard la pratique de la harangue publique sur la tombe, au cours de laquelle on dit au cadavre... ses quatre vérités. Mais d'autres exemples se retrouvent, de la Basse-Provence (La Cadière ou Cuges à l'est de Marseille) à l'aire alpine que nous commençons à connaître, et où la tribu de la grande famille se retrouve un an après pour la messe anniversaire autour d'un repas d'œufs et de riz (Fours, près de Barcelonnette).

On pourrait prendre d'ailleurs d'autres exemples que les deux rites majeurs, le mariage et les obsèques, auxquels nous nous sommes tenus : ainsi certaines formes du culte des morts qui ne sont point toutes domestiques. Nous rencontrerons par la suite tel village, dégringolé de son perchoir, qui remonte annuellement en procession au village abandonné pour se faire pardonner par une absoute à l'ancien cimetière d'avoir laissé ses morts... Mais d'autres exemples se découvrent : à la Toussaint, à côté du repas familial en faveur des pauvres âmes — les Armettes — des groupes de jeunes gens parcourent le village en quêtant à la nuit tombée (Cuges près de Marseille). Du baptême à la sépulture, les fêtes que Le Bras appelait « saisonnières » dans la vie du chrétien sont ainsi bien souvent autant d'ouvertures sur un cérémonial collectif à l'échelle de la communauté.

En transition entre ces fêtes et les fêtes organisées, il convient de placer, en suivant un autre mouvement « saisonnier », les fêtes du calendrier liturgique qui sont d'ores et déjà intimisées, à dominante très nettement familiales.

Entre fête familiale et fête collective : les saisons de l'année
Noël au foyer ou sur la place

La fête de Noël assume ainsi une double vocation de réjouissance collective et de fête familiale ou domestique. Le premier aspect n'est certes pas négligeable : la célébration villageoise de Noël ou des Rois se rencontre en plusieurs sites déterminés ; c'est ainsi que dans le pays d'Arles et les Alpilles des solennités rassemblent dans l'église bergers et villageois (Maillane, les Baux...), qu'à Trets près d'Aix une mascarade qui se termine en farandole, accueille le cortège des rois mages. Millin signale que dans la Basse-Provence rurale Noël s'accompagne parfois de jeux (lutte, course, combats de coqs) comme la fête patronale : détail qui concerne principalement la Provence orientale (Antibes, Fréjus, Draguignan).

Parfois des traits spécifiques rappellent que Noël est en même temps pour les pauvres la morte saison des activités... et des revenus : en pays d'Arles et dans la moyenne Durance, de Maillane à Alleins, des bandes de pauvres, que l'on estime encore au début du XIX⁰ siècle (Villeneuve) à plusieurs centaines de personnes, vont quêter les générosités traditionnelles des notables, sous forme de pain « calendal » ou de « michos » pétries spécialement.

Toutefois, à la ville comme dans la plupart des sites ruraux, Noël se referme sur le cercle familial : de façon d'ailleurs assez ouverte, si l'on peut dire, notamment dans la Haute-Provence alpine, où le banquet de Noël, comme celui des mariages, accueille tout survenant, et où subsiste la pratique des repas en chaîne, donnés et rendus durant cette période. A Marseille, la célébration urbaine de Noël garde des traits de réjouissance collective, mais pénétrés de modernité : Millin oppose le spectacle de Marseille à la veille de Noël à ceux qu'offre le Nord de la France où « seul le peuple fait ce triste repas qui s'appelle réveillon ». A Marseille, au contraire, le cours brillamment éclairé, rehaussé, si l'on peut dire, de toutes ses filles publiques enrubannées, la richesse des spectacles, suggèrent une atmosphère de liesse chez les riches comme chez les pauvres. Cette fête toute profane, relaie partiellement, mais sans la faire disparaître, cette nouveauté d'hier dans la célébration marseillaise de Noël ; et qui est la crèche. Nos auteurs en relatent l'historique : et comment les crèches à l'italienne ont été introduites au XVII⁰ siècle, surtout par les oratoriens, comment elles se sont implantées dans les églises, et singulièrement aux Accoules dans le vieux Marseille, puis comment elles sont passées aux habitations domestiques. Sur leur vogue les avis diffèrent : Béranger, homme des Lumières qui n'apprécie guère ces « fantoccini » les croit en régression en 1787, et devenues quasi accessoires de foires, le préfet de Villeneuve après 1820 insiste au contraire sur le succès de cet usage relativement récent, et évoque la foire aux santons qui se tient à Marseille 8 jours avant Noël pour permettre aux familles de se réapprovisionner. Entre les deux, outre une lecture différente du fait religieux, il y a peut-être l'épaisseur d'une popularité accrue, à sensibilité modifiée, dans le Marseille « Restauration ».

La crèche s'intimise : elle s'intègre ainsi plus pleinement à un cérémonial que nos auteurs, pour une fois d'accord, présentent comme essentiellement familial. Bérenger, dans ses soirées provençales, insiste sur la cordialité, la joie « antique » des vénérables banquets où les grands parents président aux réconciliations familiales, et où l'on oublie les discordes domestiques : « tels étaient sans doute les repas des patriarches... » à l'âge d'or. Fête des ancêtres : fête des enfants aussi, même si les modalités en ont changé récemment et si l'on continue à offrir des gâteaux — les traditionnelles « pompes » de Noël — et si à la campagne on donne le plus souvent des pièces de monnaie ; les petits citadins reçoivent, de plus en plus, joujoux et bonbons (Villeneuve). Il serait superflu de confronter longuement les lectures convergentes des autres auteurs : Millin qui évoque le banquet, la bûche des calendes arrosée des libations propitiatoires, dit cette réunion « réellement patriarcale », cependant que Villeneuve insiste de son côté sur l'aspect de « réunion générale des familles » qui fait que les routes provençales sont encombrées à l'époque de Noël de la foule de ceux qui s'exposent à de longs voyages pour ne pas manquer des rencontres qu'il dit très fournies (plus de 50 personnes chez les cultivateurs des Bouches-du-Rhône).

Ce qui est dit de Noël pourrait être transposé à la fête des rois, très amplement décrite également dans ses rites qui ne sont point, pour la plupart, spécifiquement provençaux. Sans doute, certaines localités placent-elles à ces dates leurs réjouissances collectives : l'accueil des rois mages à Trets, l'embrasement du char de la Belle Etoile à Pertuis, mais l'essentiel se fait en famille.

Les fêtes pascales

On en dira sans peine autant des fêtes du cycle pascal : la Provence ne connaît qu'exceptionnellement les cérémonies et processions méditerranéennes de la Semaine Sainte, et c'est jusqu'au pays niçois que les voyageurs doivent aller pour en trouver l'illustration. Millin est frappé de la coutume des « festins » semi-spontanés qui, à Nice comme à Menton, réunissent devant les églises, durant le carême, les populations rassemblées à des tables pour déguster figues, chataignes et raisins secs, tels les « premiers anachorètes ». Mais il est plus frappé encore de la fête du Vendredi Saint à Menton, où l'on porte dans les rues l'effigie du Christ mort, dans un grand concours de peuple, de flambeaux et de musiciens. N'y en a-t-il point l'équivalent en Provence ? On cite encore sous la Restauration (Villeneuve), à la Ciotat, les tableaux vivants qui le dimanche de la Passion, déroulent les épisodes du jardin des Oliviers, de la flagellation, Pilate, Véronique, les 12 apôtres et les 72 disciples, la Vierge des Sept Douleurs enfin, représentée par une fille du pays.

Mais ce sont survivances, Bérenger en 1787 évoquait sans tendresse leur déclin : à Marseille, le soir du Jeudi Saint on jouait encore la passion dans quelques églises de moines et de pénitents, mais en fait les scènes étaient représentées par des mannequins, ou fantoccini ; « le peuple partout imbécile et frivole accourt à ce grossier spectacle... ». Mais l'homme des Lumières se réjouit de ce que les prélats aient fait disparaître la plupart de ces rencontres nocturnes qui ne subsistent que dans une église marseillaise. A son tour Millin en l'an XII se félicitera de la récente abolition à Marseille du « Rampaou de l'Espitaou » ce rameau de l'hôpital, une grosse branche d'olivier présentée à Pâques fleuries par les enfants abandonnés de la Charité aux passants, afin qu'ils y suspendent des cadeaux quitte à forcer leur « générosité » en poursuivant les récalcitrants au cri de « mon père, ma mère ! ». Il y a plus ici qu'une anecdote : témoignage peut-être du déclin des anciens gestes collectifs, dont une autre historiette apporte la preuve. Au jour des rameaux, où il est de tradition de manger des pois chiches, on fait croire aux gavots (ces travailleurs saisonniers descendus des Alpes) qu'on distribue gratis ce plat à l'église des Chartreux : et il n'est point d'année où l'un de ces malheureux ne s'y présente avec sa marmite. Nostalgie et dérision de la fraternité des sociétés montagnardes, où ces « donnes » se pratiquent.

Pour la plupart des Provençaux, outre la cérémonie religieuse, les Rameaux ou Pâques ont pris ce caractère de fête familiale que nous avons relevé à Noël : et si la campagne fait bénir les palmes et branchages qui restent chargés d'importance religieuse — et magique — les villes de Basse-Provence (Marseille, Toulon, Arles) lui substituent le rameau-baton décoré et chargé de friandises, que les évêques avaient tenté de proscrire, mais qui correspond au caractère d'une cérémonie où les enfants tiennent une place croissante (qu'on songe aussi aux crécelles des enfants le Vendredi Saint, comme à l'habitude de chausser pour la première fois, parfois à l'église, le Samedi Saint, les enfants au maillot).

La transition est insensible, ou à tout le moins délicate, entre ces fêtes liturgiques à dominante familiale, et les fêtes saisonnières que pratiquent — mais avec plus ou moins de cérémonie — beaucoup de communautés. Quelques-unes de ces festivités « universelles » revêtent en Provence une importance particulière.

UN PAS DE PLUS VERS LA FÊTE COLLECTIVE : LES RENCONTRES SAISONNIÈRES

De ce calendrier des fêtes qui rythment l'année chrétienne comme elles ont rythmé, ainsi que le disent déjà les auteurs, les « temps du paganisme », et comme elles, répondant plus largement aux moments — travaux et jours de l'année paysanne —, l'ethnographie nous livre pour la Provence une description précise, ainsi dans les travaux de F. Benoît. Nous n'avons pas l'intention d'en reprendre les données : mais mettant s'il est possible, la main de l'histoire dans un domaine qui lui échappe souvent encore, de faire le point à la fin du XVIII° siècle... Le mieux étant sans doute de se laisser porter par le mouvement saisonnier de ces fêtes.

Caramantran

Le carnaval, dont F. Benoît rappelle en Provence, comme ailleurs, le rôle essentiel au sortir de la mauvaise saison, occupe ici, une place ambiguë. C'est le XIX° siècle qui, dans les villes, en officialisera les réjouissances : elles restent pour lors à la fois très répandues pour ne pas dire universelles mais la plupart du temps spontanées, remises à l'initiative de la jeunesse locale. Sans doute cite-t-on en plusieurs lieux des cérémonies codifiées : c'est le cas dans le pays d'Arles (largement taillé) où les Saintes-Maries, on l'a vu, jugent le premier jour de

Carême (ou « paillado ») un mari battu, cependant que d'autres communautés (Chateaurenard) ont une cavalcade qui souvent célèbre Bacchus, cependant qu'à Arles même, la fête des « Brandons » se célèbre le premier dimanche de Carême. D'autres régions exécutent alors certaines danses traditionnelles (ainsi celle des Olivettes, qui se danse avec des épées) dont nous reparlerons : c'est le cas à l'Est de Marseille à Aubagne, Roquevaire, Gémenos ou Cuges... Cependant qu'à Tarascon ou Vitrolles s'exécute le pas traditionnel de la reine de Saba, par des garçons travestis. Un peu partout, on juge puis on lapide avant de le brûler, mais, nous dit-on, « avec plus ou moins d'apparat » le mannequin de Caramantran : Marseille le promène avant d'aller le jeter à l'eau, du moins au début du XIX° siècle.

Caramantran : déjà une fête collective, sans qu'elle soit pour cela une fête officielle dans la plupart des cas, et l'on s'explique avec Maurice Agulhon, comment cette fête à dominante juvénile, apparaît souvent chargée de contestations et révélatrice des tensions de la société rurale. On comprend aussi comment elle est, de tradition, regardée avec suspicion par les prélats.

Les Rogations ou les « Vertus »

La religion a cependant repris en main certains rites anciens comme c'est le cas pour les Rogations qui prennent dans quelques communautés de Basse Provence, la forme spécifique de la procession des « Vertus » ces reliques dans un coffret que l'on promène dans la campagne et que l'on orne d'un bouquet de fleurs des champs. Le « Reyre Gach » qui se célèbre à la Cadière le 2 mai ou à l'Ascension, et qui voit la procession des Vertus portées par deux notables, déambuler dans les quartiers du terroir, est l'exemple le plus achevé de ces rites.

La « Belle de Mai »

Mais dans le cycle de ces fêtes printannières, l'héritage, plus que bimillénaire se retrouve dans les festivités du mois de mai : la plantation du Mai, que le dictionnaire d'Achard ne signale que dans quelques communes n'aurait rien d'original, mais des anciennes célébrations de Maïa, la Provence phocéenne a gardé d'autres pratiques, et singulièrement celle des belles de Mai, ces petites (ou jeunes) filles parées qui n'ont qu'à être belles, pour recevoir les sous que leurs compagnes quêtent pour elles auprès des passants. Sans doute, ce rite, qui s'infantilise en cette fin du XVIIIe siècle, a-t-il perdu partie de sa signification et de sa portée. Le XVIe siècle l'avait pratiqué, également sous une forme dérisoire (la vieille édentée que l'on substitue à la Belle de Mai, suivant une tradition qui se trouve attestée chez Nostradamus).

Feux de la Saint-Jean

La jeunesse se retrouve collectivement mobilisée par un autre rite millénaire, celui des feux de la Saint-Jean, dont l'usage est, dit-on (Villeneuve), général à la veille de la Révolution : si bien que sa mention par Achard dans une demi-douzaine seulement d'articles de son dictionnaire nous semble omission d'un fait trop général pour être relevé. L'importance que la Provence attribue à la Saint-Jean se montre en effet par d'autres tests : et nous en ferons état au répertoire des fêtes votives ou patronales. Mais au niveau de la pratique non officielle, on cite partout, de Bérenger à Millin ou Villeneuve, les curiosités dont s'accompagne l'embrasement du bûcher : bain collectif sur le littoral (La Ciotat) parfois destiné à protéger des fièvres (Vitrolles) voire à préserver les chevaux de la gale (Les Saintes-Maries). La Provence urbaine pratique les aspersions d'eau de senteur, à l'aide de seringues, ou — plus brutalement — de seaux versés des fenêtres sur l'imprudent qui, tel Millin, se risque dans les rues de Draguignan la nuit de la Saint-Jean, pour voir rôtir, ou (bouillir) les rituelles gousses d'ail auxquelles on attribue un pouvoir thérapeutique. Ces rituels urbains sont sans doute un peu adultérés par rapport aux festivités de la Provence rurale où la fête, dit-on (Villeneuve), « se prolonge fort tard dans la nuit ». En tous lieux, toutefois, on profite de la nuit de la Saint-Jean, et plus précisément du premier rayon du soleil pour cueillir dans la montagne (la Sainte-Baume) les herbes magiques de cette nuit privilégiée : et la ville étale au matin, sur son marché aux herbes et aux fleurs, la cueillette de la nuit (Marseille).

De ces rites saisonniers — évoqués du moins à partir des plus importants — on est amené à passer à la fête que nous dirons, pour simplifier, officielle : fête du bourg ou du village, votive ou patronale, fêtes urbaines aussi qui nous semblent mériter un traitement particulier, comme étape ou transition à ce que nous pourrions appeler la fête à caractère « national » des visites, joyeuses entrées, ou commémorations.

II

LA FÊTE AU VILLAGE

Pour les Provençaux de l'âge classique, comme pour les voyageurs qui décrivent leurs « mœurs et coutumes », la fête par excellence reste la fête patronale ou votive : c'est sur elle que nous sommes particulièrement bien renseignés par les descriptions, et, plus encore peut-être par les indications des dictionnaires et statistiques qui permettent une approche massive et quantifiée : précieuse confrontation de la fête perçue et des réalités de la fête.

La fête ou « les fêtes »

Pour partir d'une définition volontairement simple, nous dirons que la fête, telle qu'elle est annoncée aux colonnes des dictionnaires, est la fête patronale dans la grande majorité des cas, la fête votive plus rarement (une dizaine d'indications de « vœux » dans le dictionnaire d'Achard). Mais en réalité la fête du patron de la paroisse est rarement seule : Maurice Agulhon a déjà relevé la dualité fréquente de la fête du titulaire de la paroisse et celle du patron : et parfois leur rivalité, souvent à l'avantage de la seconde, c'est-à-dire à l'avantage de la fête d'acropole, au terroir, sur la fête de l'église du bourg. Mais sans nous engager encore si loin, relevons d'entrée qu'il est assez inexact de parler de « la » fête, dans une Provence où le nombre est souvent supérieur à l'unité comme on peut en juger.

Mentions de fêtes (Dictionnaire d'Achard)

	1	2	3	4	5	6	7	Total
Nombres de cas	152	78	18	10	2	1	1	262
%		58	29	7	4			
						5 %		

Provence festive et tempérament méridional

Dans plus de 40 % des cas, donc, la fête se multiplie, bien souvent suivant le rythme : fête de saison froide — fête d'été... mais on va jusqu'au cas extrême de Castellane, où la fête revient tous les deux mois.

Ainsi s'affirme d'entrée la réalité de ce tempérament « festif » que les voyageurs reconnaissent à la Provence, et qui justifie l'intérêt porté à cet aspect de ses mœurs. Bérenger traite longuement et à plusieurs reprises du problème dans ses *Soirées provençales* ; chez Millin qui ne limite pas son *Voyage dans les départements du Midi* à la Provence, il est plus intéressant encore de noter que la fête n'attire particulièrement l'attention que dans le Midi : au décompte des notations d'un carnet de voyage, la fête frappe le voyageur venu de Lyon pour la première fois en Avignon, où il entend proclamer l'annonce des jeux de la Fête-Dieu d'Aix, puis lorsqu'il pénétrera dans les Alpes, elle le suivra jusqu'à Gap ou au col de la Croix-Haute, délimitant ce que l'on pourrait appeler la frontière septentrionale de la fête provenço-alpine. Vers l'ouest il la rencontre, bien présente, jusqu'à Montpellier, et le Languedoc est à coup sûr en continuité avec le tempérament méridional provençal, mais dans l'Aquitaine les notations se font rares, et bien différente est la fête pour paysannerie pauvre qu'il décrit au passage dans le Gers ; puis lorsqu'on remonte vers la Loire, il n'est plus question de fêtes, et pas simplement, sans doute, parce que le voyageur laisse moins de temps à la flânerie.

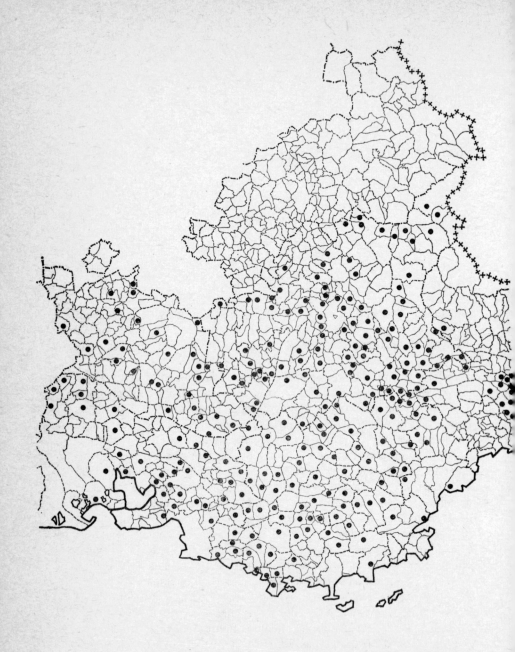

Lieux des fêtes décrites par Achard dans son dictionnaire (1787)

La statistique confirme la réalité de cette perception : 427 fêtes recensées en Provence et en Comtat par le dictionnaire d'Achard pour 765 lieux-dits parcourus, dont 477 villes, bourgs ou villages, représentant un pourcentage déjà considérable : encore est-il probable que le dénombrement n'est pas exhaustif, dépendant qu'il est du zèle inégal des informateurs locaux de l'érudit provençal ; et il nous semble évident que dans certains sites, (Viguerie de Grasse, ou ensemble du Comtat) le recensement a été très insuffisant, encore qu'on puisse se demander, par confrontation avec les sites voisins si ce désintérêt des observateurs n'est pas l'inconsciente traduction d'une moindre importance ressentie de la fête. La fête est sans doute plus généralement répandue que la statistique d'Achard ne le laisse supposer : ainsi dans les Bouches-du-Rhône entre 1820 et 1830 la statistique du préfet Villeneuve recense-t-elle des fêtes dans 90 communes sur 115, ce qui nous semble être l'ordre de grandeur général. Il n'en reste pas moins, à notre avis, qu'avec les précautions requises pour corriger ce qu'elle peut avoir localement d'incomplet, la statistique d'Achard, chronologiquement bien implantée (1787) ; géographiquement étendue à tout le Midi méditerranéen, et quantitativement comme qualitativement (soin et précision des notices) de bonne qualité, offre les bases d'une étude précise.

Mesure du poids de la fête en Provence d'abord : et nous en avons d'ores et déjà indiqué les données d'ensemble en termes de fréquence, comme de nombre moyen de fêtes par localité. Mais cette première approche globale peut être nuancée en fonction de plusieurs variables : géographie, calendrier, typologie de la fête suivant les régions ; ces différents comptages introduisant à une description plus nuancée.

Une géographie de la fête

Géographiquement, les cartes que nous avons dressées de la densité des notations de fêtes par rapport au nombre des localités, délimitent des aires bien homogènes. Quel que soit le mode de comptage adopté : nombre des lieux où des fêtes sont signalées par rapport au nombre total des lieux décrits, ou simplement par rapport aux lieux-dits « villes, bourgs ou villages » ; nombre des fêtes décrites par référence à ces mêmes totaux, moyenne des fêtes par localité dans une région

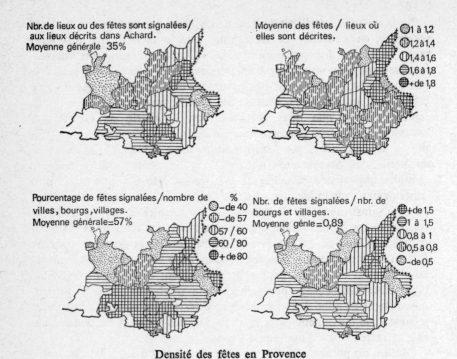

Densité des fêtes en Provence

donnée, une convergence assez nette se dessine : sur fond de profusion assez générale, certaines zones comptent plus de fêtes que d'autres : les deux pôles les plus fournis étant visiblement la Basse-Provence occidentale riche et urbanisée des Vigueries d'Aix et de Tarascon, voire, à son contact, des Vigueries de Sainte-Maxime et Brignoles ; et d'autre part la Haute-Provence alpine et villageoise des vigueries orientales de Barcelonnette, Colmars, Barrême et Castellane. A l'opposé, la fête perd de son importance dans la Haute-Provence et la rive droite de la Durance, des Vigueries de Sisteron à celles de Forcalquier, Sault et Apt : et sans doute le silence des sources comtadines, en continuité avec cette aire signifie-t-il plus que le manque de zèle d'informateurs locaux. Entre ces deux, ou plus précisément ces trois zones — deux pôles de dense implantation, une aire faiblement fournie — une bande intermédiaire, égale ou légèrement supérieure à la moyenne, couvre la Basse-Provence orientale du Var (Vigueries de Draguignan, Grasse, Barjols...) et celles d'une Haute-Provence qui n'est point encore celle des vallées alpines (Moustiers, Digne). De cette carte bien dessinée et structurée, on peut déjà tirer, au-delà d'une microgéographie de la fête dont l'intérêt serait anecdotique, un certain nombre de constats. Dans cette Provence que les études de Maurice Agulhon nous ont appris à traiter en terme de société de gros villages urbanisés, le développement des fêtes n'est pas en fonction directe du taux d'urbanisation, de concentration de l'habitat qu'une carte de référence permet d'apprécier : ou plutôt s'il correspond assez bien dans la Basse-Provence occidentale avec l'aire des villes et des gros bourgs, une autre zone, celle des vallées alpines semble suggérer, d'entrée, un autre style de fêtes, proprement villageoises.

L'approche du vocabulaire, comme la typologie même de ces fêtes nous éclairera sous peu sur ce point. Mais dans le cadre des données générales, on peut déjà compléter cette géographie de la fête, d'un calendrier de leur répartition annuelle, à l'échelon de la Provence entière et du Comtat, à la fin du XVIIIᵉ siècle.

Calendrier des fêtes provençales

Nous disposons à partir des études des ethnologues (Fernand Benoit) d'un canevas précis du mouvement saisonnier qui, à première vue pourrait rendre notre décompte inutile ou répétitif : force nous est de constater d'entrée que le calendrier de l'historien n'est pas celui de l'ethnologue. On ne saurait dire que l'un ou l'autre ait tort : mais l'approche n'est pas identique. Le calendrier de l'ethnologue valorise les fêtes et singulièrement les rites saisonniers de la fin de l'hiver au printemps, que nous avons pour la plupart rangés au rang de la fête familiale (Noël), ou sinon semi-spontanée, du moins non officielle (Caramantran). La fête villageoise institutionnalisée obéit à un rythme beaucoup moins continu, ainsi qu'on peut en juger sur les graphiques circulaires ou linéaires que nous proposons.

La grande saison des fêtes s'étale du mois de mai au début sep-

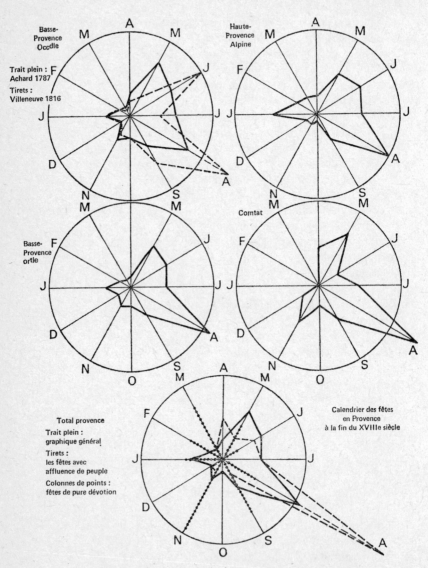

Calendrier des fêtes en Provence à la fin du XVIIIe siècle

tembre, avec un léger reflux en juillet, lors de la moisson, et une poussée très marquée en août puisque c'est alors que se situent près du quart des fêtes recensées dans l'année. Au total, près de 60 % des fêtes en quatre mois. L'étiage qui va de l'automne au printemps suivant tolère quelques exceptions, et notamment en janvier, au lendemain des fêtes de Noël. Mais l'abstention du Carême et même de l'Avent reste très marquée.

Cette approche globale est susceptible de nuances et de précisions, comme elle invite à formuler quelques interrogations. Un calendrier au jour le jour permet mieux qu'une ventilation mensuelle, de « personnaliser » les fêtes relevées : au demeurant sans grande surprise, du moins pour les grandes rencontres estivales. En tête viennent sans conteste les fêtes mariales de l'été (Assomption et Nativité de la Vierge au 8 septembre). Puis, par ordre de fréquence, se retrouvent les trois grandes dates de la fin juin, quasi à égalité : la Saint-Jean-Baptiste, la Saint-Eloi et la Saint-Pierre. Identiquement classées, inégalement réparties : la Saint-Jean-Baptiste se rencontre dans toute la Provence, avec une fixation importante en Haute-Provence alpine, Saint-Eloi, patron des laboureurs comme des muletiers se retrouve essentiellement dans la Basse-Provence agricole des riches moissons, Saint-Pierre, patron des pêcheurs est souvent fêté sur le littoral. Des autres saints patrons qui s'échelonnent au fil de l'an, on n'a relevé l'identité sur le graphique qu'au-delà de cinq occurrences : palmarès parfois dans surprise, et parfois plus étonnant, qui fait défiler les saints de l'hiver ou du carnaval, Antoine Ermite, Sébastien, Clair ou Blaise, réduit à peu de chose Saint-Joseph, trop souvent en carême, retrouve animation avec les patrons du mois de mai Jacques ou Pons, et surtout avec le défilé presque ininterrompu de ceux qu'on fête en août : Marie-Madeleine, Christophe, Anne, Etienne, Roch ou Julien. Les saints de l'automne ferment la marche, avec souvent un rôle, nous le verrons, bien défini, (la louée des domestiques) : Saint-Michel et Saint-André. Au-delà du palmarès se visualise plus précisément encore l'importance des temps morts de la fête, comme aussi les séquences où les fêtes se succèdent quotidiennement, en mai-juin et surtout de fin juillet au 8 septembre. Entre le calendrier liturgique et celui des travaux et des jours, la fête se fraie un chemin à la fois sans surprise et très nettement scandé.

On peut se demander si ce calendrier est identique sur toute la

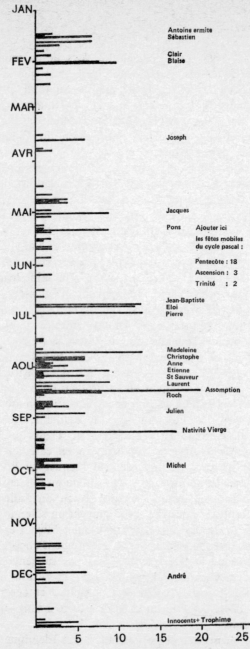

Calendrier au jour le jour des fêtes en Provence

Provence : il s'en faut. La Basse-Provence et le Comtat présentent une répartition qui privilégie presque exclusivement la belle saison, avec une double pointe en mai et surtout en août puisque ce mois concentre plus du quart, et parfois plus du tiers des fêtes. La Basse-Provence occidentale, d'Aix à Tarascon, se singularise à l'intérieur de ce type par un étalement plus marqué et plus uniformisé qui va de mai, ou de la Pentecôte jusqu'à la fin août : trait en accord avec la diffusion très poussée de la fête. Mais par contraste, la Haute-Provence, alpine, offre un graphique assez différent, avec une poussée secondaire d'hiver qui est beaucoup plus marquée (en janvier notamment) que dans le bas pays, sans toutefois égaler les chiffres du mois d'août. On s'explique sans trop de peine et sans avoir besoin d'hypothèses de travail sophistiquées, une telle répartition bimodale dans une région où l'été voit les hommes — « les gavots » — quitter le pays pour gagner leur vie dans la plaine : leur retour hivernal laisse à Saint-Sébastien ou à Saint-Antoine ermite la possibilité de présider aux fêtes du haut pays.

On s'interdit provisoirement, pour des raisons de clarté de l'exposé, d'introduire dans ce tableau de 1787 une perspective diachronique : du moins peut-on déjà relever qu'à l'intérieur de cette série de fêtes il en est qui sont dites particulièrement fréquentées, drainant un afflux d'étrangers vers la commune, ce qui est preuve de succès : c'est le cas pour une trentaine de fêtes, un peu plus de 6 % du total relevé par Achard. Sur ce petit paquet, pratiquement la moitié (14) de fêtes du mois d'août, alors qu'on n'en compte que 4 (14 %) pour les sept mois qui vont de la fin août à la fin mars : en cette fin du XVIIIe siècle, la fête qui gagne, c'est bien la fête estivale, et l'on en trouve la contre-épreuve à relever le stock antagoniste des fêtes « sans cérémonie » de « pure dévotion » dont 70 % se déroulent de l'automne au carême, dans ces mêmes sept mois, de septembre à mars.

Introduire toutefois cette distinction des fêtes qui attirent les foules et de celle qui restent de « pure dévotion » c'est déjà entrer dans la typologie des fêtes méridionales.

Un problème de vocabulaire : trains, votes, vogues ou romérages

Et d'abord le vocabulaire : un des informateurs du dictionnaire d'Achard, traitant de Reillanne dans la viguerie de Forcalquier en

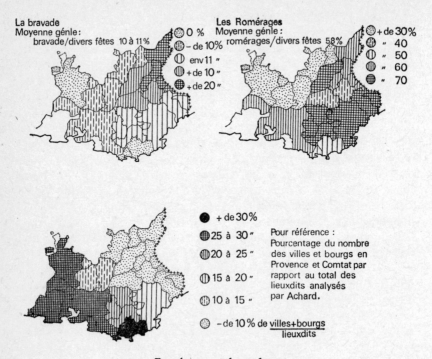

Romérages et bravades

présente les « trains, vots, vogues ou roumavagis au nombre de
trois... » : ce syncrétisme linguistique pourrait apparaître particulièrement intéressant, et singulièrement dans cette région de Forcalquier
que l'*Atlas linguistique* montre à la croisée des aires entre le type
« voto » à l'ouest « vogue » au nord et « roumeirage » au sud-est,
mais le cas est presque unique dans le dictionnaire d'Achard bien
que l'on retrouve à Lussans (v. de Forcalquier) une fête dite « Lou
voto ». Le terme généralement employé est celui de « romérage »
(dans 250 cas pour 427 fêtes, soit 58 %) avec des variantes suivant
le scripteur : on dira romérage à la française à Pourrières, mais on l'a
vu « roumavagis » à Reillanne ; et à Thorame-Haute, dans les Alpes,
on parle des fêtes vulgairement appelées « roumeiragis » sans qu'il
soit possible de cartographier précisément ces nuances. Du moins

peut-on proposer une cartographie du vocable « romérage » dans son ensemble : l'aire de sa diffusion massive couvre toute la haute et basse Provence orientale ; la Basse-Provence occidentale l'emploie encore beaucoup quoique à un moindre degré et en concurrence ou association avec « train » ; de la viguerie de Seynes-les-Alpes au Comtat, la rive droite de la Durance boude le terme sans pour cela vraiment en proposer un autre (on dira le plus souvent fête paroissiale). Ici sans doute, la limite linguistique joue-t-elle, mais peut-être aussi une frontière dans la nature de la fête : on relèvera du moins, déjà par rapport aux limites proposées à la fin du siècle dernier par l'*Atlas linguistique,* une étendue plus grande du vocable qui empiète au nord-est sur le domaine de la « vogue », à l'ouest sur le « voto », à l'est enfin dans le pays de Grasse sur la « fête », la seule frontière qui se dessine déjà étant celle de la Durance, au nord-ouest.

C'est que le romérage, qui est cité sous son titre par les voyageurs et les savants (Millin parle de « Roumérage, corruption de romérage », en souvenir du voyage à Rome des pèlerins, Villeneuve, en rappelant cette origine parle de « Roumevage »), correspond à une définition et à une structure bien particulière de la fête. Les auteurs s'accordent pour la définir comme une fête à noyau de dévotion — fête patronale généralement avec procession — mais quelque chose d'autre aussi : ils insistent sur son aspect de foire, à importance économique, mais surtout ludique : c'est à cette occasion que trouvent place toute une série d'amusements et de jeux dont ils donnent la description, et que nous aurons à reprendre. Certains d'entre eux, ainsi Villeneuve, insistent, en historiens des institutions, sur les attributions anciennes du corps de ville, et singulièrement sur ses pouvoirs très étendus de justice dans la durée du romérage. Fête importante et longue, deux à trois jours dans le cas le plus fréquent, le romérage apparaît ainsi comme une réalité complexe dont il conviendra d'analyser les aspects.

Mais auparavant, deux autres définitions au moins, s'imposent, celle de la bravade et du train (ou trin).

Le « train »

La Basse-Provence occidentale, celle de l'arrière-pays marseillais et du pays d'Aix, utilise le terme de « train » parfois comme un subs-

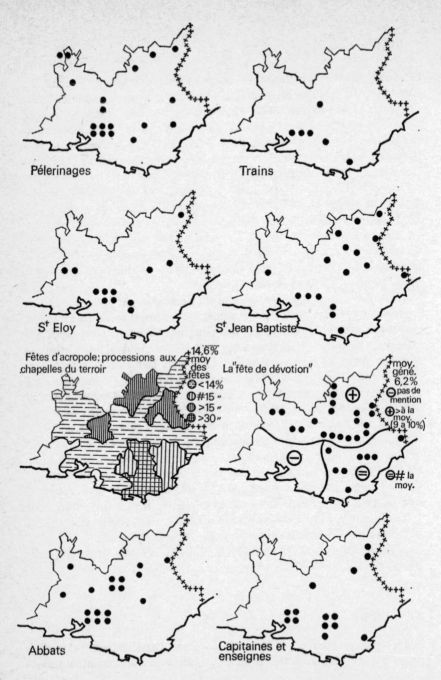

Les visages de la fête villageoise en Provence au XVIIIe siècle

titut de romérage, et parfois comme un complément : on dira alors qu'il y a « train et romérage » ou « romérage avec train ». Qu'est-ce donc qu'un train ? Villeneuve nous dit que le terme a dans le provençal à peu près la même signification qu'en français : mais il indique que le terme n'est guère usité qu'aux environs de Marseille, ce que précisait déjà Millin, affirmant « c'est ainsi qu'on nomme à Marseille la fête patronale d'une commune ». Ces affirmations doivent être nuancées : il est vrai, comme on l'a vu, que le vocable se rencontre essentiellement dans la région marseillaise et aixoise, mais on le retrouve isolément à Collobrières dans les Maures, ou à Reillanne près de Manosque. Surtout le terme semble en cours de mutation, vis-à-vis des réalités qu'il recouvre : fête patronale, oui, mais plus encore fête patronale avec défilé et cavalcade comme cette Basse-Provence les pratique (dans le bourg plus qu'à une chapelle de terroir). Mais de ce sens on passe à l'insistance sur l'afflux d'étrangers, et, singulièrement, dans les trains du terroir marseillais, de citadins : « amis, parents, curieux venus de dix lieues à la ronde » dit Millin, cependant que Villeneuve précisera « rassemblement bruyant et tumultueux produit par l'affluence des étrangers qui se dérobent à l'étiquette gênante de la ville pour jouir en toute liberté des plaisirs de la campagne à l'occasion de la fête patronale des hameaux ». De la cavalcade on glisse donc dans l'acception courante, à une lecture plus moderne de la fête au village à l'usage des citadins.

La bravade

A ce titre, l'aire géographique du train n'est pas celle de la bravade. Le terme là encore peut être associé à celui de romérage : il peut y avoir romérage, avec ou sans bravade, comme il peut y avoir bravade... sans romérage, ainsi que nous l'avons vu à propos du mariage en Haute-Provence.

La pratique se définit ici sans ambiguïté : c'est cette démonstration pseudo-militaire d'une jeunesse en armes, et en uniforme, qui agrémente la fête de décharges répétées cependant qu'on fait partir boîtes et fusées. La bravade a été présentée et décrite par Maurice Agulhon à propos des associations de jeunesse qui en sont le support institutionnel : nous n'en rappellerons ici que les aspects qui intéressent directement notre propos. On relève mention de bravade dans une cinquantaine de localités dans le dictionnaire d'Achard : soit 10 à 11 % des fêtes présentées. Le décompte est-il exhaustif ? Il se peut que la précision ait souvent été omise : mais la carte des bravades, dans sa cohérence, plaide pour la fiabilité du relevé. La bravade est loin d'être inconnue de la Basse-Provence : il s'en faut ; et loin de nous l'idée de le faire croire à des contemporains pour lesquels, aujourd'hui, la bravade par excellence est celle de Saint-Tropez ! Mais la carte, qu'elle soit par semis ponctuel ou par zone d'importance relative, la révèle pour l'essentiel phénomène du haut pays. C'est souvent la Provence orientale qui pratique la bravade, et dans cette Provence orientale, essentiellement la région alpine des vigueries de Castellane, Moustiers, Digne, Barcelonnette, Annot ou Colmars. Ce que dit la statistique est confirmé par les impressions des voyageurs du temps : c'est à Riez et à Manosque, dans la Haute-Provence, que Millin la rencontre sous ses formes les plus bruyantes. Plus tard, avec déjà l'œil de l'historien ou de l'ethnologue, Bérenger-Féraud constatera le fait de la subsistance élective de la bravade dans certaines régions : il l'explique par des considérations historiques ; l'aire de la bravade serait celle des repaires sarrazins, depuis les Maures jusqu'à la vallée de Draguignan et les refuges alpins : en un mot le « trajet entre les Fraxinets des Alpes et le golfe » (de Saint-Tropez). Guerre pour rire, héritage d'anciens affrontements bien réels : telle explication est sans doute un peu simple, et nous suivons pour notre part plus aisément Maurice Agulhon, sensible lui aussi à ce repli alpin de la bravade, mais qui tend plutôt à y voir une sorte de conservatoire des habitudes et coutumes ailleurs déclinantes.

Ainsi voit-on se délimiter, à l'intérieur même du romérage, des secteurs individualisés, qui matérialisent l'opposition entre Haute et Basse-Provence : c'est toutefois sur la base du canevas général, que l'on peut entreprendre l'analyse des différents aspects de la fête, sacrée et profane.

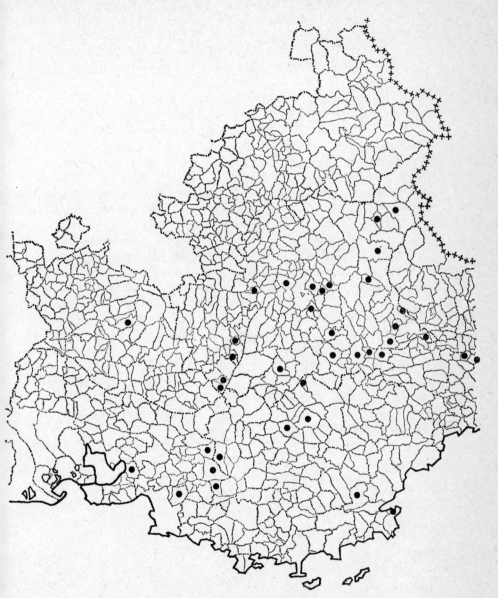

Lieux où le dictionnaire d'Achard signale la « bravade »

ANALYSE INTERNE, TYPOLOGIE

Le romérage, fête religieuse

Le romérage est, dans sa définition même, fête sacrée, où l'on célèbre le saint patron de la communauté, le titulaire de l'église, voire —
mais nous en ferons l'objet d'une rubrique particulière — le patron
d'une confrérie, généralement professionnelle. Nous avons déjà vu
les saints honorés en Provence, et hiérarchisé leur importance respec-
tive. C'est d'eux qu'il s'agit dans cette phase préparatoire que l'on
intitule parfois le « réveil du saint » et qui couvre la semaine (parfois
plus) qui précède la fête. Celle-ci est chômée, lorsque, du moins les
évêques n'en ont pas repoussé la date au dimanche le plus proche :
mais elle se limite rarement à un jour, on l'a vu. Le cœur de la fête
religieuse reste, on s'en doute, l'office de la procession au cours de
laquelle seront promenés le buste et les reliques du Saint. Ce moment
crucial de la fête sacrée peut revêtir des formes différentes : tantôt
la procession reste intra-urbaine, voire fête de chaque paroisse dans
les grandes villes (Marseille) ou de quartier dans les petites (Saint-
Maximin), tantôt elle revêt l'aspect original d'un déplacement collectif
à un sanctuaire du terroir, généralement chapelle rurale, et bien souvent, comme le rappelle Maurice Agulhon, site d'acropole de très
ancienne dévotion, mariale ou autre. Est-ce là originalité provençale ?
Nous n'avons pas les éléments pour l'affirmer : du moins pouvons nous
relever la relative importance de cette pratique, signalée dans près de
15 % des cas, inégalement d'ailleurs suivants les zones, et l'on
comprend le rôle que leur attribue M. Agulhon. C'est dans la
Provence actuellement varoise que la pratique est la plus répandue
(plus du tiers des fêtes) comme aussi dans une partie des zones alpines ; la Basse-Provence occidentale, sans ignorer ce type de fête, lui
donne une place sensiblement moindre. On ne s'étonne pas de cette
localisation : c'est bien la Provence « baroque » dont nous avons
traité ailleurs, celle des multiples chapelles rurales au terroir qui se
trouve ainsi mise en valeur.

Les pèlerinages

Rentrant parfois dans cette catégorie, le pèlerinage reste l'une des formes sinon les plus fréquentes, du moins, si l'on en croit les observateurs, les plus fréquentées, de la fête de dévotion. Le dictionnaire d'Achard n'en signale qu'une petite vingtaine — dix-huit pour être précis : chiffre du même ordre de grandeur que celui des pèlerinages les plus renommés qui ont été répertoriés par l'*Atlas historique* de Provence. La carte de ces pèlerinages réhabilite la Basse-Provence ; mieux pourvue, surtout le pays d'Aix : mais il est dans la montagne, des pèlerinages célèbres.

Leur liste associe les pèlerinages sans affectation précise, ou dirons-nous, de pure dévotion, ainsi ceux qui convergent vers la Sainte-Baume à Pentecôte, vers la Sainte-Victoire le 23 avril ; et ceux dont la renommée vient des miracles et guérisons qui s'y font. On peut s'y rendre pour demander la pluie : ainsi à la fontaine de Vaucluse, au tombeau de saint Véran bien déserté, dit-on, mais dont on sait retrouver le chemin en cas de sécheresse. Le plus souvent, c'est pour eux (ou pour leurs bêtes) que les gens viennent solliciter des miracles : miracles en tous genres à la chapelle de Saint-Ours à Meyronne (viguerie de Barcelonnette) qui connaît un « grand concours de gens de toutes les vallées... attirés par les miracles qui s'y sont opérés », interventions spécialisées plus souvent. Saint Jean est imploré à Montségur contre l'épilepsie, saint Cyr à la Cadière contre la teigne, saint Pierre à Tourtour contre la rage, saint Eloi remplissant le même office à Ventabren, cependant qu'à Châteauvieux près de Castellane, saint Pierre s'attaque aux fièvres intermittentes, et qu'à Céreste, saint Blaise se montre efficace aussi bien pour les maux de gorge... que pour les âmes. Les pauvres âmes du Purgatoire ont, elles aussi, leurs pèlerinages et l'on cite à Auzet, près de Seyne-les-Alpes telle absoute qui se célèbre à l'ascension à l'ancien cimetière et qu'on « n'ose abolir à cause du peuple ».

Ces pèlerinages sont-ils suivis ? Il est des arguments bien forts à l'égard de ceux qui s'y dérobent, et à Bras dans la Viguerie de Saint-Maximin, le peuple est persuadé que s'il ne se rendait à la Saint-Marc à un étang dont les eaux sont très profondes il en sortirait certainement des flammes. Avec, ou sans ces arguments, on cite parfois des foules considérables, et la chappelle qui reçoit à Montségur les pèlerins venus de partout peut abriter jusqu'à six mille personnes. Mais il est aussi et nous le verrons, des preuves manifestes du déclin d'anciens pèlerinages réputés.

Que les pèlerinages soient vivaces ou déclinants, ils restent la matérialisation la plus visible sur le terrain de ces traditions thaumaturgiques, ailleurs plus diffuses, mais que certains auteurs, tel le préfet Villeneuve, retrouveront bien vivants encore sous la Restauration : ainsi dans les Bouches-du-Rhône, les « biscotins » de Saint-Denis sont-ils remèdes efficaces contre le mal de gorge, cependant que les pêches que l'on cueille à la Saint-Césaire révèlent leur efficacité contre les fièvres d'accès, au même titre que les gousses d'ail de la Saint-Jean.

Les fêtes votives

Plus limitée apparaît l'importance des fêtes votives au sens strict du terme, dont l'origine n'est rappelée que dans une demi-douzaine de cas ; et le succès de la procession, qui chaque année commémore à Marseille le vœu de Monseigneur de Belsunce plaçant sa ville sous l'invocation du Sacré-Cœur après la délivrance de la peste en 1721, apparaît sans doute exceptionnel. Les Provençaux se souviennent cependant, surtout en Haute-Provence : et Colmars commémore un incendie, quand Sisteron évoque une inondation... de 1540, Peyrolles la protection accordée un jour contre la grêle par saint Pierre Martyr. A Castellane enfin, la fête dite « du Pétard » rappelle tous les ans la levée du siège de la ville par les huguenots : occasion, le titre le dit bien, d'une bravade bruyante, par où se survit la fête votive.

La Restauration, peut-être parce qu'elle sera plus attentive aux valeurs d'héritage ou de fidélité, insistera plus, sous la plume du préfet Villeneuve, sur l'importance des vœux, sans que l'on puisse aisément mesurer ce qui est la part de la tradition et celle de la redécouverte ; mais on rencontre ainsi dans les Bouches-du-Rhône le souvenir d'une victoire sur les Sarrazins à Rognes, celui d'une inondation en 1635 à Marignane, ou d'une épidémie en 1666 à Eyragues : parfois une chapelle au village ou au terroir matérialise cette tradition, et sert de but à la procession.

Les saints thaumaturges

En dernière rubrique des aspects religieux de la fête, il convient et, en continuité avec ce qui a été dit des pèlerinages aux saints thaumaturges, de faire une place aux liturgies de bénédiction des êtres ou des choses : elles ont été rencontrées dans le cadre des rogations sous la forme des processions des « vertus », mais la fête villageoise leur fait parfois une place qui rehausse son attrait. A Barcelonnette, à la Saint-Joseph (19 mars) on bénit les enfants, à Fox Amphoux et à Quinson, près de Barjols on fait, le premier dimanche de mai, une procession au terroir (ou à l'ancien village) pour bénir les fruits de la terre. Mais le plus souvent, ce sont les animaux domestiques qui sont concernés par ces rites : Ceyreste (Viguerie d'Aix) fait bénir les ânes à la Saint-Blaise, en février, mais en général c'est à la Saint-Eloi que se groupent à la fois le défilé, les courses et la bénédiction des chevaux. Rite spectaculaire qui peut rassembler plusieurs milliers de bêtes, décorées et enrubannées, en Pays d'Arles : et c'est bien dans la Basse-Provence riche que la Saint-Eloi est le plus généralement fêtée (la « Carreto ramado », char fleuri de Maillane) encore qu'on rencontre isolément de tels rites jusqu'à Valensole par exemple.

La fête de « pure dévotion »

A ces approches mêmes on sent bien que la fête patronale n'est que rarement simple fête de dévotion : nous l'avons signalé d'entrée, en disant un mot des fêtes « de pure dévotion », au dire du dictionnaire. Elles ne sont pas très nombreuses dans ce cas, une trentaine — 6 à 7 % ; plutôt fêtes d'hiver on l'a vu. La Basse-Provence occidentale les ignore, semble-t-il, complètement, la Basse-Provence orientale leur laisse une place mesurée, mais les régions de la rive droite de la Durance et la Haute-Provence alpine connaissent plus amplement ce type de rencontre ; c'est que la notation, sous la plume des auteurs, est ambiguë et plutôt péjorative, pour quelques-uns qui disent : « on vient ici plutôt par esprit de dévotion que par curiosité profane » (le 8 septembre à Moustiers), d'autres plus nombreux déplorent « La Saint-Sébastien n'est plus qu'une fête de dévotion » (Saint-Raphaël),... « on ne la célèbre plus que jusqu'à la grand-messe » (le 11 novembre à Brunet près de Moustiers).

La fête complète, c'est bien le romérage, avec toutes ses réjouissances. Pour dégager les traits de la fête « profane » il faut, en assumant tout l'artifice de cette procédure, en désarticuler tous les éléments, institutionnels (manifestation municipale), économiques (la foire) ; ou proprement ludiques.

La fête profane : aspects institutionnels

On se dispensera ici de reprendre longuement l'aspect institutionnel de la fête, cependant essentiel : mais il a été présenté de façon si fouillée et si pénétrante par Maurice Agulhon dans son étude de la sociabilité méridionale, que le reprendre serait le répéter. Nous savons, depuis ses recherches, l'importance que tient la fête dans la vie municipale et plus largement sociale des communautés provençales : et comment l'organisation de la fête, entreprise collective a fait survivre, au prix de réemplois successifs ces dignitaires traditionnels que sont l'Abbé de la Jeunesse, le Capitaine et l'Enseigne, voire le Prince d'Amour. Mais si le schéma nous est ainsi connu, il conviendrait, à partir de cet épicentre varois où il a été étudié, d'en cerner l'étendue et les frontières géographiques. Comment, à l'échelle de l'espace provençal, les organismes chargés de la préparation de la fête apparaissent-ils structurés ? L'indication ne nous est donnée que dans une minorité de cas. Il n'est peut-être pas imprudent cependant, d'extrapoler à partir de ces données.

Confréries gestionnaires

Parfois c'est la confrérie religieuse, de type luminaire, chargée de la chapelle du patron qui prend en charge cette organisation : cette solution, considérée sans doute comme allant de soi est trop rarement relevée pour qu'on puisse en dresser la statistique. Quelques rubriques particulièrement fournies et explicites, ainsi pour la communauté de Velaux près d'Aix, décrivent cependant la structure « classique » de la fête et notamment le rôle que tiennent dans son organisation les marguilliers de la chapelle du saint que l'on fête : et aussi, bien sûr, la place qui leur revient dans le cortège de la procession. Parfois aussi, c'est la mort de la confrérie, dans la seconde moitié du XVIIIe siècle qui en révèle rétrospectivement l'importance passée : ainsi à la Palud près de Moustiers, les banquets collectifs qui réunissaient les habitants ont-ils pris fin avec l'existence de la confrérie du Saint-Esprit, qui se chargeait de leur organisation... comme de leur financement. On relève plus fréquemment, sans toutefois prétendre à une vision exhaustive, les allusions aux organismes particuliers qui assument cette charge, et pour être précis, mention en est faite dans 26 des localités pour lesquelles on décrit des fêtes, soit en gros un dixième. Cela reste relativement peu, dans la mesure où il est légitime de supposer une telle organisation partout au moins où se fait la bravade, soit dans une cinquantaine de cas. Il reste du moins possible de dégager quelques traits.

Discrétion de l'initiative du seigneur

Les bourgs qui nous sont signalés comptent un ou plusieurs dignitaires, chargés d'organiser la fête : leur désignation est affaire municipale généralement. C'est du moins ce qui apparaît dans la demi-douzaine de cas où cette précision est donnée, et qui avec convergence évoquent une élection annuelle, on précise parfois en mai, par le corps de ville. Dans un seul cas, à Entrechaux dans le Comtat, c'est le seigneur qui s'en charge, en collaboration avec un dignitaire particulier, le « Rey bouyer » lui-même désigné par la communauté. Sans doute faudrait-il nuancer sur cette inexistence relative de l'intervention seigneuriale dans l'organisation de la fête... Le comte Almaviva n'occupe ici qu'une place médiocre semble-t-il : mais on le voit apparaître occasionnellement dans telle communauté (Thoard, v. de Digne) où il est dit que les seigneurs « autorisent ou défendent la bravade selon leur plaisir » ou telle autre comme Goult dans le bassin d'Apt, où un cérémonial minutieusement décrit laisse au seigneur du village une place honorifique du moins, qui est loin d'être médiocre. C'est là presque une exception qui confirme la règle : dans la plupart des cas, c'est aux représentants de la communauté que revient la charge d'organiser la fête.

Qui sont ces représentants officiels ? Notre coupe en 1787, à partir du dictionnaire d'Achard, confirme le déclin et la quasi disparition des institutions médiévales d'autrefois supports de ces charges : le « guet » n'est cité que dans un lieu (La Roquebrussanne), et les anciens personnages, nobles généralement, qui présidaient aux fêtes chevaleresques ne subsistent plus qu'à titre d'exception dans certains sites, et particulièrement à Aix où nous retrouvons le Prince d'Amour et le roi de la Bazoche dans les jeux de la Fête-Dieu. Ailleurs, au bourg ou au village, ce n'est qu'à titre de souvenir qu'apparaissent telles références, ainsi à Pourcieux (V. de St-Maximin) où les fêtes se déroulent sur la « place d'amour ».

Capitaine, ou abbé de la jeunesse

Dans le cas le plus général, c'est soit l'abbé ou l'abba de la jeunesse, soit le capitaine de ville que la fête place au premier rang. Nous savons grâce à Maurice Agulhon comment s'est faite cette fusion progressive des organismes de « jeunesse » et de l'héritage guerrier des siècles passés : toutefois la confusion n'est pas totale. Il est rare qu'on ait résolu le choix entre l'Abbé de la Jeunesse et le Capitaine de ville par le compromis bourgeois de les faire coexister : le cas n'est cependant pas inconnu et se rencontre dans trois sites : à Bouc, près d'Aix où il y a Abba et Capitaine, à Roquefort (V. d'Aix) et Volx (V. de Forcalquier) où l'Abbé coiffe l'organisation militaire représentée par un enseigne ou des enseignes et des sergents.

L'Abbé de la Jeunesse se présente comme seul dans la plupart des cas (11 sur 15, il se dédouble dans trois cas), le type exceptionnel étant proposé par Goult près d'Arles, qui compte trois abbés. Le cas de dédoublement de la fonction répondant parfois à la distinction, que l'on retrouvera, d'un jeune homme célibataire et d'un homme marié (Bras-d'Asse, V. de Digne) : en ce cas, on le voit, la notion d'Abbé de la Jeunesse est au moins contestable. Dans trois cas on signale la présence d'une ou deux abbadesses, en complément de la responsabilité masculine des abbés : peut-on les considérer comme autant d'exceptions qui confirment la règle d'un privilège masculin, ou sont-elles significatives ? Le cas mérite en tous cas d'être relevé. L'Abbé ou les Abbés de la Jeunesse prévalent en Basse-Provence occidentale, ou dans la Haute-Provence de la rive droite de la Durance ; ils sont beaucoup moins connus, voire inconnus ailleurs : cette cartographie assez sélective, recouvrant d'ailleurs, en négatif, la carte de la bravade telle que nous l'avons déjà présentée : là où s'impose la bravade, démonstration de la jeunesse en armes, ce sont les capitaines et les enseignes qui dirigent la fête.

	Bravade	Jeunesse en armes	Abladesse	Abbé (s)	Capitaine	Enseigne	Désignation	Observations
Aix - Tarascon	4 4 %							
(Aix) Bouc				1 abba	1 cap.			
Istres				1 aba				
Pertuis				1 aba				
Fuveau					1 cap.	1 enseigne		
Roquefort				1 abbé		1 enseigne		
Trets					1 cap.	1 enseigne		
Velaux			1 abadesse	1 abba	1 cap.			
Vitrolles				1 abbé de la jeunesse				
(Tarascon)								
Maillane				des abbas				ont droit de pelote et charivari
			1	7	4	3		
Apt - Forcalquier - Sault - Sisteron	5 9 %							
Goult				3 abbés				
Niozelles		x						Cies houssard fusiliers etc.
Ste Tulle		x						
Reillanne				1abba ou abbé		élu annuel-lement		
Voix				2 abbas		2 sergents 2 porte-enseignes	annuels	
		2		3		1		
Seyne - Digne	4 à 7 11 à 20 %							
Archail		x	2 abbadesses	2 abbas				
Bras d'Asse				2 abbas				1 garçon 1 h. marié
Draix		x						
		2	1	2				
Barcelonnette - Barrème Annot - Colmars	12 23 %							
Allos		x Cie Bgse						en uniforme
Jauziers		x Cie Bgse			1 colonel	+ officiers		en uniforme
Barcelonnette		x Cie Artisans + x Cie Bgse			1 cap.	major+ porte-drapeau		
Beauvezet				abbats	1 cap.			ouvrent le bal
Barrème					1 cap.	major aide-major sergents		Cie militaire
Sausse		x (gd nombre sous les armes)				enseignes porte-étendard etc.		
		5		1	3	3		

Abbés et capitaines de la Jeunesse

	Bravade	Jeunesse en armes	Abbadesse	Abbé (s)	Capitaine	Enseigne	Désignation	Observations
Moustiers - Castellane	7 12 %							
La Palud			1 abadesse	1 abba				
Salles		x jeunesse sous les armes						
Blieux		x						jeunes gens avec fusil et épée uniforme
Castellane		x jeunes gens armés						
Soleilhas		x						
Ubaye		x						
(et Moustiers ...)		x						
		6	1	1				
St Maximin - Barjols - Brignoles	5 11 %							
Fox Amphoux					1 cap. (marié)	1 enseigne (garçon)	annuellement p. cons. mun.	guet
La Roquebrus- sanne								
Signes					1 cap. (marié)	1 enseigne (garçon)		«Place d'Amour» pour les fêtes
Pourcieux								
Pourrières					1 cap. (marié)	1 enseigne (garçon)	élus en mai p. cons. mun.	
St Zacharie		x jeunes gens avec drapeaux et tambours				1 enseigne		
Rougier					1 cap.	1 enseigne	nommés par corps de ville	et leurs officiers
		1			4	5		
Toulon - Hyères	0							
Draguignan+ Lorgues + St-Tropez - Grasse - St-Paul	6 11 %							
St Tropez		x Cies en armes de milice bgse			1 cap. de ville 4 cap. de quartier			
Gattières		x jeunes gens sans armes						
		2			1			
Comtat	0 0							
Entrechaux				1 abbé de la jeunesse+ 1 «Rey Bouyer»			Rey Bouyer et seigneur désignent l'abbé	Rey Bouyer commande les jeux
				1				
Terres adjacentes	0 0							
Montségur		x jeunes gens						
		1						
		19	3	15 12 12				
				26 14				

Abbés et capitaines de la Jeunesse

L'organisme support est ici ce que l'on appelle dans les notices « la
jeunesse en armes », ou « sous les armes » et parfois aussi la compagnie
bourgeoise, voire la milice bourgeoise. Les sites où l'institution est la
plus développée (Saint-Tropez, Castellane, Barrème, Riez, Manosque,
Sainte-Tulle...) distinguent des compagnies de housards, de dragons, de
fusiliers... en uniformes, voire introduisent toute une hiérarchie pseudo-
militaire : Capitaine, Major, Aide-Major, Sergent, Enseignes, Porte-
Etendard (Barrème en Haute-Provence). Une seule localité (Jauziers
près Barcelonnette) se risque à désigner un colonel : ailleurs, dans
la presque totalité des cas, prévaut la dualité Capitaine-Enseigne. On
tente ainsi de répondre, comme dans le dédoublement précédemment
rencontré des abbas, à différents codages : le plus fréquemment rencontré se faisant par classes d'âge : le Capitaine est un homme marié,
l'Enseigne un célibataire (c'est ce qui prévaut dans les viguieries de
Basse-Provence centrale ou orientale).

Classes d'âge ou classes sociales

Mais d'autres types de classification peuvent apparaître là où la
fête se fait prolixe : par quartiers (à Saint-Tropez, un Capitaine de
ville et quatre Capitaines de quartiers), voire dans un cas par groupes
sociaux : à Barcelonnette il y a compagnie artisane et compagnie
bourgeoise, chacune avec Capitaine et Major, et des uniformes différents. On est là d'ailleurs, dans ces régions alpines des viguieries de
Barcelonnette, Barrème, Annot ou Colmars ; au cœur de l'aire de
complexité maximale et entretenue dans l'organisation de la fête, là où
la bravade conserve le mieux ses rites traditionnels, débordant le plus
du cadre de la fête ou des fêtes annuelles pour pénétrer au cœur de
la vie quotidienne. Mais telle organisation, ou codage par groupes
socio-professionnels se rencontre différemment formulée dans la Basse-
Provence occidentale. L'exemple le plus complexe se trouverait ici à
Tarascon, dans l'ordre des jeux de la Sainte-Marthe, que nous réserverons cependant, au même titre qu'Aix, comme spécifique de la fête
« urbaine ». Mais à Lambesc, le lundi de Pentecôte, le Capitaine de
ville et l'Abbé de la Jeunesse s'associent un roi de « l'éguillade » (instrument d'artisan), qui représente son groupe, et un Roi de « l'Eyssado » ou de la pioche qui symbolise la participation paysanne. A

Salon, non loin de Lambesc la Fête-Dieu voit, dans le même esprit
élire le « Rey de l'Eyssado », et la Saint-Jean, le « Rey de la Bado-
che » ou de « l'Herminette ». Les clivages sociaux, ailleurs voilés par
la personnalité du Capitaine ou de l'Abbé de la Jeunesse reprennent
ici, au moins partiellement, et sous forme d'ajout, leurs droits.

Vient ensuite ce que l'on peut appeler, en assumant tout l'excès de
simplification que compte cette rubrique, l'aspect économique et social
de la fête.

La fête et la foire

La fête n'est pas la foire, il n'est pour s'en convaincre que de rapprocher les cartes des fêtes que nous avons proposées, de la carte des
foires au XVIII° siècle qui a été établie dans l'*Atlas historique de Pro-*

Les foires en Provence à la fin du XVIII° siècle

vence. Il est des régions d'intense concentration des foires (le Comtat,
le contact entre Haute et Basse-Provence orientale) qui ne sont point
particulièrement festives : inversement, la fête a une importance considérable dans la région alpine où la foire se fait rare. Restent les exceptions, occasionnellement brillantes où la foire attire la fête : et ce n'est
point sortir vraiment de la Provence que d'évoquer la foire de Beaucaire, dont un récit précis de Millin retrace à l'époque consulaire toutes
les réjouissances annexes : bals quotidiens, baraques foraines, funam-
bules... une fête permanente qui est plutôt du type urbain moderne
que villageois traditionnel. Ceci étant, si la foire ne crée qu'exceptionnellement la fête, la fête suscite généralement au moins une petite foire :
les dictionnaires l'attestent bien souvent, qui relèvent que des marchands attirés par l'afflux des étrangers, se rassemblent aux romé-

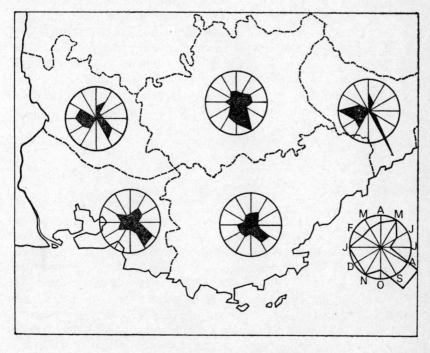

Calendrier des foires en Provence (Garcin 1836)

rages les plus fréquentés. Cette importance économique, malgré tout, de la fête, est rappelée par Villeneuve au début du XIX° siècle lorsqu'il dit des Bouches-du-Rhône que les exploitants attendaient le jour de romérage pour mettre en circulation leurs liquidités. Mais c'est peut-être plus encore dans la Haute-Provence où les rencontres sont plus rares, que le romérage scande d'importante façon la vie agricole : c'est dans la viguerie de Digne que l'on dit en deux villages (Thoard et Saint-Estève) que la fête du 15 août et du 8 septembre s'accompagne d'une foire pour la louée des domestiques (ou des valets), donnée qui ne se relève pas en Basse-Provence.

Fête corporative et fête professionnelle

Ce qui s'y trouve plutôt, c'est le rôle maintenu de la fête professionnelle. A vrai dire nos dictionnaires confèrent à cette rubrique une place relativement discrète — une douzaine de sites chez Achard — qui ne permet qu'avec prudence de suivre l'hypothèse de travail avancée par Maurice Agulhon, selon laquelle la multiplication des fêtes de confréries professionnelles aurait été un des éléments dans la banalisation quasi hebdomadaire des réjouissances à la fin du XVIII° siècle : mais sans doute, notre source n'est-elle pas exhaustive, et le baron de Villeneuve, dans sa statistique Restauration, en cite un assez grand nombre dans les Bouches-du-Rhône.

Rites agraires

Fête « professionnelle » en liaison directe parfois avec le calendrier agricole, ou simplement commémoration du saint patron d'une confrérie ? Sans doute convient-il de distinguer, et de hiérarchiser. Au niveau de la fête réglée par les rites de très anciens héritages, se trouvent les fêtes du calendrier agricole : ainsi le 29 juillet à la Martre, près de Castellane célèbre-t-on la fête des moissonneurs, de même qu'à Trets, le lundi de Pentecôte, on fauche en cérémonie une prairie communale, fête qui porte le nom de la « Ramée ». Mais si la fête s'intègre ainsi dans le cycle des réjouissances officielles et codifiées, on cite aussi les réjouissances spontanées auxquelles se livrent les groupes des moissonneurs saisonniers qui descendent, en été, du haut au bas pays. Parfois cette pratique débouche sur des formes plus élaborées et ritualisées : particulièrement intéressante nous semble à ce titre la mascarade à laquelle se livrent à Valensole le 17 janvier, pour la Saint-Antoine-Ermite, les gens « de la dernière classe du peuple », qui miment une sorte de caricature de moisson pour rappeler peut-être, si cette explication n'apparaît pas trop simplette, leur existence au cœur de ce qui est pour eux la morte saison : et l'on rappellera dans cet ordre d'idée les bandes de pauvres travailleurs de terre qui s'en vont quêtant à la même époque dans le pays d'Arles et de Tarascon.

Fêtes de confréries professionnelles

La fête officielle des confréries professionnelles a ses protecteurs attitrés, les uns à l'échelle nationale, les autres plus spécifiquement régionaux ; et l'on n'insistera pas sur le palmarès connu que rappelle Villeneuve pour les Bouches-du-Rhône : Saint-Joseph pour les charpentiers et menuisiers, Saint-Véran pour les bergers, Saint-Eloi, patron des ménagers, mais aussi des forgerons et muletiers, Sainte-Madeleine pour les jardiniers, Saint-Pierre pour les pêcheurs, Saint-Elme pour les marins, Saint-Marc et Saint-Vincent pour les vignerons, Saint-Honoré pour les boulangers. Plus que sur un tel rappel, on se doit sans doute d'insister, dans le cadre spécifique de la Provence, sur le caractère particulièrement important de certaines de ces fêtes. C'est le cas sans doute pour la Saint-Eloi, sur laquelle Maurice Agulhon a justement insisté, et dont nous avons plus haut dessiné l'aire d'implantation : Saint-Eloi doit sans doute une partie de son exceptionnel succès à l'ambiguïté de ses attributions puisque par le vecteur commun du mulet ou du cheval qu'il faut ferrer, le saint forgeron est passé des maréchaux aux muletiers, puis aux paysans : présidant ainsi aux grandes cavalcades, bénédictions et courses d'animaux du début de l'été. Puis, même si les exemples cités par Achard sont limités, on se doit de relever les multiplications des romérages ou des trains, initialement fêtes de confréries professionnelles, devenues fêtes collectives : l'exemple du Beausset dans la viguerie d'Aix est particulièrement caractéristique, qui voit se succéder le 16 mars le train des boulangers, le 25 juin celui des muletiers à la Saint-Eloi, le 21 juillet celui des soldats pour la Sainte-Victoire, le 4 décembre celui des mariniers pour la Sainte-Barbe, cependant que la fête des laboureurs se célèbre à Pentecôte sous l'invocation de Saint-Hermentaire. Le Beausset serait-il un cas typique de la Basse-Provence occidentale des « trains multipliés » : on hésite à présenter une hypothèse aussi restrictive, lorsqu'on voit à Barcelonnette les cardeurs fêter Saint-Blaise le 3 février, les muletiers Saint-Eloi, les hommes de loi Saint-Yves et les cordonniers Saint-Crépin comme il se doit. A la fois déclinante sans doute, et en même temps revivifiée par sa banalisation, telle nous apparaît la fête professionnelle provençale à la fin du XVIII⁰ siècle.

LE DÉROULEMENT DE LA FÊTE

La fête profane, celle où l'on joue et où l'on danse nous est particulièrement connue par l'intérêt qu'elle a suscité de la part des élites des Lumières : cette découverte sur laquelle on aura à s'interroger, nous vaut non seulement de longues descriptions des voyageurs et auteurs de traités (Bérenger, Millin, Villeneuve) mais aussi, de la part des auteurs d'articles de dictionnaires, des développements parfois étonnamment prolixes : ainsi l'érudit qui a rédigé la notice sur Velaux dans la viguerie d'Aix n'a-t-il pas consacré moins de vingt pages aux fêtes de ce bourg, véritable traité sur un cas précis et particulièrement illustratif.

La procession

Le schéma type de la fête provençale se dégage aisément de tels apports. Sous sa forme la plus complète, elle se développe sur deux ou trois jours souvent du samedi au lundi. Le « réveil du saint » a mobilisé dans la semaine, ou les semaines précédentes, les jeunes gens du pays qui ont promené dans le bourg et au terroir les « joyes » cette tige de bois à laquelle est accroché un cercle d'où pendent les objets (foulards, pots d'étain...) qui seront les prix des jeux de la fête, en quêtant

au passage pour accroître cette mise de départ. La veille au soir —
disons le samedi —, se donnent les aubades, exécutées par les galoubets
et tambourins, d'abord à l'adresse du saint, devant l'église, puis
devant les maisons des notables de la paroisse. Le dimanche matin
associe la liturgie sacrée — la messe, puis la procession de la châsse
du saint avec le clergé —, aux réjouissances profanes qui en sont indis-
sociables, même lorsque les puristes se plaignent du mélange des genres : cortège des gens et parfois des bêtes (chevaux et mulets de la
Saint-Eloi) les humains se trouvant précédés et encadrés outre les
autorités villageoises, soit par les marguilliers du saint, soit par les
organismes de jeunesse : abbas et abbadesses endimanchés, porteurs
de leur bouquet, ou capitaine et enseigne faisant manœuvrer leur
troupe avec plus ou moins d'ordre, mais à coup sûr à grand bruit, au
son des décharges réitérées de la bravade. Les farandoles qui achèvent
à midi cette première séquence, sont le prélude aux réjouissances de
l'après-midi.

Courir les joyes

C'est alors qu'on « court les joyes » : entendons que se déroulent
les jeux et concours, précédés parfois d'un rappel des liturgies du
matin (la bénédiction des bêtes). On s'en explique : particulièrement
prisées et fréquentées sont les courses d'animaux, chevaux, mulets, voire
ânes pour les enfants. On connaît déjà en Arles, à Tarascon, et peut-
être aussi dans quelques communes de cette région les courses de taureaux « à la cocarde » que les chroniqueurs et voyageurs (Bérenger,
Millin) opposent à la sanglante brutalité des corridas espagnoles. La
grossière technique italienne des combats de dogues et de taureaux ne
sera tentée par les bouchers de Marseille qu'en 1819 mais sans succès
et sans lendemain. Ces tauromachies restent curiosités marginales : les
vraies courses demeurant en Provence celles des chevaux et mulets.
Suivent les épreuves qui voient s'affronter les villageois eux-mêmes
ou leurs voisins : courses d'hommes, mais aussi courses d'enfants, et
plus étonnantes peut-être pour les yeux étrangers, courses de jeunes
filles (ces « modernes atalantes » dont nous aurons à reparler) voire
de vieillards : un codage donc par sexe et par classes d'âges. D'autres
épreuves « sportives » s'associent à la course : le saut (les « trois

sauts ») le jeu de la barre ou du disque, le ballon, le tir à la cible et parfois... les grimaces si tant est qu'il s'agisse d'un sport. Les jeux sur le mail, que Millin rencontre dans le Languedoc montpelliérain ne semblent pas une pratique spécifiquement provençale et le préfet Villeneuve vers 1830, les décrit dans les Bouches-du-Rhône comme une survivance « aujourd'hui peu usitée » du jeu de mail où s'exerçaient autrefois « les jeunes gens des premières familles ». Sur ce schéma général des jeux, quelques nuances notables se greffent : les agglomérations littorales ont leurs jeux nautiques particuliers : courses de bateaux, mais plus généralement encore joutes, que Villeneuve retrouvera au début du XIXᵉ siècle à La Ciotat, Cassis, Marseille, Martigues, Arles ou Tarascon, sous le titre de la targue ou la targo, associée parfois à la bigue exercice d'équilibre au-dessus de l'eau sur une poutre suiffée.

Mais il reste aussi que certains sites ont conservé des formes anciennes de fêtes plus complexes : et si même nous réservons pour l'instant les grandes fêtes urbaines de la Basse-Provence occidentale qui méritent d'être traitées pour elles-mêmes (Marseille, Aix, Tarascon ou Pertuis) nous pouvons citer pour l'exemple Millin qui rappelle que « quelques communes ont des fêtes plus tumultueuses et bruyantes », se référant nommément à Manosque et à Riez dans le pays que nous pouvons dire en gros de la Durance : Manosque en fait c'est Volx village voisin, dont parlera encore Bérenger Féraud à la fin du siècle. Ici des rituels, somme toute assez semblables, voient les compagnies armées de la jeunesse se livrer à un simulacre d'attaque d'un fort de terre ou de mousse parfois très symboliquement représenté où des « hommes sauvages » qui évoquent, pour tous, le souvenir des Sarrazins, détiennent les jeunes filles qu'ils ont enlevées : occasion plus ou moins licite, dit-on, de baisers dérobés. Les sites littoraux ont leurs propres simulacres, souvent rites magiques, tel le brûlement d'une barque sur le port, pratique commune avec les autres rivages méditerranéens.

Après les courses, la fête dit-on, devient générale : à vrai dire elle l'était déjà , car les marchands de la foire qui l'accompagne avaient déployé leurs éventaires et la danse avait commencé, mais plus que jamais, en cette fin d'après-midi « on chante, on boit, on danse ».

La danse, ce n'est point seulement la farandole, qui se déroule au son du tambourin et du galoubet, et que l'on évoque partout : on cite aussi le rigaudon, et surtout la mauresque dont la variante, dite danse des épées est tout particulièrement décrite pour son caractère spectaculaire, et ses pas compliqués : ici la danse se fait spectacle. La mauresque se rencontre rarement en Basse-Provence occidentale, encore qu'on la cite à Istres et Arles, mais Bérenger-Féraud en attestera la survivance surtout en Provence orientale (Callians, Mougins, Le Cannet de Cannes) cependant qu'elle frappe Millin en l'an XII surtout en Haute-Provence, voire dans les Alpes, de Riez à Gap, et que Villeneuve sous la Restauration en parle comme d'une originalité de la Provence orientale, connue à Fréjus, dans les Maures, dans le pays de Grasse. C'est cet auteur, sans doute, qui est le plus explicite dans sa description technique de danses particulières conçues comme survivances ou importations : « les bergères, les jarretières, la cordelle » pas compliqués que l'on croit introduits par les bergers transhumants venus des Alpes, et plus complexes encore par l'héritage de rites magiques qu'elles intègrent, la danse des soufflets (leis Bouffets) ou des quenouilles (leis Fieloués) qui sont présentées par des hommes travestis.

Danse spectacle ritualisé : danse rencontre surtout. Car c'est là que s'établit entre les jeunes gens des deux sexes un contact très codifié par la pratique des « épingles » : Est-elle spécifiquement provençale ? Nous en doutons, mais voyageurs comme auteurs de dictionnaires insistent sur ce trait. Au bénéfice de la confrérie ou de la jeunesse, sont vendues ces épingles que le danseur offre à sa cavalière, soit isolément, soit par lots : car le fin du fin, on s'en doute, est d'offrir tout le paquet, ou tout le bassin où ces épingles sont présentées ; certains, dit-on, s'y ruinent, ou du moins investissent dans une soirée de bal des dépenses inconsidérées. Certains voyageurs tel Millin présentent comme un trait général l'élection d'un roi ou d'une reine du bal, peut-être généralisent-ils trop.

On danse, on boit et on mange aussi. Le repas collectif qui clôt la journée de fête n'est plus sans doute un rite unanime, il s'en faut, même si, nous l'avons vu au passage, les festins improvisés, demeurent une des formes de rencontre privilégiée dans certaines régions très proches de la Provence : le comté de Nice, d'Antibes à Menton où l'on dresse les tables devant les églises pour de frugales agapes de carême. Telles pratiques ne sont pas totalement inconnues en Provence : on cite la Saint-Georges à Limans dans la viguerie de Forcalquier où d'importantes distributions de pain aux familles s'achèvent par un grand dîner collectif, comme on précise qu'à Talloires dans la viguerie de Castellane un repas collectif à base de pâtes réunit l'ensemble des habitants. Mais parfois aussi ce n'est plus qu'à titre de souvenir que l'on évoque ces agapes fraternelles : ainsi à La Palud, près de Moustiers, où la suppression de la confrérie du Saint-Esprit n'a plus laissé que le regret des « donnes » et du banquet qu'elle organisait annuellement.

En danses et en bombances tard prolongées, souvent dit-on, jusqu'au matin, s'achève la journée de fête, quitte à recommencer parfois le lendemain. Certains auteurs précisent que cette dernière journée réintroduit un rituel religieux : procession d'actions de grâces ou de remerciements au saint (dont parfois on ramène ainsi le buste à sa chapelle). Il s'agit de clôturer la fête comme elle a commencé.

La fête souterraine : la rixe

A vrai dire, en avons-nous prospecté tous les aspects ? Peut-être tous les aspects « officiels » car il est une autre fête plus spontanée, mais parfois souterraine qui coexiste sans toujours se fondre avec la première. Aux jeux « sportifs » de l'après-midi, le soir fait succéder les cartes, généralement, semble-t-il, une sorte d'écarté : mais comme on se ruine à offrir des épingles aux belles, on se ruine plus souvent encore à ces parties où l'on joue gros jeu, et Millin qui insiste sur le revers de la fête, dénonce les suicides, rançon trop fréquente de la cupidité des joueurs ; plus tard, le préfet Villeneuve rappelant que le jeu était très répandu avant la Révolution, indiquera qu'il est désormais banni, du moins officiellement.

Dans ce mauvais côté de la fête, la rixe tient une place qui n'est pas négligeable : on pourrait croire à première vue que les sources qui nous portent ne lui font qu'une place infime, et de fait c'est bien plutôt dans les études en cours sur délinquances et criminalité en Provence que ces réalités peuvent être dépistées. Mais dans les dictionnaires eux-mêmes, on cite à plus d'une reprise la fête qui s'achève rituellement, et annuellement, par des coups de bâtons : c'est ainsi du moins que l'on honore la Vierge le 8 septembre à Brenon dans la viguerie de Castellane. A Seillans (viguerie de Draguignan) où la fête prend place le dernier dimanche d'août, il y a traditionnellement, le soir, combat de pierres entre les locaux et leurs voisins de Bargemon : et s'ils y manquent c'est, dit-on, entre artisans et paysans que se règlent les comptes d'une journée qui ne saurait s'achever d'autre façon.

Un autre modèle : la fête au terroir

Avons-nous ici donné de la « fête provençale » un schéma véritablement général ? Toute présentation de ce genre ne peut être qu'appauvrissante et réductrice. En reprenant les éléments que nous avons été amenés à analyser successivement, il nous semble que c'est un type de romérage — sans doute le plus répandu — et qui correspond par exemple assez bien au « train » de la Basse-Provence occidentale qui a été décrit. Mais au niveau des réalités vécues d'autres schémas-types pourraient être proposés. Assez différents en particulier, malgré des traits communs, serait celui de la fête itinérante ou excentrée, qui voit le rassemblement se faire ailleurs qu'à la paroisse. C'est le cas pour les pèlerinages aux chapelles du terroir dont il a été parlé, et qui concernent au moins un sixième des sites, comme c'est le cas lorsque la fête se déroule à un hameau, ou à un écart : et il est plus d'un lieu de fêtes multiples, notamment dans la Provence « varoise » ou alpine, où la multiplicité même des rencontres répond à une rotation des sites au terroir : ce qui représenterait sinon un troisième type, du moins un cas intermédiaire entre la fête à poste fixe, et la fête itinérante. Dans les deux derniers cas en effet, si l'on court fréquemment les « joyes », si l'on danse, et si l'agape commune s'impose plus encore qu'au village (dût-elle prendre la forme d'un « pique-nique » !) la procession, par la force des choses prend une importance renforcée, la rencontre champêtre sur un site d'acropole donne lieu à des rencontres et parfois à de vastes rassemblements, et Millin prend pour exemple le pèlerinage de Notre-Dame de Dromon près de Sisteron, qui rassemble chaque année au 8 juillet plusieurs milliers de personnes.

Car c'est une autre modulation qu'il convient d'introduire, non point dans la forme même, mais dans l'ampleur et dans la fréquentation. La considération, que nous avons déjà présentée, de l'afflux des étrangers à certaines de ces rencontres, permet d'opposer à des fêtes de villages ponctuelles, certaines grandes concentrations.

De la fête au village, au cycle festif d'une région

Concentrations d'anciens styles, et c'est le pèlerinage : on l'a vu, à Meyronne près Barcelonnette, les miracles de Saint-Ours attirent un grand concours de peuple de « toutes les vallées ». Concentration à l'échelon d'une microrégion : c'est le cas pour beaucoup de romérages des mois de juillet et d'août dont l'échelonnement, de la Madeleine, à Saint-Christophe, Sainte-Anne, Saint-Etienne, Saint-Laurent, Saint-Roch ou Saint-Julien... sans parler de l'Assomption, permet à la jeunesse villageoise de ne point connaître de temps mort d'un dimanche à l'autre, durant cette période festive, dans une aire même délimitée.

Concentrations de nouveau style, mais peut-être plus anciennes qu'on ne soupçonne, les échanges attestés entre la ville et les romérages de la campagne environnante : beaucoup des fêtes villageoises les plus courues le sont en fonction d'une proximité urbaine : à la Celle, au 15 août, on vient en foule de Brignoles, à Volx le 24 avril, de Manosque, à Montfavet ce sont les gens d'Avignon qui se rendent le dimanche qui suit l'Assomption, Saint-Raphaël reçoit les gens de Fréjus pour la Saint-Sébastien, et nombre d'Aixois se retrouvent au hameau de Puyricard, au terroir, pour la Quasimodo. Le type le plus achevé de ces échanges ville-terroir étant sans doute proposé par les « trains » qui se succèdent durant l'été dans la campagne marseillaise, des Olives aux Aygalades ou à Saint-Marcel, formes d'évasion dont il nous faudra sans doute reparler au titre des perceptions nouvelles de la fête... mais qui nous acheminent, par une transition non recherchée, vers la présentation des fêtes urbaines.

Un palmarès des fêtes

Où commence la fête qui sort du cadre général ci-dessus défini, pour s'imposer comme la curiosité qu'il faut avoir vue et qu'il faut montrer aux voyageurs ? Les lectures sont divergentes mais à coup sûr, pas forcément à la grande ville, entendons à celle qui dépasse 10 000, voire 5 000 âmes. On a rencontré à Manosque (autour de 5 000 habitants) ou à Riez des fêtes de renommée régionale déjà par leur originalité : le cas n'est pas unique et les auteurs se plaisent à citer certaines petites

villes, ou gros bourgs comme particulièrement « festifs » : ainsi Vitrolles sur l'étang de Berre, ou Trets dans le bassin d'Aix, où les Rois
comme la fête des moissonneurs sont curieusement célébrés, mais on
pourrait citer au même titre les communes situées entre les Alpilles
et la Durance (Maillane, Eyragues), comme aussi toutes ces localités
proches d'Aix qui font remonter au roi René l'instauration de fêtes
originales : Lambesc ou Pertuis dont la célébration de la Belle Etoile,
lors des rois, ou le pèlerinage à la Sainte-Victoire, sont justement
renommés.

Malgré tout, dresser la carte de ces fêtes exceptionnelles, c'est pour
l'essentiel constater un déséquilibre flagrant. La Haute-Provence n'est
pas absente : Barcelonnette, Barème dans les Alpes, Manosque, Riez,
Valensole ou Castellane dans la zone intermédiaire, ont des fêtes
renommées. En Basse-Provence orientale, Draguignan, Toulon, Fréjus,
Saint-Tropez ou Barjols jouissent d'une renommée locale. Mais c'est
bien entre Aix, Marseille, Arles, Tarascon et les bourgs qui les entourent que le semis se fait le plus serré ; et finalement le voyageur pressé
peut s'estimer au fait de l'exotisme provençal s'il connaît les jeux de la
Fête-Dieu d'Aix, et s'il a entendu parler du bœuf gras que l'on promène
en ce jour à Marseille, ou de la Tarasque... de Tarascon.

III

FESTIVITÉS URBAINES

En quoi les villes sortent-elles du cadre précédemment défini ? C'est d'abord que la fête s'y fait plus fréquente : la fête de quartier se rencontre dans un bourg aussi médiocre que Saint-Maximin ou Saint-Tropez, où il est des capitaines de quartiers, et Marseille fragmente à l'échelon de la paroisse, les processions du Saint-Sacrement. C'est en ville également, on l'a vu, que les fêtes de confréries professionnelles gardent une importance et un éclat qui rythment le calendrier collectif. Ensuite, la ville raffine sur l'organisation déjà élaborée que l'on a rencontrée au bourg pour la préparation de la fête. Le cas le plus exemplaire que l'on peut citer étant, de ce point de vue, celui d'Aix, où les jeux de la Fête-Dieu se font sous l'égide d'un prince d'Amour, noble, d'un abbé de la jeunesse et d'un roi de la Bazoche, qui, nous dit Millin (même si les deux derniers sont des roturiers du Tiers), représentent les trois ordres de l'Etat, « de manière qui n'humilie ni l'un ni l'autre ».

Peut-on proposer un décompte de ces fêtes urbaines, comme nous l'avons fait des fêtes au village, en termes de calendrier ou de typologie différenciée ? Les regroupements synthétiques auxquels on a procédé au terroir pour présenter le romérage seraient ici assez arbitraires, chaque ville un peu importante présentant une organisation et comme une physionomie originale.

Nous avons préféré nous limiter à un cas exemplaire, celui de Marseille : site, exceptionnel dira-t-on, mais par là même bien connu à partir de sources anciennes. Tel qu'il apparaît figuré sur les graphiques que nous en présentons, le système festif marseillais permet en premier lieu de mesurer une fréquence : 32 fêtes chômées à la fin du XVIIᵉ siècle, et encore au début du XVIIIᵉ ; c'est, en y ajoutant les dimanches, un jour chômé sur quatre. Un reflux, mais modéré, commence à se faire sentir dans la seconde moitié du siècle.

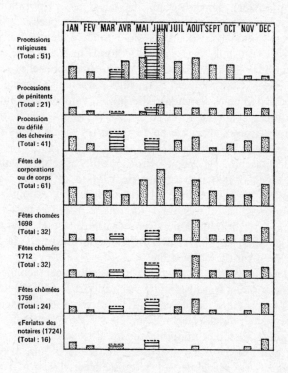

Les fêtes à Marseille au XVIIIᵉ siècle

Multiplicité des fêtes, si l'on y joint celles, de moindre importance, qui ne sont pas chômées : processions paroissiales, ou d'un couvent, ou d'une confrérie ; fêtes de corps et de corporations. C'est tous les dix jours, en moyenne, que les Marseillais voient défiler les échevins en chaperons, pour une festivité urbaine ; il y a autant de processions religieuses que de semaines dans l'année, et l'on dénombre plus de 60 fêtes de corps et de corporations attestées.

La répartition de ces cérémonies dans l'année ne se fait pas également : un rythme assez scandé apparaît, qui oppose les temps morts (le carême, le mois de juillet, la fin de l'été et l'automne), à des périodes où tous les jours sont fête. On relève une médiocre poussée d'hiver (décembre, janvier), sensible dans les fêtes des corporations comme dans les festivités municipales mais non dans les processions religieuses dont ce n'est point la saison. Puis, de Pâques à Pentecôte, à la Fête-Dieu et au Sacré-Cœur, c'est tout un courant qui se gonfle, au rythme des fêtes mobiles du printemps, culminant aux approches de la Fête-Dieu, qui reste le haut moment de la fête marseillaise, même si le mois d'août, après le silence caniculaire de juillet, ramène une autre grappe de célébrations, avant et après le 15 du mois. La concentration des fêtes en mai et juin s'accentue au fil du XVIIIe siècle, alors même que les autres tendent à régresser.

Au total, donc, un système structuré, profus, avec différents visages : encore ne s'agit-il que du tableau de la fête officielle : sacrée ou profane, le plus souvent mixte. Il conviendrait d'y adjoindre, et parfois d'y opposer, les autres fêtes, qu'on ne recense pas : carnaval, fort couru et traditionnellement contestataire ; fêtes marginales du terroir de la ville ; spectacles non officiels ou informels de la promenade, du cours, ou de la comédie.

Avant de nous offrir ses illustrations les plus spectaculaires, la fête urbaine affirme ainsi son originalité par rapport à celle du terroir.

Rituel et symbolique beaucoup plus poussés du divertissement, gratuité du spectacle pour le spectacle, même s'il garde prétexte religieux : la fête acquiert ici une autonomie réelle. Elle se donne ses lettres de noblesse : et toute la Basse-Provence aixoise attribue, avec quelque raison, la mise en place de ses réjouissances, d'Aix à Tarascon, à Pertuis ou Lambesc, à l'imagination du roi René, scénariste inventif à mi-chemin entre les mystères médiévaux et les fêtes de la Renaissance.

Castellane ou Pertuis, exemples de fêtes urbaines

On ne saurait ici reprendre la description par le menu des fêtes par ailleurs connues, et que l'époque découvre en des récits d'une minutieuse attention : quelques exemples suffiront à titre d'illustration. Pertuis sur la moyenne Durance offre le premier cas d'un cycle important de fêtes païennes christianisées : le jour des rois on y célèbre la fête de la Belle Etoile, qui voit brûler, à l'issue d'un brillant cortège, un bûcher sur un char traîné par des mulets, cependant que l'abbé de la jeunesse préside aux réjouissances, et que l'illumination se complète des torches de résineux portées par les participants.

Au 23 avril, pour la Sainte-Victoire on récidive par un pèlerinage de la jeunesse à la montagne du même nom, qui n'est pas si proche, et sur laquelle les pertuisiens enflamment un bûcher, guetté d'en bas, avant que de se couronner la tête de fleurs et de faire la farandole au cri de « Victoire ! ».

On pourrait parmi ces fêtes déjà perçues comme étranges, citer la procession dite du pétard que Castellane célèbre le 30 janvier en souvenir des succès remportés sur les huguenots en 1586 et où la bravade se double d'un aspect de saturnales, puisque la « chanson du pétard » s'agrémente annuellement de couplets épigrammatiques qui n'épargnent pas les notables.

La Fête-Dieu à Marseille

C'est à l'occasion de la Fête-Dieu que Marseille et Aix se surpassent, encore que Toulon et Hyères célèbrent elles aussi cette occasion. A Marseille, il n'est que l'embarras du choix parmi les profuses descriptions d'une procession dont on ne retient le plus souvent que l'épisode du « bœuf gras ». Mais la ville tout entière déploie entre les maisons, ces « pavillons » enseignes ou panneaux décorés qui constituent un décor de fête complétant reposoirs et portiques fleuris, et que prolongent les flammes des navires, eux-mêmes enrubannés, si l'on peut dire. La procession comporte ce que Millin, sous le Consulat, appellera les « corporations monastiques » (entendons les couvents), auxquels il faut joindre les pénitents et chapîtres. Mais les corporations professionnelles y sont les plus remarquées : paysans et surtout jardiniers porteurs de fruits, de fleurs et légumes de taille exceptionnelle ou singulièrement décorés, bouchers enfin, costumés pour conduire le bœuf gras porteur d'un jeune enfant travesti en petit saint Jean-Baptiste. Il n'est pas dans notre rôle de nous interroger comme le font déjà alors les auteurs sur la signification de ce héros animal à peine christianisé par la présence de l'enfant : « bœuf émissaire », si l'on peut dire ? A coup sûr, pas simple ornement de mascarade pour les marseillais qui s'enorgueillissent d'avoir reçu sa bouse, et qui s'interrogent, comme le fait Millin lui-même, sur la mort, quasi obligée après la fête, non seulement du bœuf qu'on sacrifie... mais de l'enfant épuisé.

Cette liturgie organisée laisse une part à l'inventivité populaire : puisque le cortège des « vestales » en blanc qui suit celui des corporations, fait place à la foule des jeunes filles travesties, qui en sainte Ursule, sainte Rosalie, Agnès ou Thérèse, qui en Vierge de l'Annonciation. Les plus jolies, dit-on, ou les plus portées à d'audacieuses macérations ont une complaisance certaine pour la robe de la Madeleine, qui leur permet de ne voiler que d'une souquenille fort succincte des charmes que leur chevelure ne suffit pas à couvrir. Le cortège s'achève en un instant de recueillement par la bénédiction des bateaux à laquelle procède l'évêque, lorsque la procession arrive sur le port. Fête complète, où l'œil, l'ouïe et l'odorat (une débauche de fleurs et de pétales) sont concurremment sollicités.

Les jeux de la Fête-Dieu à Aix

Plus profuse encore, s'il est possible, se présente la Fête-Dieu à Aix. Les jeux ont été établis en 1462 par le roi René : plus ou moins modifiée, nous le verrons, c'est à la veille de la Révolution une festivité célèbre que certains décrivent minutieusement alors que d'autres (Bérenger) s'y refusent avec mépris. Du moins son cérémonial nous est-il fort connu. Dans sa symbolique à la fois complexe, pour ne point dire confuse, elle associe sur deux journées une suite de tableaux vivants évoquant successivement l'avant et l'après de la religion chrétienne, ou plutôt de la venue du Christ. Le premier jour rassemble le panthéon des divinités païennes, Diane, Mercure la Nuit, Pan, Bacchus, Pluton et Proserpine, Momus dieu de la satire, dont la troupe brocarde les passants, sans parler de ces lointains héritiers des centaures que sont les « chevaux frus ». Des personnages bibliques s'y mêlent : Juifs, préférant aux exhortations de Moïse l'adoration du Veau d'Or et le jeu du chat qu'ils lancent en l'air. Aux Juifs, le cortège associe les diables et les lépreux, mais aussi la reine de Saba, Hérode accompagné de la cohorte crasseuse des Innocents, ces « tirassouns », vauriens de la ville, qui se traînent dans la poussière pour mimer la souffrance. Le second jour, si les dieux païens ont disparu, les scènes de la vie du Christ et de la Passion l'emportent dans un cortège ouvert par la « Bello Estello » cette belle étoile, qui est celle du nouveau message. Et la procession se clôt sur le cortège des notables : Roi de la bazoche, Prince d'Amour... corps de ville et communautés, mais c'est la « mouert » (la mort) qui clôt la marche avec sa faux criant, dit-on : « hohou... » pour effrayer le bon peuple.

Nous n'entreprendrons pas de décrypter ce cérémonial, qui n'offre pas d'ailleurs, à l'anthropologie historique, de rébus majeurs. Du moins illustre-t-il amplement, par sa profusion, toutes les richesses d'une fête provençale qui stratifie, et d'une certaine façon digère les apports d'un passé culturel qui va des chevaux frus et des divinités païennes jusqu'aux mystères de la religion, comme l'on dit. Puis on relèvera sans doute, dans ce « mystère » ambulant mi-sacré, mi-profane le caractère d'unanimisme maintenu d'un cortège qui associe les représentants symboliques des trois ordres, et conserve une emprise populaire certaine, malgré l'ésotérisme apparent de sa symbolique, grâce peut-être à cet aspect de saturnales qui lui reste : l'exorcisme des forces mauvaises — le juif ou le lépreux — le cortège de Momus et les vérités qu'il profère...

La Tarasque

On se dispensera après le récit des jeux de la Fête-Dieu d'Aix, comme de la procession marseillaise, de s'appesantir sur les fêtes de la Tarasque à Tarascon, sans doute les plus renommées en Provence avec les précédentes. On sort la Tarasque, mannequin représentant le monstre fabuleux, en deux occasions, le jour de la Pentecôte, et de la Sainte-Marthe le 29 juillet. Dans les deux cas, la scénographie attribuée au roi René étale sur deux jours une démonstration expressive : dans sa première sortie, la Tarasque furieuse sème la panique dans l'assistance, dans la seconde c'est muselée et domptée par la Sainte qu'elle est présentée. On relève aussi dans les jeux de la Tarasque la représentation très articulée des corps de métiers : portefaix, paysans, bergers, jardiniers, meuniers, arbalétriers, mariniers, agriculteurs formant la cavalcade du guet, puis bourgeois de la confrérie de Saint-Sébastien.

LA FÊTE OCCASIONNELLE

En guise de transition : cortèges urbains

On est fondé, et à juste titre, à nous objecter qu'entre la fête officielle et saisonnière qui vient d'être présentée à la ville, et la fête occasionnelle, il est un registre que nous avons omis : le cérémonial qui pour ne point être d'ordre religieux n'en revient pas moins scander régulièrement la vie des citadins. C'est la rentrée annuelle des corps constitués, ainsi à Aix, celle du Parlement et de la Chambre des Comptes ; comme cela pourrait se retrouver sur une moindre échelle dans de plus petites localités. Pour qui s'interroge sur l'ordre de la fête et sa structuration, à une époque où la procession ou le cortège en est l'un des constituants quasi obligés, l'étude des cérémonials tels que ceux dont on vient de parler serait à coup sûr fructueuse. Par ailleurs on ne saurait dire qu'on manque de sources sur ce thème : ce sont celles de la vanité ou de la contestation. Tenues officiellement ou compilées par les vieux érudits les annales des villes disent l'ordonnance des cérémonies et plus encore les rivalités qu'elles suscitent : entre parlementaires et conseillers aux comptes ; entre corps de ville et corps judiciaires, entre gazettes et confréries de pénitents... la place tenue dans le cortège ou occupée à l'église demeure source d'affrontements renouvelés.

On reste ici encore dans le domaine, sinon du quotidien, du moins du retour annuel des choses, mais la fête peut faire irruption inattendue dans la trame des jours : et il est commode peut-être d'en sérier les incursions, tant à la campagne, qu'à la ville, dans le domaine sacré comme profane.

L'exceptionnel dans la fête religieuse : la mission

La fête religieuse qui étonne, et dont le souvenir se transmet des années durant, reste à coup sûr la mission, ou plus exceptionnellement le vœu ou le jubilé. La mission peut être exercice sinon annuel, du moins périodique, renouvelé tous les deux ou trois ans, à la charge d'un ordre ou d'une congrégation. C'est ainsi qu'on a pu étudier précisément les missions en Comtat des Oratoriens d'Avignon, comme par ailleurs les annales du Collège royal Bourbon d'Aix nous font connaître les activités missionnaires des jésuites qui en ont la charge, tant dans les localités qu'ils visitent périodiquement, que dans les milieux urbains qu'ils quadrillent par leurs congrégations (... des hommes, des dames, des artisans, des domestiques). Mais les missionnaires peuvent aussi être requis occasionnellement, par un prélat zélé, ou pour une urgence particulière : et sans vouloir multiplier les exemples on citera (d'après A. Bourde) les missions que Monseigneur de Belsunce, ardent propagateur de la foi, dirige en personne dans son diocèse de Marseille, en 1734 à la Ciotat pendant 40 jours consécutifs, puis en 1737 - 38, 43... comme celle qu'il confie aux capucins, spécialistes de cette pastorale populaire : érection de croix dans la paroisse St-Laurent en 1718 ; exaltation de la Constitution Unigenitus en 1733. Allauch près de Marseille a reçu en 1732 le père Bridaine, fameux prédicateur, qui dirige dix « processions d'éclat » et fait administrer 12 000 communions... Bridaine a opéré quasi simultanément dans le diocèse d'Aix, à l'appel de l'Archevêque Monseigneur de Forbin Janson, émule de Belsunce, qu'il imite dans les formes mêmes de sa pastorale activiste. Le prélat a accompagné le prédicateur dans les villes les plus menacées du diocèse par la « peste » janséniste, ainsi Brignoles ; il recourt aussi aux jésuites en 1783 dans toutes les églises d'Aix et célèbre avec éclat le jubilé de 1750.

La mission, type particulier de fête, dira-t-on, mais fête à coup sûr, dont le rythme est scandé par le déroulement sur plusieurs jours (ou une semaine) des étapes d'une pédagogie persuasive. Fête aussi par son cérémonial impressionnant : la Provence de l'âge classique ne garde pas dans ses annales l'équivalent du stupéfiant bouleversement qu'introduit à Nice en mai 1671 le jésuite Philippe Poggi, ni du phénomène que l'on peut dire de possession collective qu'y provoqua son extraordinaire pastorale de la mort, jusqu'à la procession finale de flagellants qui en fut le clou le 7 juin 1671. Toutefois... la Provence n'est guère plus sage, et nous songeons à l'apostolat dans ces mêmes décennies, du père Antoine, prêcheur de Cadenet, dans les villages et bourgs d'entre Lubéron et Durance. Complaisance pour les tableaux vivants, organisés en processions, que l'on aime à faire déambuler, suivant la

technique élaborée à Jéricho, autour du temple du village de Mérindol
où les réformés célèbrent le prêche : un christ sanglant et couronné
d'épines s'y présente entouré d'un essaim d'angelots villageois et de
toute la cour céleste. Que dire alors des circonstances exceptionnelles
où l'intrusion d'un événementiel exceptionnel — en l'occurrence la
peste de Marseille en 1720 — mobilise les foules ? Il faudrait rappeler
la procession de Monseigneur de Belsunce, pieds nus, à travers les rues
jonchées de morts, comme l'exorcisme qu'il profère à l'encontre
du fléau, du haut du clocher de l'église des Accoules. On touche ici
les hauts moments d'une des formes les plus intenses de la fête baroque.

On est toutefois en droit de nous demander une lecture plus précise
chronologiquement, sans même vouloir anticiper sur l'approche évolutive à venir : car l'on sait le déclin des missions oratoriennes d'Avignon
comme de celles des jésuites d'Aix au fil du XVIIIᵉ siècle. Mais notre
tableau vaut pour la fin du XVIIᵉ siècle, et la Provence pourrait l'illus-
trer par la pastorale du célèbre père Honoré de Cannes, mort en 1693,
celui dont on relate les macabres jongleries en chaire, avec le crâne
qu'il coiffe successivement d'une perruque, d'un mortier, ou d'une
fontange pour mieux « visualiser » sa pastorale de la mort ; et
y a-t-il grande différence entre cette lecture et le comportement du père
Bridaine dans les années 30 ? Et l'on n'est point trop surpris, à la mort
de Louis XV, de voir la cathédrale Saint-Sauveur d'Aix « draper » un
catafalque décoré de thèmes d'un macabre rococo des plus traditionnels : autre fête, si l'on peut dire, dans la grande tradition.

Explosions spontanées de la fête religieuse sauvage

Avant que de quitter cette fête religieuse « occasionnelle » pour celle
qui lui fait pendant dans le mode profane, peut-être convient-il d'en
compléter l'évocation de ce que l'on pourrait appeler sa version spontanée, voire « sauvage » en termes de contre-fête ou fête parallèle. Et
le XVIIIᵉ siècle provençal qui voit se défaire les grandes liturgies unani-
mistes de l'âge baroque, peut nous fournir plus d'un exemple : nous
avons par ailleurs (dans « Piété baroque et déchristianisation ») évoqué
un gros bourg en proie à la fièvre janséniste : Cotignac vers 1730.
Ces rassemblements qui se font en été, le soir sur le cours, et où l'on
chante... des cantiques ! comme l'étrange farandole qu'un commando

de convulsionnaires « éliséens » déroule un soir dans les rues de Pignans et la campagne environnante. Mais la ville n'est pas en reste : et la vieille présidente janséniste, opiniâtre s'il en fut, que les Aixois conduisent à sépulture après sa mort sans sacrements en présentant la palme du martyre et les 11 cierges censés rappeler les 11 000 vierges, suggère encore, au-delà des siècles, un bien bizarre cortège.

Mais que dire dans un tout autre domaine de la fête « sauvage » à tous les sens du terme — qu'organisent en 1745 à la mort de « Montagne » travailleur de terre réformé de Cadenet, les catholiques du bourg sous la direction d'un chirurgien ? Retrouvant le geste de déterrer celui qui s'est fait ensevelir en son champ pour le traîner sur la claie traditionnelle, en farandole dérisoire « Pauvre Montagne tu n'iras plus au prêche à Lourmarin ! » La fête grinçante se termine ici en drame.

La fête profane « occasionnelle » peut, elle aussi être saisie à plusieurs niveaux : et sans doute est-il commode, pour la clarté du propos, de la présenter sous sa forme urbaine, la plus spectaculaire, quitte à nous demander ensuite si la campagne en offre l'équivalent.

A la ville : les joyeuses entrées

« Les joyeuses entrées » ? Vieille tradition aixoise : et sans remonter au déluge il n'est que de se reporter à la réception triomphale de Louis XIII en 1622, dont le souvenir visuel a été dès 1624 perpétué par l'ouvrage de Gallaup de Chasteuil sous le titre : « Discours sur les arcs triomphaux dressés en la ville d'Aix à l'heureuse arrivée de... Louis XIII » : mais la ville reçoit en 1656 la reine Christine de Suède, et réserve en 1660 à Louis XIV un accueil qui marque dans les annales de la ville et offre d'une certaine façon la version provençale des grandes festivités de l'Europe baroque. On peut lire dans le récit qu'en fera l'historien provençal Bouche soixante ans plus tard, en 1736, l'évocation d'une cérémonie qui débute par le *Te Deum* en la cathédrale de Saint-Sauveur : stricte ordonnance hiérarchisée, où prennent place successivement le roi, la cour, le chapître cathédral, le parlement, la cour des comptes, les consuls, les trésoriers généraux et les officiers du siège...

Aux grandes orgues du *Te Deum* répondent sur la place la mous-

queterie d'une « bravade », on tire des « boîtes », et un feu de joie
public s'accompagne de la flambée de tous les feux particuliers, devant
les maisons, comme des torches et illuminations des habitants. Et l'on
peut dire, avec le chroniqueur « l'on ne vit jamais dans Aix une si
grande réjouissance, comme aussi une plus grande magnificence... »

Toutes les entrées ne sont point triomphales : et Marseille subit
quelques jours plus tard l'entrée par la brèche, du souverain qui tient
à faire sentir son autorité au grand port révolté puis soumis.

Si le XVIIIe siècle ne connaît plus d'entrées royales, il répercute, à
l'instar des autres villes de province, les événements qui rythment l'histoire nationale, avec plus ou moins de solennité, suivant les cas. La
veille — ou presque — de la Révolution française propose en 1777
un dernier et spectaculaire épisode, par le biais du voyage du comte
de Provence qu'accueille somptueusement une province peu rancunière
d'un titre, somme toute, usurpé. Le tout récent ouvrage consacré aux
« grandes fêtes... à l'époque de Louis XVI » ignore ce voyage et ces
réjouissances : les vieux érudits provençaux en eussent été vexés qui
décrivent complaisamment les réjouissances proposées au prince, et
particulièrement telle pêche miraculeuse offerte par les patrons pêcheurs dans le vieux port : tel le dieu de la mer, le comte de Provence
n'a guère qu'à harponner avec un trident d'or les belles pièces que l'on
a rassemblées pour lui dans un filet, sous les vivats provençaux à
peine narquois d'un public conquis... Le périple ne se limite pas là : à
Aubagne le prince se verra présenter les danses traditionnelles, et en
particulier celle des épées.

Tel épisode aide sans doute à formuler le problème qui se pose, de
l'articulation de ces fêtes « nationales » sur le tempérament festif
local : cérémonies plaquées, révélatrices du clivage entre deux niveaux
de sensibilité, et comme de deux arts de se distraire ? Les exemples invo-
qués ci-dessus plaident plutôt pour la continuité : de la mousqueterie
qui salue le roi Louis XIV et qui est bien proche d'une bravade, à
l'exécution à l'intention du comte de Provence de danses qui sont déjà
ressenties comme curieuses, il y a bien sans doute perception accrue
d'un certain exotisme ; mais la fête officielle reprend sans difficulté à
son compte une partie des pratiques locales, et l'on en trouve confir-

mation, s'il en était besoin en suivant au fil d'annales urbaines la
pratique des feux de joie, imités de ceux de la Saint Jean, ainsi à Toulon en 1640 pour célébrer une victoire sur l'Espagne, en 1651 pour la
« liberté de Messieurs les Princes », en 1655 pour la naissance du fils
du gouverneur de la province.

La fête urbaine ainsi perçue, sinon analysée en profondeur, est-elle
bien différente de ce que l'on rencontre au bourg et même au village ?

Bravades occasionnelles au bourg

Le bourg connaît en petit, à son échelle, ce que la ville orchestre
avec profusion : qui suit un lieu ou un homme au fil du XVIIIe siècle
provençal, rencontre la bravade à toutes les étapes des relations entre
seigneurs et communautés, quels que soient par ailleurs leurs rapports.
A Lacoste, dans le Lubéron, le marquis de Sade fait encore accueillir
son fils cadet en 1787 par les décharges et les « boites » traditionnelles,
de villageois qui ne l'ont jamais vu. Non loin de là, à Mirabeau,
Gabriel Honoré, marquis de Mirabeau, découvre son château à la
nuit tombante, en compagnie de sa jeune épouse « entre deux haies
de paysans porteurs de torches » qu'il régalera les jours suivants en
tenant au château table ouverte...

Le dernier écho de la bravade, en contrepoint à cette image ne
serait-il point le tableau qu'on évoque, en avril 1789, du cortège triomphal qui de Lambesc à Aix accompagne à nouveau Mirabeau, devenu
défenseur du Tiers-Etat rassemblant sur son passage les paysans provençaux qui voient en lui leur défenseur ? Sonneries de cloches, torches,
cortège nocturne, tout s'intègre ici dans la continuité d'une Provence
festive.

Mais en même temps, une mutation s'est opérée, dont cette scène
est l'une des expressions ; à côté du tableau statique de la fête dont
nous avons tenté de décomposer les éléments dans leur stabilité à la
fin du XVIIIe siècle, descriptions ou récits livrent l'impression non seulement d'une mutation en cours, et très généralement ressentie, mais
aussi de l'élaboration d'un nouveau regard, et d'un nouveau discours
sur la fête.

IV

LA FÊTE A CHANGÉ

Que nous ayons affaire à une fête en mutation à la fin du XVIIIᵉ siècle, c'est ce qui transparaît visiblement, à travers même des sources qui, privilégiant le tableau, n'ont pas été conçues à cette fin. Mais on perçoit et on le dit, la fête comme différente : on s'en plaint ou on s'en réjouit, fait que nous aurons lui-même à prendre en considération. Bornons-nous pour l'instant à constater ce qui est.

Si l'on tente de hiérarchiser, dans le temps court et le temps long, les stratifications comme les flux auxquels répond la fête traditionnelle dans la Provence du XVIIIᵉ siècle, le noyau ancien apparaît encore bien solide et vivant.

Un noyau résistant de rites immémoriaux :

Dans le long combat séculaire qui, dans l'histoire des attitudes collectives, oppose Carnaval et Carême, rites pré-chrétiens et rites au moins christianisés, il n'est que de parcourir du regard, sans vouloir y revenir, le répertoire des fêtes comme le répertoire des rites ou des symboles pour découvrir une Provence profusément pourvue par un héritage qui remonte au moins à l'antiquité. Nos auteurs le disent alors, qui redécouvrent alors cet héritage, mais si certaines de leurs analyses peuvent paraître sommaires au regard de la science actuelle, le bilan demeure impressionnant. C'est à chaque pas que l'on retrouve cette « antiquité » : de la bûche des Calendes, arrosée d'une oblation de vin cuit, à tout ce qui tourne autour des rites de Caramantran, où l'on affirme déjà l'importance d'un rite de purification du type bouc émissaire que l'on retrouve... dans le bœuf de la Fête-Dieu de Marseille ; puis l'on sait que les « Mais » et plus encore l'originalité locale des Belles de Mai, rappellent le culte antique de Maïa tel que Phocée le pratiquait. On n'ignore point que le rameau chargé de bonbons et de cadeaux qui remplace en Basse-Provence la palme de Pâques fleuries reprend les pratiques du rabéisme et du culte d'Apollon, on sait aussi que les feux de joie que les populations allument pour fêter la victoire de Marius sur les barbares, lorsque l'on monte le 24 avril à la Sainte-Victoire, pérennisent à la Saint-Jean des rites plus anciens encore. S'agissant des rites et symboles, on s'interroge sur l'ancienneté des cheveux-frus, dans lesquels on ne voit pas encore les héritiers symboliques des centaures, mais les simulacres de tournois chevaleresques ; on ne sait trop comment interpréter les hommes sauvages des luttes simulées que l'on pratique à Manosque ou à Riez... mais on prête beaucoup aux Sarrasins, en qui l'on voit aussi, par réaction, les ancêtres de la bravade.

Distances prises à l'égard de la fête traditionnelle

Toutefois, si ce noyau ancien de la fête apparaît encore bien solide et comme omniprésent, une évolution s'y fait jour d'évidence, au moment historique où nous la percevons. Qu'il y ait dans les populations beaucoup plus encore que chez les érudits qui les redécouvrent, ou les clercs qui savent depuis longtemps à quoi s'en tenir, perception très occultée de beaucoup de mythes ou de rites est d'évidence, et il serait superflu de le démontrer. Mais trois autres traits, en particulier, nous semblent apparaître : le déclin des fêtes d'hiver, ou plus largement de la saison froide, qui ne conservent leur attrait que dans les sanctuaires alpins, ainsi qu'on l'a vu, alors que la fête d'août triomphe ailleurs ; la périodisation modifiée qui se traduit parfois significativement par le déplacement de certains rites d'une date à l'autre : ainsi est-il évident que les jeux de la Fête-Dieu d'Aix ont hérité d'une partie de ce qui se fait ailleurs à Carnaval, de même l'écart se creuse-t-il au palmarès des intercesseurs de la campagne entre le saint de l'hiver et le saint de l'été, entre saint Jean l'Evangéliste et saint Jean-

Baptiste. Enfin le dernier trait notable est sans doute la marginali-
sation déjà très perceptible de toute une partie des plus anciens
rites : soit qu'ils s'intimisent, ou suivant un processus bien connu s'in-
fantilisent, comme c'est le cas pour les petites filles qui jouent le rôle
de la Belle de Mai, soit qu'ils subsistent comme fête non officielle
ou « sauvage » bien souvent révélatrice des tensions sociales qui s'y
expriment : et ce serait bien le cas, semble-t-il, pour Caramantan
dans une partie de la campagne.

C'est que l'héritage dont nous traitons a subi, dans l'époque historique, remaniements, adjonctions... et attaques. On songe d'entrée
à l'attaque des clercs, ou pour reprendre la métaphore classique, au
combat de Carême contre Carnaval. Sans doute, sans vouloir aller
trop loin dans la reconstitution d'une histoire qu'il n'est pas dans
nos intentions de faire, serait-il par trop appauvrissant de s'en tenir
à cette lecture manichéenne, d'un affrontement à deux personnages.

Au XVIIIᵉ siècle où nous la saisissons, la fête provençale a profité
de phases d'adjonction, ou d'enrichissement qui ne sont pas si loin-
taines : ceux qui en traitent alors incarnent symboliquement ce tournant dans l'activité créatrice du roi René, qui organisa vers 1460 les
jeux de la Fête-Dieu à Aix, comme les fêtes de la Tarasque à Tarascon, voire dit-on, d'autres festivités dans les agglomérations du pays
d'Aix : Salon, Pertuis ou Lambesc. Rencontre historique de la fête
populaire et de la fête de cour, du mystère et du cortège déjà de la
Renaissance, d'un héritage assumé et de sa christianisation. Sans
vouloir approfondir plus qu'il ne convient ici ce retour en arrière,
notons que certaines études récentes et scientifiques, ainsi celle de
P. A. Février sur les fêtes dans le diocèse de Fréjus, insistent sur un
tournant, qui pourrait être situé en gros au XVIᵉ siècle, et qui verrait
les premières mentions de la bravade comme des formes de fêtes
que banalise l'âge classique dans le cadre du romérage.

L'attaque de l'église contre la fête

Mais si nous revenons sur le terrain pour nous, plus sûr, du temps
court — ou du moins d'une évolution intraséculaire — l'une des
pressions les plus vivement ressenties par la fête est à coup sûr l'action volontaire des prélats de l'âge classique. Le fait est de trop

commune renommée pour qu'on y insiste, et par ailleurs, Maurice Agulhon a rappelé dans son essai sur *Pénitents et Francs-Maçons* cette action persévérante en recourant aux sources qui s'imposent en la matière : conflits et procès perçus à travers les sources de la chicane. Dans l'étude que nous avons nous-même proposée sur la vie religieuse au XVIIIᵉ siècle dans le diocèse d'Aix, les visites pastorales ou états du diocèse nous paraissent partagés entre deux jugements de valeur contradictoires, puisqu'on se plaint bien d'un côté que dans plus d'un lieu les fêtes ne soient pas sanctifiées, et de l'autre... qu'elles le soient trop ! Ainsi le curé du Tholonet affirme-t-il que la fête patronale occasionne annuellement des désordres ; à Istres, le desservant s'offusque des danses qui marquent le Carnaval ; cependant qu'à Aix, la paroisse Saint-Jean-du-Faubourg connaît à Pâques une bataille rangée.

Là où les sources de la contestation, ou les sources officielles par où s'exprime la hiérarchie, sont déjà fort explicites, érudits, voyageurs ou dictionnaires permettent de faire un état de la question à la fin du siècle ; ils sont d'ailleurs bien renseignés et n'ignorent point les textes qui ont marqué l'offensive de l'église post-tridentine : et singulièrement les actes du concile d'Aix de 1585, particulièrement attentif à proscrire tout ce qui peut être héritage suspect.. jusqu'aux bonbons des rameaux de Pâques fleuries. Mais on sait aussi les vains efforts faits par les archevêques d'Aix au cours du XVIIᵉ siècle pour supprimer des jeux de la Fête-Dieu les scènes profanes les plus indécentes : ainsi en 1645 et en 1680... puis que les prélats ont dû renoncer devant l'obstination de la coutume. La lutte de l'Eglise contre la fête profane n'aurait-elle donc été que l'histoire d'un échec ? Il s'en faut, et Bérenger, peu « clérical » cependant, dit des fêtes du Jeudi Saint à Marseille : « Je crois pourtant que nos prélats ont aboli la plupart de ces fêtes nocturnes et licencieusement ridicules... »

Le dictionnaire d'Achard permet de prendre sur le fait — et sur le terrain — les évolutions perçues : il fait état des réticences spontanées du clergé : ainsi à Saint-Zacharie (V. de Saint-Maximin) les religieuses du couvent local refusent depuis 1680 de donner les prix de la fête, avec plus de succès qu'à Bezaudin (V. de Saint-Paul) où le prieur doit s'y résigner malgré sa répugnance ; ailleurs, nous l'avons vu, la fête n'est plus, grâce à de tels efforts, qu'une « fête de dévotion ». Ainsi à Cabasse (V. de Brignoles) où les jeux ont été remplacés par

une caisse des pauvres, ou à Brunet (V. de Moustiers) où l'on fête
le saint jusqu'à la grand-messe, en suite de quoi l'on vaque à ses
travaux...

Plus souvent c'est l'action directe des prélats qui est invoquée :
en termes d'intervention ponctuelle parfois : ainsi l'interdiction à
Barjols de la célèbre bravade qui marque la fête dite des « tripettes »
à la Saint-Marcel, parfois aussi sous forme de mesures plus générales,
et singulièrement en termes de suppression des fêtes chômées et de
leur report au dimanche suivant : une telle mesure semble très générale en Comtat, puisque l'on évoque à Caderousse son application
par l'évêque d'Orange, cependant qu'elle se retrouve à Montfavet,
aux portes d'Avignon. Mais il apparaît aussi que Lafitau, évêque de
Forcalquier n'est pas en reste : à Mâne, dans ce diocèse, la fête a été
transférée par lui au dimanche. Suppressions, régularisations, contrôle
plus strict pris sur la fête : telle politique se traduit également par le
souci non seulement de la rapatrier au dimanche, mais de la rapatrier... à la paroisse, lorsqu'elle avait lieu à une chapelle du terroir :
c'est ainsi parmi d'autres exemples, qu'à Néoulles (V. de Brignoles)
le romérage du 15 août est passé d'une chapelle à la paroisse.

A ces exemples, on pourrait conclure au succès final des prélats :
et dans les diocèses comtadins comme aussi dans celui de Forcalquier,
la cartographie cautionne l'impression recueillie. Toutefois, c'est bien
d'un combat douteux qu'il s'agit, et l'on peut en juger à telle notice
sur le bourg de Sainte-Tulle, là encore dans le diocèse de Forcalquier. Ici le traditionnel romérage tenu le 21 mai en l'honneur de la
patronne du lieu fut célébré jusqu'en 1720 en la forme habituelle,
avec fanfares et danses : mais à la suite de la peste, très meur-
trière, la communauté s'engage par vœu à y substituer des exercices
de piété bien dans la note de la sensibilité baroque : procession pieds
nus et corde au cou... jusqu'à ce que, quatre ans plus tard, Mgr Lafitau substitue à ces exercices astreignants une procession plus orthodoxe avec récitation de chapelet. Hélas ! nous dit-on, « les sages
dispositions de l'évêque diocésain ont été suivies, mais il n'en est point
ainsi du Roumeirage qui, après avoir été perdu de vue pendant près
de cinquante ans, a été renouvelé par les jeunes gens qui le célèbrent
avec éclat depuis plusieurs années... », avec éclat c'est-à-dire avec feu
de joie, mousqueterie par des compagnies en uniforme, danses et jeux
suivis de prix. Sainte-Tulle : courbe exemplaire par les deux étapes

successives qu'elle suggère, du triomphe initial de la fête de dévotion, suivi des retours en force (mais s'agit-il simplement des retours ?) de la fête populaire traditionnelle. Ce que nous saisissons sur le fait par cet exemple qui n'est pas exceptionnel, c'est la succession de deux ondes ou de deux flux massifs, dont le second n'est point à l'avantage de la religion : les comptages incertains auxquels conduit la lecture des dictionnaires, et où s'équilibrent les sites où la fête « n'est plus que de dévotion » et ceux où elle est devenue toute profane, ne sont peut-être que la traduction d'une telle situation. Si le combat de carnaval et de carême nous laisse ainsi sur une impression mitigée, c'est sans doute parce qu'il est déjà du passé : nous percevons en fait les éléments d'une mutation plus ample, qui affecte tous les aspects de la fête, et dont on peut tenter de sérier les éléments.

La mort de la fête « tribale »

Sous une première rubrique, nous classerons ce qui tient à la modification des structures familiales : à monde différent, fêtes différentes. Les grandes réunions familiales, et en même temps villageoises des banquets de mariage ou de funérailles restent l'originalité des vallées alpines de Haute-Provence : ailleurs la fête « tribale » n'a pas sa place, et le banquet funéraire ne se retrouve plus qu'à titre de curiosité dans quelques villages. A ce recul peut s'associer celui, très perceptible, de ces types spécifiques de fêtes par où s'exprimait en réprobation la pression du corps social, sous la forme du charivari. Il nous semble caractéristique qu'en Basse-Provence on ne l'évoque qu'aux Saintes-Maries que comme un souvenir sans application précise : et que les exemples vécus se rencontrent, on l'a vu, dans les Alpes, mais là encore de façon équivoque : c'est encore le mari battu qu'on promène sur un âne auprès de Veyne, dans la tradition des sociétés patriarcales, mais nous dit Millin, à Saint-Julien de Champsaur c'est la femme fautive qui reçoit ce châtiment, ce qui n'est point fait pour déplaire à un contemporain du code civil. La cellule villageoise pourrait être élément de pression et de contrainte, mais aussi de solidarité : c'est là aussi un type de fête qui se défait, que celui qui s'appuyait sur l'abondance des « donnes manuelles » et des agapes fraternelles, dont les survivances se rencontrent là encore sans surprise, en Haute-Provence.

Institutionnalisation et municipalisation de la fête

On peut se permettre de passer plus vite sur une autre mutation en cours de la fête, et qui est d'ordre institutionnel : cet aspect a été précisément étudié par Maurice Agulhon, qu'on ne saurait que répéter : dans la Provence des bourgs urbanisés, municipalisation de la fête, par la médiation originale des organismes de jeunesse, capitaines de ville et abbés de la jeunesse. La fin du XVIIIe siècle représente sur ce plan, à coup sûr, un moment d'équilibre ou d'optimum qui correspond à l'épanouissement, au plein démographique comme à la plus grande diversification sociale de ces micro-sociétés urbaines.

L'évolution profane

A l'institutionnalisation de la fête s'adjoint sa laïcisation ; Maurice Agulhon a présenté le thème dans le cadre plus général de l'évolution des confréries provençales : nos sources nous permettent de prendre la mesure du phénomène dans le cadre de la Provence tout entière. Les chroniqueurs, hommes des Lumières, qui ne font point le détail traitent encore de la fête en termes de triomphe de la superstition : les processions pour Béranger ?... « Je ne vous tairai point qu'elles se sont multipliées dans nos villes avec des cérémonies superstitieuses qui en défigurent étrangement l'innocence et la majesté... » Mais déjà, l'observateur de village, plus près des réalités vécues relève souvent l'évolution profane de la fête, là même parfois où se sont rencontrés les prélats les plus activistes : on l'a vu à Sainte-Tulle dans le diocèse de Forcalquier, on la retrouve à Sigonce et Reillaune dans le même diocèse, comme à Pernes dans le Comtat où la danse est hebdomadaire ; et le dernier mot revient sur ce plan à la notice du bourg de Rousset, près d'Aix qui conclut philosophiquement que désormais « la danse attire plus que la dévotion ».

Tel déclin n'est pas simplement quantitatif, matérialisé par la chute des effectifs des participants, mais c'est la qualité même de la fête qui s'en trouve modifiée de l'intérieur comme on le sait pour les cérémonies des pénitents depuis les travaux de M. Agulhon. Mais plus largement, il ne manque pas de desservants pour se plaindre que la signification sacrée de la fête ne soit plus perçue et, tel le curé de Vernègues près d'Aix, pour décrire comment la procession à la chapelle du terroir est devenue pour la plupart une sorte d'excursion frivole, et somme toute une sorte de pique-nique. Les représentations collectives qui sous-tendaient la participation à la fête religieuse changent parfois de façon significative : et nous en voyons un exemple assez démonstratif avec le personnage de saint Joseph : saint polymorphe à coup sûr qui est déjà parfois représenté comme le protecteur des artisans, mais bien plus encore comme le patron constamment imploré de la bonne mort.

A ce titre, saint Joseph figurait dans les tableaux vivants des processions marseillaises, ainsi dans l'épisode de la fuite en Egypte. Mais, nous disent les descriptions à la veille de la Révolution, on trouve un malin plaisir à faire tenir son rôle — peu glorieux — de mari trompé, par un vieillard imbécile. Peut-être ne faut-il pas donner à l'anecdote plus de valeur qu'elle n'en a : la familiarité avec les saints était de tradition, et nous trouvons bien avant le XVIIIᵉ siècle cette possibilité de dérision des rites anciens (ainsi pour la Belle de Mai) : c'est toutefois un esprit nouveau qui se traduit ici.

Cette évolution profane s'accompagne de tout un ensemble de réajustements parfois profonds, dans la géographie, comme dans la sociologie, comme finalement dans les formes mêmes de la fête.

Banalisation de la fête

En premier lieu, on sera sensible à la banalisation de la fête : le passage de la fête unique ou presque dans l'année, à celle qui devient quasi hebdomadaire, est attesté en plus d'un lieu ; et nous retiendrons comme l'un des exemples les plus significatifs celui qui nous est donné de la jeunesse de Pernes, en Comtat : « Chaque fête, chaque dimanche il y a des bals, l'hiver dans des maisons particulières et l'été hors des murs de la ville, sur le gazon et à l'ombrage. »

Cette banalisation de la fête peut prendre des formes différentes : dans le monde rural, elle s'accompagne de ce qu'on pourrait appeler, si l'on ne craignait de jargonner, une restructuration de l'espace festif. Nous l'avons vu, la géographie des fêtes en Provence n'est pas indifférente, et des aires bien structurées s'affrontent — l'aire alpine que l'on peut dire de la fête traditionnelle, et celle de la Basse-Provence occidentale des « trains »... Telle carte doit être lue comme un instantané dans une situation fluide. Oui, il y a des lieux où la fête a disparu, et pour des raisons très diverses : parfois inconnues (au Luc, près de Draguignan, un « romérage brillant dont il ne reste que le simulacre », mais ne serait-ce pas en raison de sa date — 19 mars ?) parfois bien naturelles : à Vérignon, dans la même viguerie, la Sainte-Anne, le 26 juillet, est « bien négligée à cause de la moisson », à Beaume, près de Colmars-les-Alpes, « le pays, le désert, les avenues sont horribles, on n'y voit plus aujourd'hui le même concours de peuple qu'autrefois, quoiqu'il soit encore assez nombreux », et il en va de même à Vaucluse, en Comtat, où la procession au tombeau de Saint-Véran a quasi disparu par la difficulté d'y accéder. Et que dire de ces processions du souvenir à l'ancien site du village (Néoulle) qui ont elles-mêmes disparu ?

Il y a eu des oublis, et des disparitions : mais le bilan reste largement positif. Abandonnés, les sites les plus ingrats de la fête pèlerinage d'hier, le romérage profite dans les bourgs de l'afflux des étrangers qu'un espace élargi draine d'un point sur l'autre, au gré des saints, durant la saison d'été. Et de façon significative, nous l'avons vu, la fête au village se gonfle à proximité des villes, de l'afflux des citadins.

La fête urbaine hebdomadaire

A la ville, en été, la dissolution de la fête, devenue le propre rythme de la vie dominicale, l'identifie avec la respiration de la grande cité. C'est du moins ainsi que la voit Bérenger dans ses *Soirées provençales*, dans une lettre (lettre 15 du tome II) qui tranche un peu sur la médiocrité de son inspiration un peu courte : l'auteur nous fait revenir du terroir, de la plage vers le cœur de la ville, au moment où le soleil commence à baisser. Pêcheurs tranquilles, groupes d'enfants nus, bandes joyeuses des jeunes se livrant comme il se doit à « de folâtres jeux », dansant « sur la mousse », cependant que d'autres

s'occupent à de « champêtres collations ». Puis la nuit vient : avant
que de rentrer à la ville, on saute une dernière fois dans les canots
« dont les banderolles se déploient... » et à mesure que le chemin du
retour ramène l'observateur vers la ville il longe les petits bals champêtres établis à la porte des bourgades, la cohue des guinguettes,
avant de se retrouver dans la foule qui se forme jusqu'à la porte
d'Aix : la voici franchie, le cours est peuplé de beautés : « un autre
spectacle différent, mais ravissant », commence.

La ville est-elle l'apothéose de la fête, devenue permanente et combien plus sophistiquée, ou sa mort ? La réponse à tel problème ne peut
se faire au niveau du constat ; elle est bien de l'ordre du jugement
de valeur, et c'est à ce titre que nous devons en réserver l'essentiel
à l'étude qui suit, du discours sur la fête. Mais d'ores et déjà, on note
chez Bérenger le constat désabusé qu'un certain style de fête n'existe
plus à la ville, « le banquet provençal n'est plus terminé comme
autrefois par ces rondes gaies et bruyantes qui inspiraient la joie et
resserraient l'amitié... mais on passe à la table de jeux (ces cartons
imaginés pour divertir un roi imbécile) ». La ville : lieu d'un autre type
de rencontres, où la fête fait place au spectacle. c'est bien le thème
que développera Millin en l'an XII dans le passage qu'il réserve à la
sociabilité marseillaise : évoquant les clubs, celui de l'Union, ou le
club dit « sans prétention », lieux de rencontre, puis les maisons
de jeu tenues par des femmes, et où les négociants se montrent sans
déshonneur ; la prostitution enfin, et le nombre de femmes entrete-
nues, image du libertinage du grand port. Sommes-nous encore dans
le domaine de la fête ? Nous n'en sommes pas loin, et en 1826, l'Hermès marseillais, guide touristique à l'usage des voyageurs, série très
bien les niveaux en une description qu'il n'est peut-être pas abusif
de transposer rétrospectivement, avec les précautions requises, à la fin
du XVIIIᵉ siècle. La fête permanente c'est celle qui se tient sur la
promenade publique le dimanche en hiver, quotidiennement en été,
sur le cours et le sport en hiver, aux allées de Meilhan à la belle saison. Ici le spectacle, cette « sorte de parade où l'on va étaler son élé-
gance « est une fin en soi, suffisante pour les hautes classes de la
société : négociants, hommes de lois, mais aussi commis ou clercs ».
Mais il faut, dit l'auteur, quelque chose de plus à la classe ouvrière,
après six jours de fatigues... D'où ces vide-bouteilles que louent les
artisans en société dans les hameaux du terroir, et où ils donnent bal

en été, d'où aussi la fréquentation de ces « trains » où les bourgeois eux-mêmes ne dédaignent pas de se rendre pour payer « un léger tribut à la Terpsichore des champs ».

La grande ville déborde sur la campagne ; elle déteint aussi sur elle, et dans le dictionnaire d'Achard, il est telle profuse description d'une fête au village, à Velaux près d'Aix et Marseille, qui s'attarde complaisamment sur les aspects renouvelés de la fête nouveau style, où l'on vient de loin, où l'on n'a pas peur de se montrer avec sa maîtresse sans souci du qu'en dira-t-on.

Un nouveau type de fête : la fête « folklorique » ?

Mais pour en rester provisoirement à la ville, on comprend que par ricochet ce soient les fêtes elles-mêmes de tradition, du type fête votive, qui subissent par contrecoup l'influence de cette évolution. Les jeux de la Fête-Dieu, les défilés de la Tarasque à Tarascon commencent à devenir, si l'on peut risquer l'anachronisme, « folkloriques » : perçus comme les manifestations d'un certain exotisme provençal par les voyageurs et décrits comme tels par les guides avant la lettre, perçus comme source de revenu occasionnel et de gloriole par les vieux aixois du peuple qui y tiennent un rôle (voir chez Millin qui s'efforce à une scène de genre à la Hogarth, le garçon boucher qui s'apprête à jouer la chaste Diane) comme pour les vauriens de « tirassauns » qui jouent les innocents. Reste, bien sûr, sans que ce soit vraiment contradictoire, l'engouement populaire pour cette fête ambiguë mais qui reste collectivement vécue : le délire du peuple lorsque la queue de la Tarasque éborgne un imprudent : « A ben fa, a ben fa ! » ; ou lorsque le bœuf de la Fête-Dieu à Marseille honore un porche de sa bouse. On est loin de la fête à l'ancienne, mais ce n'est pas encore le carnaval de Nice.

LA FÊTE ÉCLATÉE

L'unanimisme en question

C'est sur l'impression d'une fête éclatée que cette fin de siècle nous laisse : et les contrastes que l'on a relevés géographiquement, comme plus globalement entre ville et campagne, demanderaient à être traduits en contrastes sociaux. Il est certain, et sur ce point encore, l'attention a été fermement attirée par Maurice Agulhon, qu'un certain unanimisme a vécu : unanimisme à base religieuse, celui de la fête pèlerinage en recul, unanimisme à base sociale, celui de la grande famille villageoise, dont il reste des souvenirs dans la Haute-Provence alpine. Mais la fête de l'âge classique avait déjà pris son parti de ces clivages en hiérarchisant ses institutions gestionnaires.

La fin du siècle nous laisse sur plusieurs constats : le déclin de la fête professionnelle, fin apparente d'un cloisonnement hérité, mais aussi la perception avivée de contrastes vécus : entre la fête des notables où l'on danse aux violons, et celle du petit peuple, qui se danse au son du galoubet et du tambourin, les conflits sont fréquents ; et nous avons nous-mêmes cité dans nos « documents d'histoire de la Provence » un passage que nous avait signalé M. Agulhon dans les Mémoires de Portalis, qui montre bien l'affrontement de classe, à l'échelle du petit bourg, s'affirmant par le biais de la fête.

Nous trouverions sans peine de bien parlantes illustrations de ce thème, dans l'histoire, même anecdotique, de la Provence à la fin du XVIIIe siècle. Mirabeau que nous avons vu accueilli cérémonieusement par ses paysans en son château de Mirabeau, ne tarde pas à entrer en conflit ouvert avec eux, en 1771, pour une contestation sur les bois et le droit de pacage. Et c'est à la fête du village, lors de l'Epiphanie, que le drame éclate: bon prince, le comte de Mirabeau honore de sa présence le bal populaire ; dans l'assistance, seul le leader de l'opposition au seigneur, l'homme de loi Boyer, reste couvert. D'un coup de canne, nous dit le duc de Castries, Mirabeau fait « voler le chapeau de l'insolent ». Quitte, par générosité, à éviter la corde à son adversaire en étouffant l'affaire.

A coup sûr, la fête, révélatrice nouvelle de tensions sociales, ne nous présente pas un bilan univoque : que de détours en termes d'affrontements campanilistes dans la rixe qui clôt le romérage ! Il n'en reste pas moins que, socialement aussi, l'éclatement de la fête s'impose comme une réalité nouvelle.

L'attente d'un nouveau style de fête

Une fête en crise alors ? et alors même qu'elle n'a jamais été si brillante, si fréquentée, si unanimement perçue comme une originalité locale ? Plusieurs le disent, en se tournant soit vers le passé religieux, soit vers l'idéal à venir d'une fête des temps nouveaux. Celle-ci est encore à inventer, du moins pour l'essentiel... et nous n'avons rencontré en Provence qu'un exemple de seigneur, c'est celui de Volonne près de Sisteron, qui ait établi le couronnement annuel d'une rosière, et ce depuis 1784 : exemple à suivre, dit l'auteur de la notice car « il est à désirer que cet usage devînt général dans un pays où le luxe a dégradé les mœurs ». Le seigneur de Volonne est-il l'exception qui confirme la règle, ou notre dictionnaire n'aurait-il pas retenu généralement ce détail ? Nous ne manquons point dans les testaments nobiliaires du siècle des lumières de philantropes qui souhaitent marier annuellement une pauvre fille, voire cinq à la fois comme M. de Valbelle, le théâtral châtelain de Tourves...

Quoi qu'il en soit, notre unique rosière reste l'annonce significative d'une fête à inventer ! mais on s'en préoccupe activement.

V

UN DISCOURS SUR LA FÊTE

Intérêt des élites pour la fête

De l'un à l'autre des témoignages qui nous ont porté dans cette évocation de la fête en Provence à la fin du XVIIIᵉ siècle, c'est plus qu'un tableau objectif du phénomène dans ses constances comme dans ses mutations qui s'esquisse : transparaît un système de la fête, en forme de discours collectif remarquablement cohérent. On ne s'en étonne qu'à demi : somme toute le fait même de cette convergence de regards ou d'intérêts portés au phénomène est en lui-même bien signifiant et l'on remarque dans les développements parfois fort longs que les auteurs de notices consacrent à la fête, dans leurs dictionnaires, nombre de thèmes communs avec les chapitres des « essayistes » comme Bérenger : indice que la question est à l'ordre du jour, que plusieurs réponses sont « en l'air » et qu'un courant circule entre les écrivains d'audience sinon toujours nationale du moins largement régionale (Bérenger) et le monde des notables de petite ville, ou des érudits de village qui ont écrit à Achard pour lui adresser leurs notices. Un courant d'opinion se dessine, où les provençaux ont à la fois conscience de leur originalité et se rattachent ou se réfèrent à un système culturel national. Bérenger cite, pour les jeux de tradition « chevaleresque », Lacurne de Saint-Palaye et Perceforest, à côté des historiens locaux de la chronique aixoise : De Haitze, Papon, auteur d'une Histoire de la Provence. Millin aussi nomme ces écrivains qui ne sont pas méridionaux. Est-il besoin de dire que tous ont lu

celui qu'ils appellent le maître ou le philosophe de Genève, et qui
leur fournit une référence respectée ?

Références : les ancêtres d'un courant d'intérêt

A travers ce système, on conçoit à la fois que l'intérêt des élites
envers la fête est quelque chose de très nouveau, et en même temps
qu'il s'inscrit dans une continuité assumée. Il serait à coup sûr injuste
de faire commencer au second XVIIIe siècle ce discours sur la fête :
et nos auteurs, citant leurs sources, nous aident commodément à
remonter en arrière. Peu citent cet ouvrage cependant passionnant
du prêtre marseillais Marchetti, qui s'intitule : « Explication des usages et coutumes des Marseillais » et qui date de 1683. On s'en
explique sans peine. Marchetti qui vit au temps de la Compagnie
du Saint-Sacrement dont il est lui-même membre, apporte un témoignage extrêmement précieux par sa date et par la précision de sa
description, sur la fête marseillaise à l'âge classique. Mais sa lecture
est celle d'une église post-tridentine soucieuse de faire le tri, de « digé-
rer » avec plus de réalisme qu'on eut parfois escompté l'héritage
festif équivoque de la grande cité. Marchetti ; érudit souvent un peu
cuistre n'ignore pas les origines païennes de nombreuses pratiques :
il les signale et fait un signe de croix dessus. Plus que par lui c'est
par les historiens locaux que nos auteurs sont renseignés : ils
connaissent les jeux de la Fête-Dieu d'Aix par la dissertation qu'écrivit en 1708 de Haitze, auteur d'une histoire d'Aix, sur « l'Esprit
du cérémonial d'Aix » ; ils ont lu le père Papon dont les quatre
tomes d'une quasi officielle « Histoire de la Provence » sont parus
entre 1776 et 1786 ; comme ils ont lu le traité de Gaspard Grégoire
qui décrit les jeux de la Fête-Dieu d'Aix, à la date bien significative
de 1777. C'est alors que la bibliographie se fait abondante : parmi les
voyageurs qu'une mode nouvelle amène en Provence, plusieurs parlent
de la fête, ne serait-ce que pour en condamner les mômeries en termes d'incompréhension radicale, tel le médecin Oberlin, ou Marmontel dans une page connue, mais parfois pour disserter plus amplement
— des jeux de la Fête-Dieu, bien sûr — comme le Suisse Fisch, ou
simplement pour relever l'importance du phénomène comme l'Anglais
Smolett. Un corpus est donc déjà constitué, qui n'est pas sans équivo-

que, et le préfet de Villeneuve, dans sa statistique des Bouches-du-Rhône, écrite cinquante ans plus tard, relèvera, encore qu'il ne soit point homme d'humour, qu'il y a autant de lectures des jeux de la Fête-Dieu que d'auteurs ; là où Dehaitze y voit une cérémonie religieuse, Grégoire y trouve une forme de tournoi hérité des temps de la chevalerie, et le réformé Fisch une sorte d'allégorie morale.

Avant de clore sur cet héritage, dont on sent qu'il est moins médiocre qu'on ne l'eût attendu, rappelons, ce qui va de soi , mais peut-être mieux en le disant, que le XVIIIe siècle finissant « hérite » également d'une autre lecture, continue, attentive sinon sympathique : celle des prélats, qui est souvent bien en retrait de la compréhension laxiste manifestée par Marchetti, et qui formule la lecture répressive dont nous avons vu les manifestations en actes dans le développement précédent. Mais il convenait au moins de rappeler cette tradition, dont le souvenir va se retrouver, modifié, chez nos auteurs.

Les thèmes d'un discours

Malgré les dissonances que nous pourrons être amené à y relever, le discours des Lumières sur la fête en Provence est un : il y a continuité de thèmes et de ton de part et d'autre de la Révolution chez Bérenger et chez Millin. Les informateurs d'Achard ne parlent point autrement, même si c'est chez eux que des tempéraments différents se révèlent entre l'homme de loi présumable qui se gausse des superstitions et le curé de village supposé qui déplore le déclin de la fête de dévotion : mais le curé de village *aussi* doit couler son discours dans la lecture du siècle. Mais si ce discours est un, cela ne veut pas dire qu'il soit sans contradictions : et on le sent d'entrée, à en organiser les thèmes, qui vont du refus ou de l'incompréhension à la sympathie la plus vive et la plus équivoque.

Thèmes de l'incompréhension ? Certains s'en sont tenus là, et sans phrases, ainsi Oberlin parlant de la Tarasque : « C'est une des plus sottes cérémonies que l'on fasse pour amuser le peuple », et Bérenger fait écho qui écrit : « Le peuple partout imbécile accourt à ces sottes cérémonies. » Mais d'autres sont plus explicites : la fête choque comme l'héritage d'un passé rejeté.

Héritage des temps peu éclairés

Elle est l'héritage des temps de l'obscurantisme et de la superstition : nous avons déjà cité Bérenger parlant des processions et des « cérémonies superstitieuses qui en défigurent étrangement l'innocence et la majesté » : mais Bérenger, homme des Lumières juste milieu fait le départ de la superstition, ou des « abus », et de la religiosité, valeur positive, puisqu'il poursuit : « Quelques-unes sont encore des spectacles frappants pour l'observateur et intéressants pour les âmes sensibles et religieuses. » C'est que, pour lui aussi, telle religiosité apparaît finalement comme un trait spécifique d'un tempérament provençal collectif qu'on doit admettre, et peut-être même comprendre. « Les provençaux sont naturellement religieux » : leur imagination « vive et sensible » fait que « leurs solennités sont de vraies fêtes, leurs fêtes des spectacles... ». Dans sa théorie la fête apparaît à la fois comme le prolongement de la religion et comme le correctif à ce qu'elle peut avoir d'austère et de terrifiant « la religion adoucit son austérité par la pompe extérieure du culte » pour cela le christianisme a repris les fêtes anciennes, à partir, dit-il, de Saint-Ambroise procédant « comme Israël pour les dépouilles de l'Egypte » et telle adoption s'est imposée d'autant plus impérativement que les « temps de malheur », qui sont pour lui ceux du Moyen Age, ont imposé de « nouvelles processions pour fléchir le ciel ».

Avec des nuances, la lecture de Bérenger se retrouve chez Millin qui fignole la théorie des rapports du tempérament provençal et de la religion en l'adaptant aux conditions spécifiques de Marseille : c'est dans les ports de mer que le danger de la mort violente est le plus ressenti, c'est là aussi que règne la licence, et chacun sait que « les hommes livrés au plaisir sont en même temps les plus disposés à la superstition » : et voilà pourquoi les Marseillais aiment les pompes et les processions.

Là où les théoriciens expliquent et à la limite s'efforcent d'admettre l'héritage de la fête religieuse épurée de ce qu'elle peut avoir de « licencieusement ridicule », au village, deux lectures s'affrontent plus nettement : il en est qui regrettent la fête de dévotion à l'ancienne, expression d'un monde aujourd'hui perdu, et ce serait bien le cas pour le moraliste qui promène son regard sur les bourgs de la viguerie de Forcalquier pour constater avec amertume le triomphe de la fête profane. A Reillanne, dit-il, « un esprit de dévotion avait donné lieu à cette fête, comme il est vraisemblable qu'il a donné lieu dans tous les pays à toutes les fêtes de ce genre. L'habitude y conduisit dans la suite, on finit par y aller par le seul motif du plaisir. Et d'évoquer le site du couvent des observantins souillé par « les pèlerins à bourdons, les curieux, les désœuvrés, les libertins, les marchands à magasins portatifs, les bestiaux », tant et si bien que la fête, transférée au bourg, offre un visage tout différent, « on ne voit plus là ni fêtes champêtres, ni joie naïve, ni affluence d'étrangers, c'est un reste de vie qui dispute la victoire à la mort ».

Il est d'autres nostalgiques de la fête de dévotion, ainsi à Bormes dans la viguerie d'Hyères : mais on voit se dessiner aussi le groupe antagoniste des voltairiens, moins prolixes, mais plus incisifs, qui donnent un coup de patte au passage : à Beaume on fête saint Abdon dont la paroisse « croit » posséder les reliques, à Volx la mascarade des hommes sauvages est un « reste de la piété peu éclairée de nos aïeux », à Valensole, le peuple — « la dernière classe du peuple » — se dépense, « croyant honorer saint Eloi ».

Peut-on sauver la fête religieuse ?

La fête, héritage des temps de la superstition, doit-elle être condamnée pour cela ? Peut-être peut-on sauver l'une et l'autre. Avec objectivité la pensée des Lumières (Bérenger) reconnaît ce qu'elle doit aux prélats qui ont, on le sait, « aboli la plupart de ces fêtes nocturnes et licencieusement ridicules ». Elle admet la possibilité d'un perfectionnement de la fête chrétienne par « l'adoption épurée des cérémonies de la Rome païenne ». Surtout elle se reconnaît avec attendrissement dans certaines liturgies — mais certaines seulement — qui correspondent à la religion civique ou patriotique dont elle rêve : et il est remarquable de voir le sort que fait Millin (mais après lui aussi les auteurs du XIXᵉ siècle comme Bérenger-Féraud) aux processions solennelles des Pères de la Mercy, cet ordre méridional spécialisé dans le rachat des captifs sur les barbaresques. On évoque avec attendrissement, dans une imagerie qui préfigure (ou qui reprend en écho — Millin écrit en l'an XII —) la fête des Suisses de Châ-

7

teauvieux, le défilé des captifs libérés, auxquels on a eu soin de
conserver leurs haillons et leurs chaînes. Les mercédaires qualifiés
de « moines citoyens » échappent à la malédiction qui pèse sur le
parasitisme des réguliers pour devenir les héros de la cité. Paradoxe
à coup sûr, lorsqu'on se reporte aux conflits qui naissaient entre eux
et ceux de leurs captifs libérés qui se refusaient obstinément à cette
exhibition voyante.

La fête et la féodalité

La fête et la religion : premier thème négatif dans l'analyse de
l'héritage reçu. Il en est un autre qu'on ne peut esquiver, sans toutefois pouvoir vraiment l'approfondir, et c'est celui de la fête et de
la féodalité. On conçoit que, dans des documents dont la plupart
— Achard, Bérenger... — datent de la dernière décennie avant la
Révolution, ce thème soit à la fois présent et esquivé. Au demeurant, ce discours est non seulement enveloppé mais ambigu : la fête
traditionnelle est-elle le produit d'un ancien état de fait ou, populaire, a-t-elle été brimée par les contraintes du passé ? Le comte
Almaviva apparaît, au fil des notices villageoises, avec des visages
différents : tantôt on dira à Thoard (V. de Digne) que « les seigneurs
autorisent ou défendent la bravade selon leur plaisir », et tantôt on
évoque les rapports codifiés qui font du seigneur le protecteur né
de la fête (Goult, V. d'Apt), le cas extrême, on l'a vu, étant celui
du seigneur de Volonne, qui en établissant le couronnement de la
rosière tente d'en renouveler l'esprit. Valorisant cet héritage, en
passant au niveau du mythe historique, une autre lecture, qui annonce
celle du style troubadour, monte en épingle les éléments chevaleresques
de la fête : les « mais » que les galants dressent sous les fenêtres
de leurs belles sont, dit Bérenger, plutôt un héritage « chevaleresque » qu'antique. Le héros de cette lecture, c'est bien sûr le roi
René, plus encore Solon ou Lycurgue que monarque, en tant que
législateur et inventeur de fêtes. C'est grâce à lui que la féodalité
tire finalement, mieux que la religion, son épingle du jeu dans le
procès de la fête traditionnelle. Millin nous l'explique, mais on
nous accusera peut-être de tricher en faisant comparaître ce témoin
de l'an XII, séparé de l'horizon 1780 par l'épaisseur d'une Révo-

lution : pour excuser toutefois les incongruités et bizarreries des jeux de la Fête-Dieu, il reconnaît que René n'a « rien mis de chevaleresque... ni le joug de la féodalité : il a représenté les trois ordres de l'Etat mais de manière qui n'humilie ni l'un ni l'autre... ». Le roi de la bazoche, c'est le Tiers Etat, l'Abbé de la Jeunesse, le clergé, le Prince d'Amour, la noblesse dont le joug apparaît singulièrement discret. Et Millin, qui devait soupçonner la théorie des Elites, se félicite de ce compromis déjà bourgeois.

Grossièreté de la fête populaire

Finalement, ce qui pèse le plus lourd dans le procès de la fête provençale, au tribunal des Lumières, c'est bien encore d'être populaire. Bérenger n'y va pas par quatre chemins, qui dresse du paysan provençal ce portrait flatté : « Nos paysans, nos valets des environs d'Aix, de Marseille et de Toulon sont une race d'hommes brutale et dure à l'excès... », et qui, en harmonie, évoque les femmes à la fête, qui « sautent, tournent et valsent comme des moulinets et des totons... ce n'est qu'ici que le bruit est vraiment de la joie ». Millin lui fait écho lorsque, évoquant la course des jeunes filles, il évoque les « modernes Atalantes chargées de lourds jupons » : trop vêtues, à coup sûr, et telles avec leurs « plis roides et grossiers » qu'aucun sculpteur ne les choisirait. Morale, esthétique dès le premier abord, la condamnation de la fête populaire s'étoffe de toute une argumentation. La fête est brutale : sans doute y a-t-il pire ailleurs, et Bérenger innocente partiellement les Provençaux en évoquant par référence la corrida espagnole qu'il connaît assez mal mais dont il livre le récit d'un carnage des plus répugnants. La Provence n'a point l'équivalent, et c'est à son actif, mais la brutalité jaillit de la fête : et l'on a vu les mentions faites de la fête villageoise rituellement terminée à coups de bâtons ou à coups de pierres. Lors même qu'elle n'est pas violente, la fête est vulgaire, ou à tout le moins « bruyante » : c'est le qualificatif qui revient le plus fréquemment (à Entrecasteaux, Cucuron, La Celle, Draix), d'un bout à l'autre de la Provence pour qualifier le romérage.

Et puis elle est de mauvais goût : et, sur ce point, la condamnation porte aussi bien sur la fête religieuse que sur la fête profane.

Bérenger ici se déchaîne : « J'aime trop ma patrie pour vous décrire
ici l'étrange procession qui attire à Aix tant de badauds aux approches de la Fête-Dieu... Ces pitoyables folies insultent à la province
ou plutôt à la ville qui les tolère. »

Et d'évoquer — malgré ce préambule — en termes dédaigneux
le spectacle dégoûtant des teigneux ou lépreux, comme la crédulité
de la troupe des diables qui craignent qu'un vrai diable ne se cache
parmi eux. A peine moins dégoûté, Millin, qui songe aux trois
cent cinquante couches de crasse qui enduisent l'intérieur des têtes
en carton et qui recule, écœuré, au spectacle des tirassouns, ces
« Innocents » vauriens préposés à se rouler dans ce que l'on peut
pudiquement appeler la fange, préfère prendre la chose sur le mode
plaisant.

Si la fête n'était que de mauvais goût ! Mais elle est pire : un instrument de dépravation des mœurs. Millin le dira, qui décrit la
manière dont les danseurs se ruinent par gloriole pour offrir des
épingles à leur belle, ou dont le jeu pour de l'argent, flattant la
cupidité, peut conduire à la ruine ou au suicide. Il n'est là que l'écho
d'un avis fréquemment rencontré dans ce sondage d'opinion que
fournit le dictionnaire : à La Celle (V. de Brignoles), les jeux et
les danses « préparent souvent de tristes suites » ; à Cabasse (V. de
Brignoles), « le jeu et la dissipation attirent beaucoup de monde »,
et nous avons vu, à Velaux (V. d'Aix), comment l'anonymat de la
fête nouveau style permet à l'amant de sortir incognito sa maîtresse...
Pour nuancer ce thème, on doit reconnaître qu'il est souvent conçu
dans une perspective évolutive : c'est par référence à un avant, à
une sorte d'âge d'or, que l'état actuel est présenté, et ceci surtout
dans les descriptions urbaines. Avant, c'était la fête patriarcale,
la simplicité des banquets : tout ce qu'évoque Millin de l'ancien style
de vie marseillais. On en appelle de la dépravation du peuple d'aujourd'hui à l'évocation d'un passé idéalisé, comme au rêve de ce qui
pourrait être le peuple de demain.

La fête réhabilitée : héritage des Grecs et des Romains

L'idéal que l'on recherche dans le passé, on se doute de ce qu'il
peut être dans ce site provençal singulièrement privilégié par l'his-

toire : ce qui sauve la fête provençale aux yeux d'une élite des Lumières néo-classique, c'est qu'elle est héritée des Grecs et des Romains.

Pour cette bonne cause, un regard que l'on peut dire proprement scientifique se met en place, qui dans une vision ethnographique avant la lettre, ou simplement historique, s'en va à la recherche des origines. Pour être juste, elle n'est pas totalement nouvelle, — et plus proprement humaniste —, les Provençaux, depuis Peiresc, ont insisté sur les aspects de l'héritage comme sur les voies de transmission. Mais si l'attitude est ancienne et si toute une partie des explications ont déjà été fournies, en termes parfois déjà modernes, les formes d'expression changent, et l'on décèle sans trop forcer une évolution même, de Bérenger, dans les années 80, à Millin, autour de 1800. Bérenger, c'est l'esthète et le moraliste : s'il insiste sur l'importance de l'héritage des Grecs : la Belle de Mai, les chevaux frus, modernes centaures, les feux de la Saint-Jean ou les bannières tendues dans les rues, c'est à la fois dans une perspective d'exaltation d'un passé provincial et dans un but quasi pédagogique ; s'il parcourt les villages autour de Marseille et Toulon, c'est pour y retrouver les « rapports frappants de l'ancienne gymnastique et des exercices utiles... de notre jeunesse ». De cette vision au miroir de l'histoire, la fête tout à l'heure brutale sort transfigurée : la jeune fille désire voir son amant couronné, les vieillards pleurent de joie, quant aux athlètes, « vous croyez voir les dieux d'Homère ». Et il n'est point jusqu'aux ânes qui ne sortent triomphants d'une course qui « embellit la race dédaignée », dit l'auteur dont le souffle lyrique s'élève ici presque à la hauteur de l'abbé Delille. Chez Millin, moins de lyrisme, et partant plus de goût : surtout un souci de l'enquête précisément menée sur le terrain, et qui en fait un précurseur des folkloristes du siècle à venir, mais toutefois un idéal comparable.

Le peuple redécouvert : gardien de l'innocence et des valeurs du passé

Cette vision idéale ou, pour débuter, idéalisée, c'est celle qui va faire redécouvrir le peuple et la fête populaire, non point le peuple dont on vient de parler, crasseux, brutal et dépravé, mais le peuple détenteur de valeurs essentielles. Quels que soient les avatars qu'ait connus la fête, les adultérations qui aient pu l'affecter, le peuple

reste détenteur d'une authenticité qui ramène à la simplicité des premiers temps. Les qualificatifs ici employés, et qui reviennent en leitmotiv, sont ceux de gaîté, franchise, simplicité, cordialité, naïveté.
Les temps forts ? Chez Bérenger, comme chez d'autres, c'est la fête
familiale de Noël, patriarcale par excellence, résurrection annuelle
de la « joie antique des vénérables banquets... tels étaient sans doute
les repas des patriarches à l'âge d'or... ». Millin, qui a l'avantage
d'avoir lu Chateaubriand et qui le cite, retrouve cette simplicité dans
les frugaux festins de Carême du pays niçois dont la « franche gaîté
évoque les premiers anachorètes », comme dans la Fête-Dieu à
Marseille, frappante par « son caractère de gaité et de religion particulier », mais il se sent aussi étreint d'une « vive émotion » à la
« simplicité naïve » d'un enterrement d'enfant près de Cagnes. Et,
pour lui, l'archétype de la fête, c'est bien encore ce rite solaire qu'il
va chercher dans le département des Hautes-Alpes, au hameau de
Lous Andriou, commune de Guillaume, canton de Saint-Firmin.
Dans ce lieu encaissé, qui ignore la vue du soleil pendant tout
l'hiver, son retour au 2 février est salué d'une agape fraternelle de
tous les habitants — on précise qu'on y mange des omelettes —
sous la direction du « vénérable » de la communauté, auquel revient
de faire, très simplement, l'invocation à la lumière retrouvée.

L'idéal de la fête « patriotique »

De la vraie fête retrouvée à la formulation de l'idéal, il n'y a qu'un
pas, que nos auteurs franchissent sous l'égide de Jean Jacques, du
maître de Genève, explicitement invoqué par Bérenger. C'est lui
qui, du fruit des spectacles observés en Provence, tire la matière
d'objurgations adressées à ceux qui nous gouvernent : « Si nos gou-
vernements modernes avaient pu donner plus d'attention à ces institutions utiles et vraiment patriotiques... les jeux sédentaires auraient
moins prévalu, nos corps seraient plus robustes, nos esprits moins
ennuyés et nos cœurs en proie à quelques passions de moins », et
plus loin, s'adressant à son interlocuteur parisien : « C'est à vous,
mon cher maître, à démontrer que la politique devrait faire tourner
ces jeux trop négligés dans les provinces, au profit de la bravoure
et des mœurs.. » Et Bérenger conclut en citant les « fêtes patrio-

tiques » prônées par le philosophe de Genève et qui s'allient « avec les mœurs et la vertu ».

C'est par une référence explicite à Rousseau que s'achève ce discours sur la fête d'Ancien Régime, comme par la notion déjà explicite de « fêtes patriotiques » : la Provence festive semble bien prête, au moins dans le discours de ses élites, à accueillir une aventure nouvelle.

VI

1789-1791 : LA PROVENCE À LA RECHERCHE D'UN NOUVEAU STYLE DE FÊTE

Survie de la fête traditionnelle

Les auteurs du siècle passé (Bérenger-Féraud), qui ne faisaient pas le détail, ont volontiers présenté la Révolution tout entière comme une parenthèse dans l'histoire de la fête provençale.

En réalité, la période qui va de 1789 à 1792 et parfois 1793 atteste la survie et l'adaptation relative de la fête traditionnelle aux conditions nouvelles de la vie politique. La fête continue : elle continue au village dans les premières années, et l'on peut citer telle demande de la commune d'Eguilles, près d'Aix, de célébrer en 1790, comme à l'accoutumée, la fête locale de Saint-Julien ; autorisation accordée par le directoire du département, à la condition qu'on n'y offrira l'encens qu'à Dieu...

A la ville, il est plus aisé encore de suivre cette continuité, au fil d'annales bien tenues. Les fêtes et processions proprement religieuses gardent leur audience. Aix célèbre, en juin 1790, la bravade de la Saint-Jean, comme la fête de la Visitation en 1791, comme la procession à Saint-Antoine — Ermite en janvier 1791 et 1792 ; la municipalité d'Avignon invite en 1791 à pavoiser les rues de la ville suivant la tradition lors de la Fête-Dieu. On sait aussi se tourner vers l'intercession céleste, si besoin est : et la sécheresse de l'année 1791 voit les autorités nouvelles réclamer à qui de droit des prières pour obtenir la pluie : à Arles, en janvier, c'est le club qui pétitionne auprès de la municipalité pour obtenir prières et procession à cette fin ; à Avignon, le 6 octobre pour la Saint-Bruno, on associe à une procession pour la bénédiction du nouveau cimetière une neuvaine pour obtenir la pluie ; à Aix enfin, la Société des Amis de la Constitution fait prier l'évêque métropolitain d'intervenir pour « l'extirpation des insectes qui dévorent les oliviers ».

Les grandes fêtes urbaines, semi-profanes ou folkloriques, déjà, répercutent plus directement le sentiment d'une adaptation nécessaire, au sein même de la continuité, comme l'on dit. Les contemporains ont conscience qu'elles reflètent dans leurs structures un état social dépassé, et qu'une lecture modifiée s'impose.

La question se pose à Aix pour les jeux de la Fête-Dieu dès 1790 où la municipalité a le souci de justifier sa fête par des arguments intéressants dans leur embarras même « cette procession que la religion d'un roi pieux et céleste a rendu curieuse aux étrangers, intéressantes à nos concitoyens... ». Mais la suppression des corps et corporations entraîne une modification du cérémonial calqué sur la codification ancienne des honneurs : la bazoche a disparu, les artisans rechignent à contribuer à l'abadie, autant de vestiges qui disparaissent... ou se transforment. L'année suivante encore (1791), on se préoccupe de ces ajustements, et en 1792 la poursuite du rituel s'accompagne d'une démocratisation spectaculaire du recrutement des cadres puisque c'est un serrurier qui se voit désigné comme lieutenant du Prince d'Amour et un cordonnier comme Abbé de la Jeunesse.

Cette restructuration se retrouve à Marseille, dans le cadre d'une continuité aussi notable : en 1792 on fait la procession de la Fête-Dieu avec le traditionnel bœuf gras, mais, hormis les bouchers, aucun des corps de métier supprimés ne figure dans le cortège. A Tarascon enfin, dès 1790, un mémorialiste local note sur son journal : « La Tarasque fut donnée aux paysans ; anciennement, il fallait être noble pour être l'abba de la Tarasque, après, il fallait être bon bourgeois, enfin on ne la donnait qu'à des gens d'un certain caractère. Enfin voilà la première année où le droit de l'homme a paru dans cette ville en voyant faire courir la Tarasque par des paysans sans costume. » Il y aurait lieu de suivre, au bourg et au village, mais les sources sont rares ici, les conditions symétriques dans lesquelles se fait alors l'éclipse de l'Abbé ou du Capitaine de ville.

Continuité toutefois, on le voit, la plupart du temps jusqu'à 1792,

voire 1793. Mais dès l'étape initiale où nous nous plaçons, il s'en
faut que cette continuité soit sans réticences, et nonobstant les
modifications apportées au cérémonial.

Les nouvelles municipalités urbaines regimbent parfois ; ainsi à
Aix, en avril 1790, le maire et les officiers municipaux refusent-ils
de prendre part à la procession de la Saint-Marc, et de l'honorer
de leurs discours. Plus significatif encore, l'incident qui éclate dans
la même ville en janvier 1791 à propos de la procession de la Saint-
Sébastien. Une pétition fort vive de la Société des Antipolitiques
ramène l'origine de cette procession au temps du despotisme, et
singulièrement de l'oppression du parlement d'Aix : tel héritage est
rejeté sur l'argument que « s'il est quelquefois dangereux de briser
les idoles que la superstition a consacrées, il n'est jamais imprudent
d'éclairer ceux à qui le fanatisme pourrait en imposer... ». Troublée,
la municipalité fait enquêter pour savoir si l'origine de la procession
remonte bien aux fureurs parlementaires des troubles du « Semes-
tre » lors de la Fronde aixoise : on établit qu'elle remonte au contraire
à un vœu en temps de peste ; on respire, la fête aura lieu et le corps
de ville en autorise les pompes les plus traditionnelles.

Sans doute le respect de la continuité historique ne va-t-il pas jusqu'à admettre la fête traditionnellement séditieuse : en 1792, les
édiles d'Aix prohibent les masques de carnaval, couverture commode
d'une agitation contre-révolutionnnaire. Mais ne sont-ils pas là en
continuité avec la lecture des prélats et intendants ?

Respect des traditions, mais déjà réticences, nécessaires ajustements
en termes parfois de relative « démocratisation » : entre 1789 et
1792, la fête traditionnelle survit, mais il lui faut tenir compte du
surgissement de la réalité nouvelle de fêtes révolutionnaires.

La fête révolutionnaire dans le cadre de la fête « à l'ancienne »

La première, et sans doute la plus déconcertante des lectures nouvelles de la fête qu'apporte la Révolution, c'est sans doute la fête
« sauvage » : celle qui accompagne et prolonge la journée révolutionnaire. La Provence n'ignore point ce type de fêtes, peut-être même
revêt-elle ici un caractère qu'elle n'a pas ailleurs. On pourrait donner,

comme illustration typique de cette association de la fête et de la journée révolutionnaire — l'une et l'autre se confondant —, l'exemple marseillais de la prise des forts, Notre-Dame de la Garde, Saint-Nicolas, Saint-Jean, au début de mai 1790. Au fort Saint-Jean, les choses tournent mal, le commandant, le major de Beausset, qui veut résister est tué dans l'assaut par une foule où les femmes sont mêlées aux hommes. Son corps est mutilé et ses tripes, dit-on, promenées au bout d'un bâton au cri de « qui veut de la fraîchaille ? ». Et c'est derrière ce macabre vestige que spontanément s'organise la farandole, qui parcourt les rues pour célébrer la chute des bastilles marseillaises, symboles, depuis Louis XIV, de l'humiliation de la ville. La farandole assume ici son rôle de support formel spontané de la fête contestataire, dans la tradition du carnaval et du charivari : retenons le fait, qui se retrouvera.

Mais si la fête spontanée, sous sa forme à la fois ancienne et nouvelle, secoue ainsi les structures anciennes de la festivité provençale, cela reste encore un processus marginal : la fête nouveau style qui se cherche se coule encore généralement dans le cadre des formes reçues, religieuses ou civiles.

Traditionnelles sont encore les fêtes en forme de « joyeuses entrées » qui scandent l'année 1790 et le début de 1791 : ainsi celle qui est offerte par Marseille le 27 avril à l'abbé de Quinson, commissaire du roi en Provence, à l'occasion de la formation du département, sous un pavillon de feuillage élevé aux allées de Meilhan et orné des inscriptions « la Nation, la Loi, le Roi », mais il est vrai aussi que c'est à cette occasion que l'on porte pour la première fois, devant le cortège, une pique surmontée d'un bonnet phrygien. Nouveauté qui fait date.

Dans le même esprit, on classera la fête civique qu'offre la ville de Digne à l'un des députés aux Etats généraux, l'abbé Gassendi, de retour dans sa famille le 28 juillet 1790. Rencontre traditionnelle et nouvelle à la fois ; cette idée « spontanément née » est idée de notables, maire et municipaux en tête. Le cérémonial religieux de la messe d'actions de grâces reste traditionnel, où l'abbé Gassendi occupe la stalle prévôtale en la cathédrale, le cortège aussi qui demeure dans la tradition de la bravade. Suit un banquet, à la fois fraternel et distingué, dont on laisse les restes aux pauvres... et qui s'achève en séance de réconciliation collective, où l'on oublie les haines, l'on décide d'écrire aux émigrés pour les rappeler, on brûle même les archives d'une « affaire fâcheuse ». Le tout s'achève en farandole qui va rendre la ville témoin de ces prodiges, les « bons paysans » embrassent les notables : « tous ne formaient qu'une seule famille », « on ne parlait plus que de paix universelle et d'amitié et cette fête peut-être unique de nos jours était vraiment digne en tout des premiers siècles ». Fête mystificatrice ? Fête de l'illusion plutôt où l'idéal rousseauiste se coule encore sans trop de peine dans le moule de la cérémonie religieuse et de la farandole, mais qui vient en contrepoint, dans sa spontanéité apprêtée, de la fête « sauvage » dont nous parlions plus haut.

A suivre ce thème, on n'est pas en peine de pousser jusqu'au cœur de 1791 : installations des municipalités et des nouvelles autorités, qui donnent lieu à *Te Deum* et actions de grâces ; mais parfois ici, la fête se fait grinçante, ainsi le 17 novembre 1790, lorsque les Aixois, à l'incitation de leur société populaire, vont installer leur nouveau tribunal de district, là même où siégea leur Parlement : « des citoyens en foule avaient devancé la marche pour purifier par leur patriotisme la salle du palais des derniers sentiments dont elle avait été infectée... ». Et si le cérémonial est connu : actions de grâces dans le Temple de la Divinité, distributions aux pauvres, et pour finir feu de joie (« La société aurait désiré pouvoir y consumer tous les vestiges de l'Ancien Régime »), c'est bien cependant d'un spectacle nouveau qu'il s'agit.

Au printemps de 1791, à la nouvelle du rétablissement de la santé du roi, on chante encore un *Te Deum* d'actions de grâces en plus d'un lieu : la trace nous en reste pour le bourg alpin de Seyne, mais aussi pour Arles, dont le maire, Antonelle, exclut il est vrai de ce « concert attendrissant et majestueux » les prêtres réfractaires qui s'en sont exclus d'eux-mêmes.

Dans la lignée de ces manifestations de tradition, les cérémonies en l'honneur des mânes de Mirabeau en avril 91, constituent un aboutissement. On eût escompté ces fêtes funèbres plus nombreuses, dans une Provence d'où le tribun était parti à la conquête de Paris : mais nul n'est prophète en son pays. Il y a service funèbre à Aix, comme à Draguignan ou à Seyne, les Marseillais projettent — mais sans suite — de lui élever un monument. Même si notre relevé est incomplet, l'émotion reste faible au niveau de la Provence rurale.

Plus mobilisatrices, peut-être, sont les fêtes dont le style nouveau se cherche alors.

Vers un nouveau style de fêtes ? Les fédérations et leurs suites

A défaut d'être une originalité locale, l'épisode des fédérations revêt en Provence une importance certaine : la province, on le sait, a précédé Paris puisque c'est le 17 mai 1790 qu'à l'invitation de Marseille s'assemblent à Brignoles les représentants des municipalités qui forment les trois départements ci-devant provençaux : 22 délégués qui s'unissent par une sorte de pacte fédératif.

Au 14 juillet 1790, c'est au niveau des municipalités que se répercute, comme l'on dit alors, l'étincelle fédérative : il s'agit de s'associer sur place au serment qu'à Paris prêteront les envoyés provençaux comme le soulignent les proclamations « vous êtes invités à vous unir de cœur et d'esprit au serment fédératif que vos députés prêteront pour vous » (adresse du D. d'Arles). A Aix, de même, le maire Espariat insiste sur le miracle de cette simultanéité, « chers camarades, unissons nos voix, nos mains et nos cœurs, participons à la fête générale. C'est à cette heure, dans ce moment même que nos représentants, nos frères d'armes, réunis à Paris, entourés d'un peuple immense, frappent les airs des expressions de leur joie ; que le cri de la liberté française, répété en même temps d'un bout de l'empire à l'autre, s'élance vers le ciel et retentit dans tout l'univers ».

Premier exemple de fête patriotique ou civique uniformément célébrée en tous lieux, à la demande des autorités, la fête de la Fédération de 1790 nous pose, pour la première fois, le problème de son succès ou de son impact réel. A-t-elle été célébrée en tous lieux ? Il faudrait mener l'enquête pas à pas dans les registres des délibérations villageoises. A défaut, nous possédons au moins dans les Bouches-du-Rhône une série de procès-verbaux, que le département a d'ailleurs sollicités avec insistance dans les mois suivants : ils touchent une dizaine de localités des districts d'Aix, Marseille et Salon, et témoignent que des agglomérations restreintes et proprement villageoises ont célébré la fête : ainsi Aurons (D. de Salon) où tous les citoyens et gardes nationaux de la commune ont prêté le serment fédératif, ou La-Fare-les-Oliviers où l'église paroissiale a accueilli la garde

nationale, son oriflamme et son tambour, pour une messe suivie du
serment collectif, comme celui du maire et du curé. Cas moyen sans
doute, dans sa médiocrité, de ce qui a dû se passer en bien des
lieux.

A la ville il en va autrement, et le dossier est fourni, tant pour
Marseille que pour Aix, Arles, Toulon, Avignon et Carpentras dans le
ci-devant Comtat, voire Beaucaire, si l'on veut nous pardonner quelque annexionnisme provençal. C'est que la fête a été ressentie comme
une nouveauté : adresses ou factums se sont interrogés sur ce qu'elle
devait être, et postérieurement des descriptions ou des relations ont
paru pour en perpétuer le souvenir. On citera dans les textes préparatoires la « consigne générale pour la journée de la Fédération »
parue à Carpentras, ou plus intéressant encore « l'avis pressant aux
dames citoyennes de Marseille et à toutes les demoiselles amies de la
liberté concernant la solennité de la fête du 14 juillet 1790 », mais
aussi l'ample compte rendu de la municipalité d'Aix, ou la « description du monument élevé à Marseille pour la prestation du serment de
la Confédération, le 14 juillet 1790 », à titre d'exemples dans une
production fournie.

On a eu, et les textes le disent, l'impression de devoir rompre avec
la tradition des fêtes à l'ancienne, pour apparaître à la hauteur d'une
situation sans précédent.

Dans ce but la fête, comme à Paris, se donne dans un cadre de
plein air, ce qui répond aussi à sa finalité comme à ses impératifs,
puisqu'en ces villes elle associe les effectifs nombreux des gardes
nationales et des troupes de ligne. C'est rompre avec la fête en vase
clos, entendons dans une église, qui avait jusqu'alors prévalu. Rompre au moins partiellement, puisqu'à Arles par exemple, le serment
fédératif en plein air se double d'un Te Deum chanté ensuite dans
la cathédrale Saint-Trophime. Mais à ce titre apparaît aussi le souci
de ne pas mélanger les genres : à Aix, le clergé se retire après avoir
célébré la messe, et c'est alors que le serment est prêté. Autant de
nuances, qui ne sont pas indifférentes, mais qui laissent subsister
un schéma commun.

Fête de plein air : la célébration se fait parfois hors la ville, ainsi
à Beaucaire, se coulant dans la tradition du romérage excentré auquel
l'apparente son aspect de fête pastorale autant que militaire ; parfois
aussi aux portes, sur la lice, comme à Arles ou Carpentras. Mais

Marseille élève à l'intersection de la Canebière et de l'axe nord-sud de la porte d'Aix, à la porte de Rome, un autel en forme d'octogone, orné aux angles de faisceaux d'armes, et surmonté d'une statue de huit pieds figurant Marseille, couronnée du bonnet phrygien. Quatre autels, un sur chaque face, une décoration abondante associant emblèmes et légendes, sur des thèmes moraux, patriotiques, mais aussi à résonance locale (Phocée regroupe ses enfants). A Aix, c'est sur le cours, entre deux fontaines qu'est dressé l'autel, auquel fait face un obélisque prolongé de part et d'autre par un portique en colonnade.

Dans l'un comme dans l'autre cas, c'est autour de ce lieu central que se massent les troupes de ligne et la garde nationale, pour assister au service religieux, puis participer au serment et entendre les discours . On tire alors les boîtes : et suivant une succession chronologique qui reprend celle du romérage, l'après-midi est consacré aux réjouissances ; danses et banquet. Ces réjouissances sont-elles populaires, et la spontanéité reprend-elle ses droits ? On pourrait en douter à lire à la fois les projets d'ordonnance proposés... et leur réalisation : sans doute l'avis pressant aux dames citoyennes de la ville de Marseille propose-t-il un programme d'agapes fraternelles :

« A sept heures du soir environ, chaque citoyen mettrait un couvert devant la porte et inviterait à sa table ceux qui ne seraient pas à même de faire les frais d'un souper patriotique ; ou bien mieux, chaque district ferait dresser publiquement une table de deux cents couverts ; les plus nécessiteux y seraient servis par les dames : au haut de la table un jeune homme et une jeune fille, pauvres mais honnêtes... » ; mais en fait de filles pauvres et honnêtes ce sont Mme Martin, femme du maire, et Mme Lieutaud, épouse du commandant de la garde nationale, qui président le souper que la bourgeoisie s'offre à elle-même : l'idéal ailleurs formulé, dans ce factum, d'une fête rousseauiste où le peuple, toutes classes confondues, se donnerait, par le biais du défilé de la garde nationale, à lui-même le spectacle de voir défiler des citoyens heureux, reste du domaine du rêve mystificateur.

Ne jouons pas les trouble-fête : cette unanimité dont nous décelons les failles, peut-être a-t-elle été l'illusion de cette journée. Et outre le banquet officiel, le journal des départements méridionaux (Beaugeard) évoque la farandole générale de l'après-midi :

« L'après-midi, de nombreuses farandoles parcoururent la ville ;
on y voyait confondus et mêlés des officiers... des soldats, des gardes
nationaux, des abbés, des marins, des religieux ; plus de distinction,
plus de morgue, le sentiment du patriotisme et celui de la liberté
avaient échauffé toutes les têtes et électrisé tous les cœurs. » Plus ou
moins, la fête vécue répond au schéma idéal qui lui est proposé par
les discours qui lui rappellent son but de fraternisation, comme à la
symbolique très simple de l'échange des drapeaux ou des guidons à
quoi s'est réduit le cérémonial de la rencontre du matin.

Dans la continuité des fêtes de la fédération, il n'est pas malaisé
de disposer la suite de celles qui en sont plus ou moins, au fil de 1791,
l'écho répercuté : dès le mois d'août, on célèbre la réception des bannières des départements qui ont figuré à la cérémonie parisienne du
14 Juillet ; Aix reçoit la sienne sur le Cours, au lieu même où la fédération s'était tenue le mois précédent, et les districts et municipalités
(Martigues) députent à cette rencontre qui se veut encore sous le
signe de l'unanimité — une unanimité bourgeoise : souper dans une
salle verte sur le Cours, puis danses dans la soirée. A Digne, c'est un
notable d'ancien style, l'archidiacre d'Auribeau, qui compose vingt-
quatre couplets sur le thème :

> *Honneur et gloire à la bannière*
> *qui nous arrive de Paris...*

On brode sur le thème des drapeaux entrelacés : et Marseille, affirmant sa vocation cosmopolite, célèbre le 16 décembre 1791 l'alliance
des deux drapeaux français et anglais, qui sont bénis à la paroisse
Saint-Louis à l'issue d'un cortège civil et militaire parti de la place de
la Liberté.

Puis s'ajoutent les fêtes de la répétition, ou du retour : au 14 juillet 1791 la répétition du serment civique, ou fédératif, dont on possède des traces à Marseille, à Arles... ou Carpentras et Avignon. Malgré l'interdiction du ministère de l'Intérieur, la cérémonie aura encore
lieu à nouveau le 14 juillet 1792 : elle est tout particulièrement fêtée
à Marseille, Arles, Martigues, et à Avignon. Il nous appartiendra de
voir si cette répétition est simple reconduction, dans le contexte de
1792.

Mais pour l'instant, on se préoccupe de recevoir le nouvel acte constitutionnel, ce qui se fait dans le courant de septembre 1791 à Aix, Marseille, voire... Saint-Chamas, en octobre à Arles ou Toulon, en novembre en Avignon. Mais c'en est fait alors, en plus d'un lieu, de la fiction de l'unanimité : à Arles où le royaliste Loys a évincé, à la tête des chiffonistes, le jacobin « monnaidier » Antonelle de la mairie, on rapporte que « la cérémonie... fut faite avec toute la pompe possible. Les factieux monnaidiers au contraire enragèrent et il y en eut trois qui eurent la scélératesse de crier « Vive Antonelle, vive les Monnaidiers, merde au roi ! ».

A peine né, le cérémonial de l'unanimité nationale se trouve confronté aux réalités d'un affrontement fort vif. On s'étonnera moins, dans ces circonstances, que la Provence réagisse peu pour ne pas dire point à des sollicitations festives d'ampleur nationale, mais d'épi-centre septentrional : la fête en l'honneur du lieutenant Desilles et des morts de Nancy, dite de la Liberté, n'est célébrée en octobre 1790 qu'à Avignon, et de même on ne parlera pas, sous cette lati-tude des suisses de Châteauvieux ni du maire d'Etampes Simonneau, au printemps 1792 : quitte à retrouver ce dernier, le « martyr de la loi » curieusement associé en 1793 avec Marat, Chalier et Lepeletier : exemple, entre autres, de véritable temps de latence et de réfraction dans la propagation des nouvelles.

Non, si dans son calendrier spécifique le Midi ne reçoit pas ces impulsions, c'est tout simplement qu'il a assez affaire avec son pro-pre dynamisme, ou ses propres fureurs selon que l'on voudra, à l'approche d'une des saisons — 1792-1793 — où la fête va prendre ici un autre visage, ou d'autres visages.

VII

1792-1793 : L'EXPLOSION CRÉATRICE

Débâcle de la fête traditionnelle, apogée de la fête « sauvage »

A la disparition et à la crise de la fête traditionnelle, au cours de 1792, on peut trouver plusieurs explications, les unes évidentes, les autres moins. C'est alors à coup sûr que les conséquences du schisme religieux se font le plus vivement sentir, et que l'on peut détecter un vif mouvement d'anticléricalisme populaire, qui culminera à l'été 1792. C'est alors, plus largement, qu'en Provence, les affrontements des partis, des groupes sociaux, de villes aussi suivant les cas, prennent une âpreté nouvelle. Puis on fera remarquer qu'à partir de l'été 1792 et surtout de 1793 les levées d'hommes vont entraîner une ponction de la jeunesse masculine, noyau traditionnel de la fête profane, ponction perceptible sur la pyramide des âges des localités urbaines ou rurales pour lesquelles on possède alors un dénombrement (an II et an IV). Déséquilibre momentané de la société, et non point seulement qualitatif, trouble également ressenti dans les structures de la famille, et dont la statistique du divorce à Marseille témoigne.

Sur ce fond nous nous contenterons de deux ou trois tableaux, en 1792 — mais ils sont expressifs — pour symboliser la crise de la fête traditionnelle.

A Tarascon, au sein du conflit entre monnaidiers et chiffonnistes, les jacobins locaux, renforcés de Marseillais, associent à la reprise de la ville des démonstrations d'anticléricalisme qui s'achèvent en mascarade : puisque après avoir mutilé l'autel de la Major, ils promènent un buste du Père Eternel, obligeant les femmes, les filles et même, nous dit-on, les hommes, à cracher dessus. Mieux encore, en septembre 1792, au cours d'une expédition marseillaise, on détruit le mannequin de la Tarasque, symbole des superstitions anciennes, témoignage aussi de la perception de la fête à l'ancienne comme liée à l'ancien régime.

A Marseille, en cette même année, c'est le rendez-vous de la Fête-Dieu qui voit éclater le trouble ; la veille de la procession lorsque les pénitents de la Très Sainte Trinité et de Notre-Dame d'Aide vont, suivant la tradition, chercher à sa chapelle la statue de Notre-Dame de la Garde, ils sont lapidés par une foule hostile : le lendemain la statue sera remonté sous la protection de la garde nationale : mais on a attaché une cocarde tricolore à la couronne de la Bonne Mère, et Jésus est coiffé d'un bonnet de la liberté surmonté d'un panache de général de la garde nationale. Sans doute le défilé lui-même du bœuf gras se fait-il sans encombre, au milieu des maisons tapissées et des reposoirs : mais sans donner satisfaction à ceux qui s'irritent de le voir conduit par le clergé constitutionnel.

Tel épisode, qui serait à rapprocher de ce que dit Maurice Agulhon sur la fin des pénitents en ces années, témoigne de la violence de l'affrontement en cours, même s'il est encore alors des exemples de processions marseillaises honorées de la présence des autorités, ou de la garde nationale (critère ambigu, où peut jouer la solidarité avec un clergé constitutionnel menacé).

Nous terminerons sur une troisième scène, plus annonciatrice encore de l'avenir. Avignon avait, avant de se ranger décisivement dans le camp du jacobinisme, célébré en grande pompe, le 17 octobre 1791, la procession de « l'enterrement des martyrs », entendons les Avignonnais mis à mort par les jacobins lors du célèbre massacre de la Glacière, qui faisait lui-même suite à l'assassinat du patriote Lescuyer. Cette liturgie conservatrice reste cortège à l'ancienne, qu'un témoin nous décrit, associant un détachement de dragons, un détachement des troupes de ligne, sept gazettes de pénitents, les curés et les chantres, les tambours et la musique, suivis des deux chariots où sont amoncelés les corps, la municipalité fermant le cortège. Suivant la tradition baroque, on fait faire, à la fin de l'enterrement, un grand tour de ville aux deux chars « afin de les faire voir à tout le peuple ».

Et voici affrontée, terme à terme, la contre-liturgie qui marque le

retour des jacobins « glaciéristes » victorieux au 29 avril 1792 :
« Après la troupe, il y avait un chariot traîné par vingt-deux ânes,
et chacun son cavalier, et sur le chariot il y avait Bacchus sur le tonneau avec des arcs de triomphe et les drapeaux de la nation, et grande
musique, ces chariots signifiaient que la Nation est toujours plus
forte que l'aristocratie, et que ceux qui travaillent pour confondre la
nation ils sont des ânes et que jamais ils n'en viendront à bout. »

Les « mais » de la liberté

Le char traîné par des ânes : élément que nous allons voir central
dans la mascarade déchristianisatrice, ... mais dix-huit mois plus tard :
la précocité méridionale s'explique sans doute par l'âpreté des affrontements vécus. Mais là même où la Provence semble rattraper un
retard dans la mise en place des liturgies semi-spontanées, c'est au
fil de 1792 avec une ardeur très caractéristique : et nous songeons
à la campagne de plantation des arbres de la Liberté qui se déroule
alors. La Provence n'est pas en avance sur ce plan, dans la géographie
contrastée de la fête révolutionnaire : on en a d'ailleurs conscience
ici, « on a enfin exécuté dans notre ville la cérémonie auguste qui a
eu lieu dans tous les endroits où règne le patriotisme ».

La campagne se déroule entre mai et octobre 1792, au cœur donc
de l'année la plus chaude de la révolution provençale. Le calendrier
que l'on peut deviner à partir des comptes rendus urbains et ruraux
privilégie deux époques — fin du printemps et début de l'été d'une
part, automne de l'autre, entre octobre et novembre, avec un creux
estival que l'on peut mettre en rapport aussi bien avec le calendrier
saisonnier de la fête traditionnelle, et aussi plus conjoncturellement,
avec les deux pointes du dynamisme révolutionnaire local tel que
nous avons pu l'apprécier d'après l'étude des troubles sociaux ruraux
et urbains dans cette période. Il y a à cela sans doute des explications ;
et lorsqu'on voit à Istres, par exemple, la parole portée par Micoulin,
orateur attitré du club marseilllais, on saisit concrètement l'influence
propagatrice de la société de la rue Thubanneau, dans le renforcement
du dynamisme révolutionnaire, et ses traductions symboliques.

A Toulon et à Marseille, la plantation de l'arbre de la Liberté s'effectue à la fin de mai 1792 : arbre que l'on décrit généralement comme

un pin, coiffé d'un bonnet phrygien, béni par un prêtre constitutionnel, inondé de discours, donnant prétexte à la farandole, qui en célèbre
la plantation. Le mois sans doute n'est pas indifférent : c'est un « mai »
que l'on plante, et la pratique révolutionnaire se coule ici sans heurt
dans une tradition séculaire, même si... le mai est planté en juin ou
juillet comme c'est le cas pour les arbres des communes rurales
(Auriol, 15-6, Istres 28-7) ou pour ceux dont les quartiers de Marseille se dotent, ou qui sont dus à l'initiative d'un corps de métier
(marins, portefaix) : pulvérisation de la fête décentralisée. Ailleurs
c'est en octobre que s'effectue la plantation : ainsi, à Vauvenargues,
Saint-Marc, qui suivent l'exemple donné, par Aix le 1er août, enfin
Avignon et sa région multiplient chaque dimanche d'octobre et de
novembre les plantations d'arbres dans les quartiers.

Cette effervescence, dont on relève le caractère de spontanéité, ne
doit pas être séparée d'une autre forme d'expression de la fête, plus
grinçante sans doute, mais également notable : c'est la farandole qui
accompagne, en forme de défoulement collectif, les pendaisons de
juillet 1792 à Toulon et surtout à Marseille. Cette flambée de pendaisons de suspects ou d'administrateurs qui, dans le Midi méditerranéen anticipe de trois mois sur les massacres parisiens de septembre est connue, sinon pleinement étudiée : elle donne lieu à cette
contamination de la fête et de la mort qui a déjà été rencontrée à
Marseille dès 1790. Le journal des départements méridionaux, toujours du côté du manche, s'en explique sans trop de gêne :

« Les Marseillais, après avoir fait sentir leur juste colère aux Cati-
lina de leur pays et sacrifié quelques traîtres à la divinité tutélaire de
la nouvelle France, contents de cette hécatombe nécessaire, se sont
livrés à la plus vive allégresse et aux transports d'une joie qu'il est
plus facile d'éprouver que de peindre... »

Que l'on se contente si l'on veut de cette explication trop limpide
peut-être du phénomène de défoulement collectif, reste en tout cas
que tant par sa géographie (la fête sortie des villes submerge les villages) que par ses caractères, la fête n'a jamais été aussi « populaire »,
sans rechercher d'ailleurs une unanimité qui n'est plus de saison qu'en
cette année 1792.

La fête « officielle », celle qui vient de Paris, s'en trouve comme
vivifiée.

Liturgies officielles (1792-1793)

Jusqu'au fédéralisme, la Provence, du moins la Provence urbaine, participe sans réticence aux grandes célébrations nationales, sur lesquelles parfois elle anticipe par ses initiatives.

L'initiative, dans une docilité toute relative, s'affirme dès le mois de juin 1792, lorsqu'il est question de renouveler le serment fédératif du 14 juillet. A la politique ambiguë du gouvernement qui, on l'a vu, interdit le renouvellement du serment fédératif, le Midi jacobin répond à sa manière : en maintenant la célébration à Marseille, comme à Avignon... ou Martigues, mais en assortissant le serment civique des plus expresses réserves, en ce qui concerne la personne suspecte du roi à Avignon, alors qu'à Marseille on lui substitue simplement celui de « vivre libre ou mourir ».

La « patrie en danger » rencontre peu d'écho dans une Provence qui ne connaît pas le péril à la frontière, et pour laquelle, à coup sûr, le danger intérieur l'emporte de beaucoup : assez significativement, seule Aix, ville relativement en marge des « fureurs » marseillaises, célèbre le 5 août une fête dite de la Liberté, qui rappelle la « patrie en danger » et ouvre sur l'autel de la Patrie les registres d'enrôlement volontaire. Fête au demeurant intéressante dans l'étude des formes du cérémonial révolutionnaire en Provence, puisque c'est la première fois que l'on voit s'organiser une liturgie officielle en forme de cortège de la maison commune à l'autel de la patrie, avec port des emblèmes officiels (la pique ou les droits de l'homme).

Ce progrès dans la structuration de la fête s'accentue dans les cérémonies funèbres célébrées à la mémoire des morts du 10 août. Directement concernée, la province d'origine des fédérés marseillais non seulement ne boude pas cette célébration, mais anticipe sur la célébration parisienne du 27 août : puisque Marseille le 20, Aix le 22, ou Grasse le 24 août, ont rendu un hommage solennel. L'arrière-pays n'est pas en reste, puisque Valensole et Manosque, dans les Basses-Alpes, emboîtent le pas en septembre.

Fêtes mixtes dans leur structure comme dans leur déroulement, les célébrations du 10 août gardent un caractère religieux, puisque c'est un office funèbre qui est célébré sur l'autel de la Patrie : mais déjà le cérémonial s'infléchit. On s'en explique par des circonstances précises : Dorfeuille, animateur révolutionnaire et homme de théâtre, a prêté son concours apprécié tant à Grasse qu'à Marseille, et c'est lui qui déclare « la cérémonie sera plus nationale que religieuse ». Mais Dorfeuille va dans le sens d'une évolution en cours, même si c'est lui sans doute qui est responsable de l'introduction de nouvelles formes cérémonielles : au cortège des guerriers endeuillés porteurs d'une branche de myrthe, il associe à Marseille comme à Grasse une théorie de vestales vêtues de blanc, qui pleurent en musique les héros et sont précédées d'une Liberté pour la première fois ici incarnée par un personnage vivant. Simultanément donc au jaillissement spontané de la farandole en ces mois, la fête se donne les cadres et les rites qui vont la régir dans les mois à venir.

Entre la joie et l'affliction : fêtes funèbres et triomphales

Aux fêtes de l'affliction collective succèdent presque immédiatement celles de la joie suscitée par les victoires remportées dans le comté de Nice : la Provence voisine accueille avec faveur le décret de la Convention nationale qui prescrit le 28 septembre de célébrer dans les communes les conquêtes du général Danselme. Elle n'avait, à vrai dire, pas attendu ce décret pour accueillir festivement sur son passage l'envoyé du général victorieux, Dorfeuille — encore lui — qui de Fréjus à Toulon, à Marseille et à Aix, présente — théâtralement, on s'en doute — les drapeaux pris à l'ennemi qu'il est chargé de convoyer à la Convention. Quand parviennent ensuite les décrets de la Convention relatifs non seulement aux victoires remportées dans le comté de Nice, mais en Savoie, les directoires de départements, ainsi dans les Bouches-du-Rhône, décrètent dans toutes les communes de leur ressort une illumination générale et un feu de joie, sans que nous puissions savoir véritablement si cette prescription est suivie ou non.

Mais dans cette conjoncture de l'hiver 1793, la question du procès du roi s'impose à une opinion méridionale, qui a très tôt demandé la mort du tyran. Dans ce contexte, la fête méridionale devient polémique : la différence que nous avons établie entre fête spontanée et liturgies officielles s'estompe, sous la pression d'un engagement de plus en plus vif. A la limite, il n'y a plus qu'une différence de registre entre la mascarade que le témoin avignonnais J. Coulet signale dans son journal à la date du 15 janvier : « Au bout de la rue Carreterie... on a pendu le roi et la reine en effigie, en mannequins, à la lanterne... », et les fêtes organisées au début de janvier à l'initiative du club, tant à Marseille qu'à Arles Marseille choisit l'Epiphanie, jour des « Ci-devant Rois » pour prêter solennellement le serment d'abolir à jamais la royauté et de vivre sous le régime de la république indivisible, serment repris, dit-on, par 2 000 personnes au pied de l'autel de la patrie. Arles emboîte le pas à cette initiative dans le cadre de ce qu'elle intitule la « fête des sans-culottes ».

Dans ce climat de tension et d'engagement fort vif, la mort du roi est accueillie avec enthousiasme : l'initiative populaire, à Marseille, semble précéder la mise en forme officielle, puisque ce sont les monuments des quartiers populeux qui sont illuminés (Eglise Saint-Martin) : et jusqu'au 10 février se prolongent farandoles populaires et fêtes de section. Aix et Arles, de façon plus réservée, expriment leur satisfaction et leur contentement.

A peu de jours de distance, les cérémonies funèbres en l'honneur de Lepeletier de Saint-Fargeau, assassiné le 20 janvier, relaient les réjouissances à la suite de la mort du roi : et là encore, les villes, au moins de la Basse-Provence, semblent vibrer sans réticence à cette sollicitation nationale : dès le 3 février, les anti-politiques d'Aix et à Marseille la section 13 font célébrer une messe de requiem ; certaines villes comme Digne s'en tiendront à cette cérémonie religieuse traditionnelle. Mais d'autres organisent une cérémonie plus grandiose : Marseille (3-3), Arles (17-2), et surtout Avignon qui, faute d'avoir célébré déjà la mort de Louis XVI, associe, si l'on peut dire, les deux fêtes funèbres, l'exécution du roi se trouvant justifiée *a posteriori* par le meurtre de Lepeletier : « Cette cérémonie, demande aux Avignonnais le général Barbentane, peut-elle vous laisser le moindre doute que la conquête de votre liberté n'a été véritablement assurée que par la mort du tyran ? » L'inversion de la chronologie réelle dans cette célébration ambiguë permet de déboucher sur une pédagogie de l'action... « Levez-vous, le monstre n'est pas seul... »

Les Avignonnais illustrent cette démonstration d'une fête-cortège qui annonce par avance ce que seront plus tard les célébrations des autres martyrs de la liberté, avec station devant tous les arbres de la

Liberté des quartiers urbains et dépôt final de l'urne funéraire de
Michel Lepeletier. Mais la continuité qui semble inaugurée par cette
succession extrêmement tendue de fêtes de juillet 1792 à février 1793
va se trouver brutalement rompue par une péripétie de taille : le sou-
lèvement fédéraliste. Il est trop aisé *a posteriori* de détecter dans le
cycle que nous venons de parcourir les annonces d'un tel revirement :
et comment, en particulier, les dernières manifestations analysées
tournent dans un cercle urbain de plus en plus étriqué, restreint, au
triangle de base Aix-Marseille-Avignon... cependant que la tension
de l'été précédent semble décroître. Le fédéralisme, en moins de six
mois, d'avril à août 1793, va nous ramener par étapes d'une fête
encore formellement révolutionnaire au stade initial de la fête religieuse dont nous sommes partis.

Péripétie : fédéralisme et fête contre-révolutionnaire

Dans l'histoire de la fête révolutionnaire méridionale, voilà bien
plus qu'un excursus ou une parenthèse : par le retour en arrière qu'il
provoque, le fédéralisme nous aide à mesurer la place de la fête traditionnelle dans les utilisations mêmes qui en sont faites.

Dans une première phase qui, à Marseille, se prolonge en gros
jusqu'à la célébration de l'anniversaire du 10 août, le fédéralisme ne
rejette pas le cérémonial nouveau, pas plus que l'adhésion formelle à
la République : et comme la Révolution, il fait de la fête un moyen
de sa pédagogie en action.

Mouvement dissident, il célèbre, sans qu'on doive s'étonner du
paradoxe, l'union : le 6 mai 1793 les sections marseillaises s'unissent
à Marseille avec les sections, la municipalité et le club aixois. Telle
liturgie renouvelée des serments fédératifs des années précédentes se
déroule autour de l'autel de la patrie et garde un caractère qui se veut
indéfectible, d'attachement à la République et de patriotisme prononcé.
Même si des traits nouveaux apparaissent qui donnent à la fête un
caractère spécifique : comme on insiste sur les mérites des « descen-
dants des Phocéens », on tient aussi à s'adresser au public dans un
discours en provençal, et par ailleurs le clergé — qui est ici le clergé
constitutionnel — retrouve dans la fête une place qu'il tendait à perdre,

puisque c'est l'évêque J. B. Roux qui préside à cette cérémonie de réconciliation.

Même intervention se retrouve dans les fêtes qui, les mois suivants, scandent la brève existence du fédéralisme marseillais : services funèbres en l'honneur des « braves frères de Lyon », organisés tant à Marseille sur l'autel de la Patrie, qu'au village, dans l'aire d'influence marseillaise (Roquevaire), puis célébration successivement de la commémoration du 14 juillet et du 10 août, là encore avec service religieux sur l'autel de la Patrie.

C'est à Toulon, qui passe au mouvement en juillet, qu'une évolution plus caractéristique se fait jour d'entrée à l'intérieur de la fête. La suppression du club des jacobins prend figure d'exorcisme, en termes d'autodafé de « tous les emblèmes que renfermait l'affreuse caverne où la société populaire tenait ses conciliabules » (13 juillet).

Surtout la cérémonie expiatoire qui s'associe à cet autodafé revient délibérément aux pompes de l'Eglise catholique avec tout « l'appareil d'une cérémonie religieuse et populaire » ; c'est-à-dire d'un service funèbre en l'honneur des victimes de pendaisons de l'année précédente « un catafalque fut élevé en l'Eglise catholique en l'honneur de ces infortunés magistrats immolés sur l'autel de l'anarchie ».

Plus caractéristique encore est la procession expiatoire du 28 juillet : on renoue ici avec le cérémonial traditionnel de la fête, puisque la statue couronnée de la Vierge est porté par quatre citoyens persécutés, vêtus en pénitents blancs et pieds nus, cependant que quatre jeunes filles en blanc les précèdent en portant une palme. Sans doute une symbolique nouvelle persiste-t-elle puisque chaque bras du brancard comporte, dit-on, une devise « la Loi », « la Justice », « Liberté », « Egalité » : mais le retour des pénitents comme le déroulement même de la procession sont indices sans équivoque du retour au passé.

A l'imitation de Toulon, Marseille organise le dimanche 18 août une procession « pour demander à Dieu, par l'intercession de la Vierge et l'invocation des saints, les secours dont la France et Marseille ont le plus urgent besoin ». Procession dans la pure tradition marseillaise qui associe à la statue de Notre-Dame-de-la-Garde les châsses des saints protecteurs locaux : Saint Victor, saint Lazare, saint Cannat, et durant laquelle on chante le *Miserere*. On surcharge la liturgie d'intentions complémentaires, dont certaines bien intéressantes pour notre propos : c'est ainsi que la section 22, faisant référence expresse aux litanies au cœur de Marat que l'on psalmodie alors à Paris, demande que l'on invoque le pardon céleste pour cette profanation. Tel trait, pour anecdotique qu'il soit, accentue le caractère de revanche des saints et des formes de la religiosité traditionnelle contre les aspects nouveaux du culte des martyrs de la liberté. Telle réaction est-elle réaction populaire ? Plutôt de notable qui lit les feuilles parisiennes à l'arrivée... mais on sait par ailleurs qu'en ces jours la campagne posthume antimaratiste bat son plein puisqu'un curé d'Aix, Bonety, sera condamné par la suite pour une « adresse contre le vertueux Marat ».

Ce qui est plus populaire peut-être est le succès relatif de ces restaurations : à La Ciotat, à l'imitation de Marseille, s'organise une cérémonie du même ordre, cependant qu'on commence une neuvaine à l'approche de l'armée conventionnelle.

Rites d'exorcisme ou de purification : pour chacun des camps l'autre est le diable. Au geste, par lequel les Toulonnais avaient purifié en y portant le feu le local du club jacobin, répond, dès la reconquête de Marseille le 14 septembre, celui de purifier par le parfum les guidons et drapeaux des compagnies fédéralistes, comme seront brûlés les portraits du roi et les noms des principaux responsables de la révolte : l'exécution en effigie, sous forme simplifiée, s'associe aux pratiques de la quarantaine d'un port de mer méditerranéen.

VIII

1793-1794 : UNE FÊTE... DEUX FÊTES ?

Profil d'une période

D'une date initiale qui sera pour nous septembre 1793, reprise de
Marseille sur les fédéralistes, à une date finale que nous pouvons pro-
longer jusqu'à la fin de la Convention s'inscrit une des périodes sans
doute les plus essentielles dans cette histoire de la fête révolutionnaire. Sur la base d'une apparente table rase du passé — il n'y aura
plus désormais à revenir sur les avatars de la fête traditionnelle —
se développe un système pour la première fois cohérent et structuré,
dont la loi de floréal sur les fêtes et cérémonies nationales sera la mise
en forme. Un système ou deux systèmes ? Une fête, ou deux types
de fêtes ? On est fondé à se le demander en analysant le flux des fêtes
provençales en cette période, qui fait succéder l'onde des fêtes déchristianisatrices semi-spontanées, et celle des fêtes postérieures à prairial.
Une trop brutale opposition entre deux styles ou deux modèles serait
illusoire et factice. Mais il n'est pas superflu, cependant, de prendre
la mesure du phénomène en commentant brièvement le profil de la
période, d'après le jeu de cartes cinématiques dont nous disposons,
élément d'une étude en cours sur l'onde déchristianisatrice de l'an II.
Approche qui ne saurait être qu'indicative : la source dont on part,
— les comptes rendus, adresses et pétitions arrivées à la Convention,
analysées d'après les archives parlementaires — n'offrent pas un
dénombrement exhaustif, il s'en faut : et il nous faudra bien, dans
l'étude plus précise qui va suivre, recourir à l'inventaire direct, sur

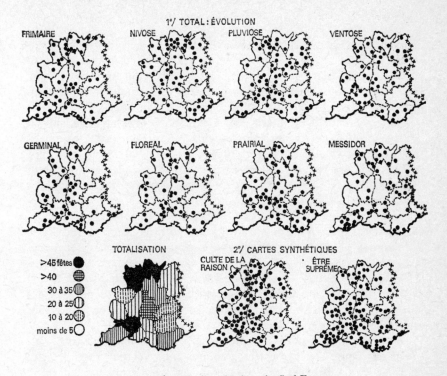

Les fêtes de l'an II dans le Sud-Est

place. Mais si l'on admet, ce qui peut paraître légitime, que le flux des adresses à l'arrivée à Paris reste malgré tout représentatif, ou grossièrement proportionnel à ce qui se passe sur place, nos cartes deviennent le support d'une première reconnaissance globale.

Géographiquement, la Provence n'apparaît pas exceptionnellement festive, il s'en faut, dans un quart sud-est où des nébuleuses bien plus chargées se dessinent : autour de Lyon, mais aussi bien dans la Drôme ou le Gard, ou la région montpelliérenne. L'éloignement serait-il en cause ? Il ne le semble pas, à voir les sites de référence dont on vient de faire état. Peut-être plus si l'on considère le semis que présentent nos départements, le groupement de l'habitat, qui rend moins dense les témoignages sur la fête au village. Egalement, sans doute, le poids des villes qui concentrent la majorité des fêtes singulièrement en Pro-

vence occidentale et en Comtat, entre Marseille et Avignon. En fait
on note l'existence, malgré tout, de « sanctuaires » qui ignorent quasi
complètement la présence de la fête révolutionnaire : ainsi pour le
Haut-Comtat, les Maures et partie du Haut-Var, et plus significativement encore la partie alpine des Basses-Alpes. Si imprécis que soit
notre test, il nous amène pour la première fois à nous interroger sur
la géographie de la fête : question à reprendre, *in fine*.

D'une géographie, on peut passer à une approche analytique, suivant
le type de fêtes, puis à une chronologie. Si l'on s'en tient à ce qui en
filtre à Paris, le culte des martyrs de la liberté reste peu développé
en Provence par référence du moins à ce qu'on peut enregistrer autour
de Lyon. Peut-être ici la longueur de l'épisode fédéraliste, la durée des
opérations militaires ont-elles fait perdre le « bon moment » ? Chronologiquement, la statistique mensuelle, comme la juxtaposition des
cartes, suggère assez nettement la montée d'un mouvement qui s'enfle
de nivôse à germinal, puis après un temps mort une flambée ponctuelle mais vive en prairial, avant la somnolence de messidor. Calendrier sans mystère, à première lecture, qui fait succéder à l'onde
déchristianisatrice ici tardive mais durable, la flambée ponctuelle des
adresses sur l'Etre Suprême. Mais calendrier qu'il ne sera pas sans
intérêt de confronter à d'autres, en termes d'influx différemment ressenti : celui de la déchristianisation parisienne par exemple, ou lyon-
naise, qui figure sur nos cartes, comme, dans un tout autre registre
au calendrier saisonnier des fêtes d'ancien régime, compromis entre
flux saisonnier des travaux et des jours et calendrier liturgique, au
même titre que celui-ci peut l'être, avec une autre liturgie officielle.

De ces quelques remarques sur un jeu de cartes, quelques éléments
interprétatifs ressortent, qui frayent la voie au parcours que l'on va
maintenant entreprendre : l'importance de la reconquête sur le fédéralisme, élément freinateur, la chronologie locale de la déchristianisation, qui valorise la crise tardive de pluviôse à germinal aux
dépens de la poussée de frimaire, le poids enfin de la législation de
floréal : mais ceci était attendu.

Entre dirigisme et spontanéité : la fête déchristianisatrice :

Dirigisme ou spontanéité ? Dans cette première phase qui va
de l'automne 1793 à germinal an II, on ne saurait dire que l'autorité

s'efface, puisqu'elle est représentée par les grands proconsuls que sont les représentants Barras et Fréron dans le Var et les Bouches-du-Rhône, Dherbez Latour dans les Alpes, pour n'en citer que quelques-uns.

C'est à leur initiative que revient une réactivation des fêtes et la proposition d'un premier système civique : Barras et Fréron, par un arrêté du 28 brumaire an II, Dherbez par un texte du 6 nivôse. On peut donc dire que dès la fin de 1793 une charte du nouveau système civique est prise : elle va rencontrer le dynamisme propre des jacobinismes locaux d'autant plus agressifs qu'ils viennent d'être persécutés, et attachés à l'ampleur de leurs fêtes que la Provence est « régénérée » : souci de réhabilitation qui transparaît très nettement.

Au demeurant, entre les sectateurs de la raison et cette première génération de représentants, ne parle-t-on pas le même langage ? Dherbez-Latour proclame : « L'homme qui n'osait croire à la raison devient sensible à sa voix, les préjugés disparaissent, les siècles, de l'erreur et de l'ignorance, fuient et vont se perdre dans le néant. »

Si Barras et Fréron n'invoquent pas la raison, leur lecture plus politique conduit à la conclusion « la liberté et l'égalité sont les seules divinités qui méritent notre hommage... la Constitution française doit être notre unique évangile... la religion du véritable républicain est d'aimer, de servir la patrie ». C'est eux aussi qui vont le plus loin dans la mise en place d'un système de fêtes civiques décadaires :

« Le décadi sera célébré... par des fêtes civiques où assisteront les autorités civiles et militaires, les sociétés populaires, le peuple... »

Rencontre entre l'impulsion venue non pas du gouvernement central, mais des représentants en mission, et les initiatives locales, telle nous apparaît cette période dans la multiplicité de ses initiatives.

Première en date, sans doute, de ces manifestations, la fête provençale redécouvre le culte des martyrs de la liberté qui avait donné lieu, on s'en souvient, à une série de fêtes à la mémoire de Lepeletier, en l'hiver 1793, avant d'être rejeté avec horreur par le régime fédéraliste. C'est donc avec un retard compréhensible qu'en novembre et décembre des fêtes funèbres en l'honneur de Marat sont organisées à Avignon, Arles et Draguignan ; dans cette dernière ville la fête se déroule autour d'un mausolée érigé sur une place de la ville. Mais c'est à Arles sans doute que la liturgie la plus ample se déroule le 3 octobre à l'instigation de la société populaire et de son président Pâris, le « Père Duchesne du Midi », et d'un comité où voisinent un maçon, un tailleur, un huissier, deux ci-devant religieux et un citoyen dont la seule raison sociale indiquée est d'être le « Marat d'Arles ». A leur initiative, un monument est élevé, prélude à l'apothéose qui se déroule le 14 brumaire — 3 novembre 1793.

Toucherions-nous ici un des sites de ce que l'on peut appeler le culte maratiste ? On peut le croire à entendre l'administrateur Lardeirol déclarer lors de cette célébration qu'on ne doit plus reconnaître à l'avenir d'autre religion que la religion naturelle, d'autre temple que celui de la liberté... d'autre divinité que Marat. On tient ici à coup sûr un groupe d'apôtres, qui s'apprêtent d'ailleurs à déléguer dans les campagnes des commissaires pour « prêcher l'évangile de notre sainte constitution ». Les résultats s'en font d'ailleurs sentir puisqu'un faubourg de Tarascon est baptisé Marat, comme un autre le sera du nom de Bara.

Mais à considérer la carte de la toponymie révolutionnaire des martyrs de la liberté, on ne découvre, à part Arles qui reste un site ponctuel, aucune concentration de sites comparables à celle qui se rencontre dans le département du Rhône par exemple : et cette indigence relative est confirmée par ce qu'on sait par ailleurs du culte de Marat comme des autres héros en Provence. Marat n'est pas honoré dans les Bouches-du-Rhône ailleurs qu'en Arles, il n'y a pas d'indice de culte de la « triade révolutionnaire », et une toponymie héroïque indigente reste limitée à quelques sites, surtout varois :

TOPONYMIE DES HÉROS RÉVOLUTIONNAIRES EN PROVENCE

Bouches-du-Rhône	Tarascon (faubourgs)	Marat-Bara
Var	Saint-Zacharie	Bara (ou Barras ?)
		Baraston
	Iles-de-Lérins	Iles Marat et
		Lepeletier
	Saint-Maximin	Marathon
Alpes-Maritimes	Saint-Nicolas	Chalier

Sans doute les grandes villes célébreront ces héros, d'une certaine façon locaux, que sont les représentants Gasparin, puis Beauvais et Bayle : mais le premier ne reçoit que les regrets de la société populaire marseillaise, les seconds seuls étant honorés dans cette ville d'une cérémonie funèbre le 14 germinal an II : on peut dire alors que le culte des martyrs s'est fondu dans le cadre de la fête déchristianisatrice.

Ce type de fêtes, d'initiative locale, prend place pour l'essentiel dans les mois de pluviôse, ventôse et germinal, soit avec un retard marqué sur d'autres régions. La date initiale peut être scandée commodément par celle de l'ouverture du temple de la Raison, encore que les premières manifestations aient déjà souvent débuté auparavant.

	Pluviôse	Ventôse	Germinal
B.-du-Rhône ...	Aix : 30	Arles : 13	Marseille : 1er
Var		Draguignan : 20	
Basses-Alpes ...	Digne : 20	Manosque : 20	

A cette chronologie qui n'est point tout à fait celle à laquelle la Provence nous a habitués, puisque Marseille vient bonne dernière au classement des grandes villes, on reconnaît l'impulsion de certains représentants (Dherbez-Latour) ou des certains groupes (Arles).

Ces inaugurations donnent généralement lieu à un cortège qui se rend jusqu'à la Sainte-Montagne, sous la conduite d'une déesse Raison choisie parmi les citoyennes : et c'est à ce titre que s'illustrent à Marseille les égéries de la Révolution populaire, « La Fassy » et « La Cavale », qui seront massacrées en l'an III.

Mais à ces liturgies qui peuvent paraître sages s'adjoignent bien souvent d'autres types de manifestations : iconoclasme, ou mascarades.

Iconoclasme ? Il faut sortir un peu de la Provence pour découvrir, dans l'aire d'action de Dherbez-Latour, la curieuse relation de l'autodafé célébré à Embrun, et où l'on brûle des tableaux d'Eglise, parmi lesquels un « ci-devant saint François de Sales, qui força sa maîtresse la ci-devant Chantal à marcher sur le corps de ses enfants pour venir le rejoindre ». Moins hauts en couleur, des exemples se retrouvent en Provence, ainsi à Manosque où la société populaire et la municipalité livrent aux flammes tous les tableaux de la ci-devant église Notre-Dame, ou à Draguignan où l'on brûle devant le temple de la Liberté « tous les signes extérieurs du culte » ainsi les confessionnaux.

La mascarade, là où nous la rencontrons, prend très souvent la forme du cortège burlesque, du type de l'âne mitré, dont on peut suivre sur les traces de l'armée révolutionnaire parisienne, la propagation dans toute la France du centre et du sud-est ; et nous le dirions aisément d'importation nordique, si nous n'avions la référence extraordinairement précoce de la rentrée des jacobins à Avignon, on s'en souvient, dès le début de 1792. La Provence des « trains » et cavalcades pouvait d'ailleurs accueillir sans surprises de telles formes d'expression. La mascarade de ce type se rencontre particulièrement en Provence orientale et dans le pays niçois : on la trouve à Entrevaux, comme à Nice, où, le 20 pluviôse, on promène sur un âne un mannequin du tyran « qui a trop longtemps souillé ce territoire » avant de le brûler, puis :

« un mannequin revêtu de guenilles papales, traîné sur l'avant-train d'un canon a été ridiculement promené dans toutes les rues... arrivé à la place de la République on a commenté son procès... »

Revanche, si l'on veut se placer dans le souvenir de longue durée, de Carnaval sur Carême : les procédés de dérision séculaires (le mannequin de Caramantran) sont ici tournés électivement contre les puissants de ce monde, et particulièrement contre le pape. Telle notation introduisant à une interrogation sur le caractère populaire de ces cérémonies décadaires.

Dans leurs formes, ce sont des fêtes mixtes pourrait-on dire, qui associent les rituels populaires dont on vient de parler aux liturgies ordonnées dont les mois précédents ont livré le canevas ; ainsi à Marseille le cortège comprend-il la représentation des symboles suivants :

Le faisceau des départements : force de notre union
Le char d'Hercule traînant les dépouilles du fédéralisme.
La montagne suivie du décret qui rend le nom à la commune de Mar-
[*seille...*

la marche étant ouverte, comme il se doit, par le bataillon du 10 août.

Quelle que soit la différence de registre qu'on peut percevoir, jamais la fête spontanée et la fête officielle n'ont été aussi proches ; et c'est peut-être ce qui explique que les fêtes décadaires semblent bien être « populaires » à tous les sens du terme : « Ce culte se propage partout », affirme l'administration du district, affirmation peut-être suspecte, mais d'Allauch, de Ceyreste, de Gemenos, autour, affluent des procès-verbaux confirmatifs comme autant de pièces au dossier : il est vrai qu'au-delà de Gemenos, on n'a plus guère de renseignements...

Il semble en tout cas que cette vitalité de la fête, dont les fêtes déchristianisatrices sont la traduction, pénètre le tissu même des célébrations civiques de la période.

Liturgies officielles

On en voudra un exemple dans les cérémonies pour la reprise de Toulon ; ce qui est presque, pour la clarté de cette présentation semi-analytique, revenir en arrière, du moins de quelques mois, puisque le décret de la Convention prescrivant une fête nationale remonte au début de nivôse.

Sur ce thème qui eût pu être dissuasif, en raison même de la proximité, mais qui se révèle exceptionnellement mobilisateur, la Provence n'a pas attendu l'indication officielle pour allumer des feux de joie au village (et singulièrement dans le Var : Bausset, Villecroze, Cotignac) et des illuminations dans les villes (Nice ou Aix), bien souvent à l'initiative des Sociétés populaires.

Le décret du 4 nivôse suscite une nouvelle série de célébrations... là même où l'événement avait déjà été fêté (Aix, Avignon, Carpentras, Nice, Grasse), la plupart prenant place le décadi 20 nivôse.

L'ensemble, cartographié, des célébrations connues présente un semis assez fourni : dix-sept célébrations spontanées, une trentaine de cérémonies officielles, réparties sur une carte, qui, sans surprise privilégie le Var et les Bouches-du-Rhône, Vaucluse et surtout Basses-Alpes restant plus en marge du phénomène. On peut s'interroger à partir de cette carte, l'une des seules que nous puissions dresser avec quelque certitude sur l'importance réelle de la pénétration de la fête révolutionnaire en Provence au début de l'an II. Une quarantaine de localités sûres : est-ce peu ou beaucoup ? On constate en tout cas que la célébration a lieu au bourg comme à la ville.

Ce qui est confirmé par le caractère souvent très populaire des formes de réjouissances adoptées : au cortège académique plus ou moins général s'adjoignent d'autres formes d'expression. Parfois on simule l'attaque et la prise d'une redoute figurant le fort Lamalgue à Toulon (Lorgues, Avignon) : et l'on songe à la fois à l'importance du simulacre dans la fête révolutionnaire et à l'écho que ce genre festif pouvait évoquer dans la tradition provençale (qu'on songe aux fêtes patronales de Riez ou Manosque).

Puis la célébration de la prise de Toulon se trouve vivifiée, si l'on peut dire, par sa rencontre avec les débuts de la vague déchristianisatrice. Sans souci du mélange des genres, on associe les deux thèmes : le feu de joie devient brasier iconoclaste où l'on jette les saints et les saintes (Malaucène, Vaucluse) ou les confessionnaux (Brignoles), voire les titres féodaux (Rognes, Malaucène), tandis qu'ailleurs la cavalcade promène sur des ânes des mannequins figurant les rois d'Angleterre, d'Espagne et de Naples, avant de les brûler (Arles et Nice). De l'attaque simulée aux feux de joie, au mannequin promené puis brûlé qui évoque le charivari, c'est tout l'arsenal de la fête populaire contestataire ou intégrée qui se retrouve ici.

Nous avons pris l'exemple de Toulon ; il est d'autres fêtes officielles ou semi-spontanées dans cette période, surtout dans le Var et les Alpes-Maritimes. Ainsi l'illumination marseillaise à l'annonce du décret du 24 pluviôse qui a rendu son appellation à la ville « Sans nom » ou, plus proches encore, des fêtes pour la reprise de Toulon qui, par leur but et par leurs formes, rappellent les réjouissances tenues en avril-mai à l'occasion de la prise de Saorge sur les Austro-Sardes. Telles descriptions, en tout cas, amènent à douter de l'idée fréquemment émise de l'échec de ce système de fêtes au cœur de l'An II. Mais qu'en est-il après floréal ?

De floréal à thermidor an II

La césure est ici d'ordre législatif : c'est le décret du 18 floréal par lequel, on le sait, la Convention, non seulement reconnaît l'existence de l'Etre Suprême, mais institue quatre fêtes annuelles (21 janvier, 31 mai, 14 juillet, 10 août) et un cycle de trente-six fêtes morales décadaires.

Déjà préparée par les initiatives locales à cette mise en ordre, comment la Provence réagit-elle au nouveau système ? Nous pouvons, comme il a été fait pour le culte de la raison, cartographier le flux des adresses qui arrivent de Provence à la Convention, à la fois pour la féliciter de son initiative et la tenir informée des réponses données. Telle carte gagne à être confrontée à celle du culte de la Raison avec laquelle elle ne se confond pas, il s'en faut. La Provence, semble-t-il, répond favorablement au décret, dans les sites mêmes qui s'étaient montrés réticents à l'égard du culte de la Raison, ainsi pour le Var ou les Basses-Alpes. Cet accueil favorable contraste avec le relatif effacement de certains épicentres du culte de la Raison comme le Rhône, l'Ain, l'Isère ou même le Gard. Au total, et pour s'en tenir à la Provence, une carte assez équilibrée, où tous les départements sont représentés à peu près également, indice peut-être de conformisme administratif. Si l'on décompose chronologiquement le mouvement, la Provence réagit pour l'essentiel en Prairial même, un peu plus tard que la Drôme, un peu plus tôt que Montpellier ; ce qui, somme toute, est bien normal. Au total, plus d'une trentaine d'adresses, qui se félicitent, avec une joie apparemment non feinte.

Qu'en est-il de la fête elle-même ? Outre les brèves adresses qui ne disent que peu de choses, nous avons conservé la description de la cérémonie pour les villes les plus importantes (Aix, Marseille, Arles, Avignon, Cavaillon, Toulon, Nice) et parfois même pour des bourgs (Fontvieille près d'Arles). Il est sans doute, dans le schéma, proposé des nuances notables, ainsi lorsque la « Montagne » choisie est une éminence naturelle, ce qui rend à la fête un caractère de romérage champêtre (Fontvieille, Avignon) ; mais dans la majorité des cas, le respect conduit à un déroulement assez stéréotypé : sur la montagne, élément central, on brûlera la statue de l'athéisme soutenu par ses acolytes : la discorde et l'égoïsme à Nice, l'ambition et la fausse simplicité à Aix, sur les cendres de laquelle s'élève la statue de la sagesse.

Dans ce déroulement peu de fausses notes : mise à part peut-être l'obstination des sans-culottes de Draguignan qui jettent dans un feu de joie « les calottes et les collets qui servaient à décorer les prêtres charlatans ».

Des fêtes des décades ultérieures en Provence nous ne savons que peu de choses. Certaines ont été plus vivement solennisées, ainsi, le 30 messidor, la célébration des martyrs de la liberté que les Aixois dédient aux victimes du fédéralisme dans leur commune, rééditant pour cette occasion le cortège de l'Etre Suprême, cependant que les Avignonnais honorent les héros enfants, Bara et Viala, par un cortège où sont portés leurs tombeaux en forme d'obélisque et que suivent les parents du petit Agricol Viala.

C'est cependant au cours de cette période que les premières inquiétudes se font jour sur la fréquentation des fêtes décadaires : à Arles particulièrement on s'inquiète « de voir les fêtes décadaires peu fréquentées et les jours des ci-devant dimanches fêtés avec une espèce d'ostentation » (9.7.94 — 21 messidor), cependant que les anti-politiques d'Aix, dès le 5 messidor, avaient pour leur part proposé que « toute personne qui, sans motifs légitimes, ne se rendrait pas aux fêtes... serait déportée comme suspect... ».

Loin de nous l'idée de faire de ce désintérêt, qui va souvent jusqu'à l'hostilité ouverte, le fruit de l'assagissement robespierriste d'une fête frappée dans son jaillissement spontané. Le culte de la Raison, dans ses brutalités avait lui aussi suscité des réactions parfois vives : et nous songeons, parmi une foule d'exemples, à ce sans-culotte de Brignoles que l'on dut arracher des griffes des femmes pour avoir voulu procéder de son initiative à un autodafé des hochets de la superstition. Comme nous songeons aussi à ces rassemblements qu'on nous signale dans la Provence alpine (Barcelonnette) et où une inspirée rassemble des foules de catholiques... Fête si l'on veut ; fête du refus, aux antipodes de celle qui se célèbre dans les villes. Dans ces conditions, la lassitude de messidor ne s'explique pas uniquement par le poids des derniers mois.

Pour clore cet épisode, il est légitime de lui adjoindre, malgré la différence de ton, la période de la Convention thermidorienne, jusqu'à brumaire an IV : puisque jusqu'à cette date le système des fêtes civiques de floréal an II reste théoriquement en vigueur, à quelques nuances près, qui ne sont pas minces, l'oubli du 31 mai, l'ajoût du 9 thermidor au rang des fêtes nationales.

En Provence comme ailleurs, période de désintégration du système, les fêtes décadaires périclitent, comme le constatent les rapports (« ces cérémonies ne sont point fréquentées », dit le maire de Manosque), les fêtes publiques ne valent guère mieux en cette période où la réaction se déchaîne en Provence :

« Le fameux 14 juillet a passé ici incognito, sans amener à sa suite ni serments ni fêtes... », écrit Beaugeard, le 2 thermidor an III, dans le journal des départements méridionaux ; et il ironise sur l' « inutilité de ces serments réitérés prêtés en masse et qui par leur multiplication perdent de leur sainteté... ».

Qui d'ailleurs animerait les fêtes ? Le temps est venu de celles de la revanche, et assez significativement celle dont les annales marseillaises gardent le souvenir en l'an III est celle du 9 thermidor. Elle prend importance par la série de connotations qui sont adjointes au thème central : inauguration de la statue de la Liberté, certes, mais délestée de la pique qu'elle brandissait, destruction de la Montagne, éloge funèbre du représentant Féraud, et pour la couleur locale, éloge aussi des représentants Cadroy et Isnard qui viennent d'écraser les jacobins toulonnais et marseillais. Le général Pacthod, qui fut le héros de cette aventure sans gloire, se voit offrir un sabre d'honneur par la société populaire « régénérée » : oui, décidément, beaucoup de choses ont changé.

IX

LA FÊTE DIRECTORIALE ET CONSULAIRE

Un système festif et ses vicissitudes

Avec le système des fêtes que la Convention a légué au Directoire en brumaire an IV et que celui-ci conservera avec quelques adjonctions, il semble qu'un cadre soit proposé — et imposé — dans lequel la personnalité locale n'ait que peu d'occasions de s'exprimer. C'est pour l'essentiel par rapport à un modèle d'ordre national que l'on peut apprécier les comportements provençaux devant la fête.

Si l'on peut se premettre d'entrouvrir la porte du laboratoire, telle mise au pas a son bon côté : outre un étalon fixe de mesure du zèle local, cette période nous transmet un apport de sources considérable, bien plus fourni et surtout continu que dans les phases précédentes. On s'inquiète de façon tatillonne de savoir si la fête est célébrée ; et les procès-verbaux se multiplient ; dans cette phase d'affrontement violent dans le Midi, on se préoccupe plus encore de savoir si elle n'est pas troublée ; et les rapports s'accumulent. La reprise en main de la fête par ce petit groupe de notables révolutionnaires, à quoi va se réduire l'état-major local de la Révolution, multiplie aussi les réflexions et la littérature sur la fête ; et le discours sur la fête se fait profus, cependant que les descriptions méthodiques en termes d'ordre de la fête se font plus précises encore.

Le revers de cette médaille, c'est qu'on se pose, plus encore qu'auparavant le problème de la fréquentation réelle de la fête, à une époque où les sources se plaignent de plus en plus vivement ou qu'elle ne soit plus suivie, ou qu'elle soit génératrice d'affrontements.

Accueil de la Provence aux fêtes directoriales : un bilan

En termes de bilan, un schéma d'ensemble précis peut être proposé, que nous avons, pour éviter une répétition qui ici se fait lassante, transcrit sur un tableau général pour la Provence. Entendons-nous sur ses limites : il ne rend pas compte de la matérialité du flux des fêtes, mais des traces qui nous en restent en termes de rapports ou procès-verbaux. Par là il traduit l'inégalité réelle des fonds d'archives d'un département à l'autre, comme l'inégale pénétration du regard inquisiteur de la ville à la campagne. Ce n'est pas un état au vrai, mais une réfraction, affligée de déformations caractéristiques ; mais qui, corrigée, et sur la base de l'estimation peut-être optimiste, qu'elle demeure un reflet grossièrement proportionné au flux réel, constitue néanmoins un document essentiel et expressif.

Le système de brumaire an IV comportait, on le sait, des fêtes commémoratives ou politiques, dont le nombre est passé de 2 à 5, puis à 7 en l'an VI, et 5 fêtes morales particulièrement solennisées sur la trame des fêtes décadaires qui subsistent. Par ailleurs, les héros de la République ont été célébrés : Hoche en l'an VI, Bonnier et Roberjot en l'an VII, Joubert en l'an VIII.

Peut-on en commenter le flux globalement ? C'est faire bon compte d'une évolution très contrastée d'une année à l'autre ; mais nous en reparlerons. Nous avons des éléments si maigres soient-ils (un nom sur un procès-verbal) sur 314 fêtes de l'an IV à l'an VIII. Là-dessus, 126 concernent des villes : villes importantes comme Marseille, Aix, Arles ou Avignon qui, à elles seules, concentrent 103 comptes rendus, près du tiers du total ; villes encore importantes ou plus médiocres qui n'apparaissent qu'occasionnellement (Draguignan, Toulon, Fréjus, Carpentras, Cavaillon, Orange, Pertuis, Cassis, La Ciotat...), puis 165 mentions concernent ce qu'on peut appeler globalement les bourgs et villages. Ce partage avantage, on le voit, de façon relativement écrasante, les mondes urbains, même si on peut estimer que les traces de la fête au village se sont plus souvent perdues. Plus encore peut-être qu'auparavant — du moins quantifions-nous pour

		AN IV	AN V	AN VI	AN VII	AN VIII	Total fêtes Villes	Bourg
Fêtes commémoratives	1er Vendémiaire Fondation de la République	Marseille Aix +3 B.d.r. Rognes Cassis Allauch Eyguières	Marseille Aix Arles Avignon	Marseille Aix Arles ? +Ménerles Ollioules	Marseille Aix Avignon		13	8
	9 Thermidor Fête de la Liberté	Marseille Aix ajourné Arles Avignon + Aubagne	Marseille Aix +15 villages Vaucluse	Marseille Aix Avignon +Salon, Aubagne Carpentras Grimaud	Marseille Aix Avignon Tarascon +10 villages Vaucluse Ollioules	Marseille Aix Avignon +7 villages Vaucluse	15	38
A partir de Nivose An IV	21 janvier Mort du dernier tyran	Marseille Aix Arles Avignon +Toulon +Draguignan +2 B.d.R. +28 Var	Marseille Aix Arles +2 Var	Marseille Aix	Marseille Aix Avignon Carpentras +2 Vaucluse	/////	15	34
	14 juillet		Aix ? Arles	Marseille Aix Avignon 2 Vaucluse +4 Var	Marseille Aix Avignon +1 Vaucluse	Marseille Aix	10	7
	10 août	Marseille Arles	Aix	Marseille Aix Avignon Carpentras +6 Vaucluse 5 Var	Marseille Aix Avignon		10	11
A partir de Pluviose VI	30 Ventose Souveraineté du peuple	/////	/////	Marseille Aix Avignon Arles Carpentras Senas +18 Vaucluse 32 Var	Marseille Aix Avignon +6 Vaucluse 1 Var	/////	8	58
A partir de Fructidor VI	18 Fructidor	/////	/////	Marseille Aix Avignon Tarascon +5 Vaucluse 3 Var	Avignon +1 Vaucluse	Marseille	6	9
Fêtes morales	10 Germinal La jeunesse	Marseille Arles Avignon	Aix	Aix +Perthuis	Aix +Cavaillon Pertuis L'Isle Le Thor Cécile - Orange Grimaud	/////	10	4

Les fêtes directoriales en Provence

		AN IV	AN V	AN VI	AN VII	AN VIII	Total fêtes Villes	Bourg
	10 Floréal Les époux	Marseille Aix Avignon +Salon - La Ciotat N.D. de la Mer Cassis +Lorgues Fontvielle Eyragues	Aix Avignon	Marseille Aix +Barjols Ollioules Entrecasteaux	Aix ? Avignon +Grimaud		13	7
	10 Prairial La reconnaissance	Marseille Aix Arles	Marseille	Marseille Aix +Salon ?			7	0
	10 Messidor L'Agriculture	Marseille Aix Arles Avignon	Avignon	Marseille Aix Avignon ?	Avignon ? +Carpentras Mallemort		10	1
	10 Fructidor Les Vieillards	Marseille Avignon		Marseille Aix + Ollioules			4	1
Total Villes Bourgs		33 38	17 17	38 84	29 28	6 7	123	174
Fêtes funèbres				Hoche Marseille Aix Arles Avignon +4 Var	Bonnier Marseille et Aix Roberjot Avignon Toulon +7 Vaucluse	Marseille Aix Joubert Avignon La Ciotat	12	11
Arbre de la Liberté				Marseille Aix Lombesc B.d.R. Menerbes Vaucluse			2	2

Les fêtes directoriales en Provence

la première fois si nettement le phénomène — la fête se fait urbaine.

Dans ce bilan s'introduisent des nuances géographiques, même si les inégalités des documents et de l'enquête risquent ici de troubler la perception ; mais point totalement : nous savons qu'il y a eu des fêtes à Digne puisque les administrateurs du département se plaignent qu'on n'en publie pas de comptes rendus. Mais ce silence est à la mesure d'un désintérêt marqué. C'est la Basse-Provence, d'Avignon à Toulon en passant par Arles, Aix et Marseille, qui se trouve ici privilégiée, tant dans les mentions urbaines que rurales.

Ensuite le tableau autorise un tri à l'intérieur du système festif du Directoire : au palmarès des fêtes proposées, toutes ne se présentent pas également gagnantes. Les plus suivies — fêtes d'obligation pourrait-on dire, ce qui, même dans l'allusion chrétienne, ne serait peut-être pas tellement trahir la lecture des intéressés — sont les fêtes nationales qui fournissent les scores les plus élevés, et qui voient la participation des bourgs ruraux au même titre que celle des villes. Mais à l'intérieur même de leur liste, des choix significatifs : le 14 juillet ou le 10 août sont moins suivis que la fondation de la République (1er vendémiaire) ou que le 21 janvier et le 9 thermidor. Surtout la campagne plus sélective opère un tri encore plus strict : elle boude le 14 juillet, le 10 août et le 9 thermidor, ce qui n'est qu'incomplètement explicable par le calendrier des activités saisonnières (où est donc passée la fête d'août ?) et doit bien refléter un choix qui exclut la fête polémique (mais le 21 janvier ?).

Les fêtes morales, sensiblement moins accueillies que les fêtes commémoratives, sont presque ignorées au bourg, ou du moins sensiblement moins pratiquées. Dans ce palmarès assez cruellement sélectif, si l'agriculture d'une part, la jeunesse et les époux de l'autre semblent avoir un certain succès, les vieillards et la reconnaissance apparaissent les laissés pour compte d'un système de valeurs inégalement reçu. Mais c'est aussi qu'on célèbre des mariages à la fête des époux, que l'on court et danse à celle de la jeunesse, et que, si peu que ce soit, la cavalcade renaît à la fête de l'agriculture : et par là s'impose le problème de savoir dans quelle mesure ce système directorial s'intègre au réseau festif préexistant.

De l'an III à l'an VI... et à l'an VIII : une courbe déconcertante

Enfin il convient de moduler dans le temps ; et c'est ici que le récit se doit de retrouver sa place, pour commenter une courbe très brutalement scandée : est-elle spécifiquement provençale ? Nous en doutons, mais les conditions mêmes des affrontements méridionaux ont dû en durcir les arêtes. L'an IV, c'est à la fois l'expérimentation de ce nouveau système de fêtes d'où sans doute les scores élevés dont témoignent notre statistique, et en même temps une phase de très précaire équilibre après les fureurs contre-révolutionnaires de l'an III. La seconde mission de Fréron en Provence a sans doute raffermi quelque peu les administrations jacobines locales, mais après son départ la tension reste vive, le royalisme agressif : et le département constate le 9 germinal an IV :

« Dans plusieurs communes, l'arbre de la Liberté a été mis en pièces, dans d'autres, les patriotes sont en fuite... »

La fête, loin d'être pacificatrice, devient le théâtre d'affrontements très vifs, et Mouriès, dans la « Vendée provençale », célèbre ainsi en pluviôse an IV la mort du dernier des tyrans :

« Des brigands étouffent les cris de vive la République !... par les cris liberticides de vive le Roi ! Va te faire foutre, coquin, toi et ta République ! »

On ne s'étonne pas dans ces conditions que, pour beaucoup de municipalités, la fête devienne... le cauchemar : toutes n'ont pas la possibilité, comme Aix, de faire ajourner la célébration du 9 thermidor, et Aubagne, quant à elle, règle de façon très stricte la police de l'ordre public à cette occasion. Ailleurs on transige : Marseille, le 10 germinal, réduit aux jeux seuls la fête de la jeunesse, considérant les temps comme peu propices à la promenade civique ; à Avignon, les paysans pressentis pour la fête de l'Agriculture se dérobent en prétextant « l'immensité de leurs tâches ».

Si l'an IV présente déjà un tel tableau, que dire de l'an V ? C'est l'époque de la réaction affichée, et quasi officiellement patronée en Provence par le général Willot, complice de Pichegru ; aussi ne s'étonne-t-on pas de l'effondrement de la fête à la ville et plus encore peut-être au bourg : 17 célébrations urbaines contre 27, 17 fêtes villageoises contre 44... La fête est-elle condamnée ? Le journal local de F. Beaugeard, qui n'est point d'intentions pures, pose la question :

« On a célébré le 14 juillet et la discorde s'est montrée... On a célébré le 9 thermidor et les discussions politiques et intestines se sont également fait sentir... »

Si, tant bien que mal, les plus importantes des fêtes commémoratives subsistent, les fêtes morales ne trouvent pratiquement plus de place dans un monde où la mythologie de la réconciliation rend un son pour le moins grinçant.

Vient le sursaut de l'an VI : au lendemain de fructidor, dans une Provence où un jacobinisme de combat relève la tête et où le royalisme qui se croyait à la veille du triomphe est déconcerté et dispersé, le graphique des fêtes bondit à nouveau : à la ville et plus encore au bourg, les chiffres relevés dépassent sensiblement ceux mêmes de l'an IV. On le note à Aix en nivôse an VI.

« L'esprit public se vivifie depuis l'heureuse journée du 18 fruc-

tidor : les fêtes décadaires, les fêtes nationales, tombées en désuétude, se célèbrent avec pompe et les républicains y assistent en
foule » ; tandis que dans le Var, c'est l'administration centrale du
département qui compose le 3 ventôse an VI un tableau à l'usage
des municipalités pour mieux faire comprendre « l'origine, l'esprit
et le but » des fêtes nationales « et en inspirer le goût à nos administrés ».

Le public répond-il a ces invitations ? Il semble bien que oui,
et que, derrière un optimisme qui n'est pas toujours de façade, des
auditoires se pressent nombreux à Aix (2 pluviôse an VI), à Carpentras (fête du 10 août), à Marseille enfin où la municipalité décide
le transfert de l'autel de la Patrie en un lieu plus vaste, cependant
qu'à Aix on projette de choisir un temple décadaire, plus spacieux.

Autre test, et d'importance : le culte décadaire, quasi nul l'année
précédente, reprend vie au moins dans quelques centres (Aix) et
surtout on s'affaire à nouveau à planter des arbres de la Liberté
« avec racines » : de pluviôse à floréal dans les quartiers de Marseille mais aussi ailleurs ; à Aix, à Nice même, dans des bourgs
également comme Lambesc (Bouches-du-Rhône) ou Ménerbes (Vaucluse).

Plus grave sans doute comme indice de détachement en profondeur
à l'égard du nouveau système, le déclin très marqué qui caractérise
l'an VII et l'an VIII ; on dira que la législation y est pour quelque
chose, puisque la loi du 3 nivôse an VIII réduit à deux le nombre des
fêtes (1er vendémiaire et 14 juillet) : mais la loi en l'occurrence ne
fait que sanctionner la marche des choses. Dès l'an VII, le repli fort
net que traduit le tableau est commenté par les administrations :
dans le Var, dit le département, le décadi n'est pas respecté en
dehors de quelques communes urbaines, qui suggèrent d'ailleurs assez
bien l'étape du repli des fêtes révolutionnaires : Toulon, Draguignan, Grasse, Brignoles, Lorgues. Dans les Alpes, Digne ne daigne
même plus rendre compte de fêtes qui ne sont peut-être pas célébrées,
et Marseille même se dispense, sous des prétextes financiers, d'organiser plusieurs fêtes, ce qui suscite l'irritation du ministre de l'Intérieur.

Le système ici n'est pas assassiné : il meurt de lui-même, alors
même que la fête contre-révolutionnaire, ou simplement restaurée,
se réinstalle sans discrétion.

De la fête contre-révolutionnaire à la fête restaurée

Cette fête contre-révolutionnaire, c'est à plusieurs niveaux qu'on peut la percevoir, après la tentative avortée et isolée du fédéralisme. Elle n'est pas simplement retour à la tradition antérieure, mais peut avoir aussi ses formes ou ses flambées conjoncturelles : une sorte, si l'on veut, de « fête sauvage » contre-révolutionnaire.

Ambiguïté de ce support formel de la réjouissance, fût-ce la plus grinçante, qu'est la farandole. Comme on l'a vue clore la journée révolutionnaire de 1789 à 1792 et au-delà, elle abrite, dès l'an III, la manifestation plus ou moins improvisée des « sabreurs » ou des jeunes gens des Compagnies du Soleil, qui peut être simple démonstration de force symbolique, comme elle peut déboucher sur le lynchage ou le massacre d'un jacobin. C'est bien ainsi qu'on la rencontre à Grasse, ville troublée, où Joseph de Fontmichel, frère du maire, entraîne sa troupe — jeunes notables d'un côté, clientèle populaire de l'autre — à ces démonstrations de rue où l'on crie : « Vive le roi, à bas la république... Enfants du Soleil, réunissez-vous à moi, Union et force », et où l'on chante le « Réveil du peuple ». Les traditions du carnaval contestataire ou du charivari se retrouvent ici sans peine jusque dans les démonstrations symboliques (ainsi à l'égard du républicain Gérard Cadet auquel on apporte un cercueil à domicile) : et sans doute le caractère juvénile marqué du recrutement de ces troupes y est-il pour quelque chose.

Une étape dans l'organisation de ce type de fête ou de démonstration — mais les limites sont ici fluides — est gravie quand on voit les « jeunes gens » à Aix, sous la direction du jeune De Clapiers, parader sur le cours, en uniforme avec panache blanc et revers verts..., mais même dans ce cas extrême, le « cérémonial » ponctuel et improvisé ne saurait aller bien loin, jusqu'à la structuration d'une authentique fête contre-révolutionnaire.

Redécouverte des liturgies religieuses

Va-t-on la retrouver ailleurs, dans la redécouverte des liturgies religieuses ? Dans cette Provence où la reprise du culte, à partir de l'an III, est l'un des éléments essentiels dans la vie et dans les affrontements des années directoriales ; la fête religieuse « restaurée » va être l'un des supports importants de cette sensibilité nouvelle. Elle a aussi, aux temps les plus héroïques, ses aspects spontanés ; et l'on risque même « sauvages ». On songe, dans la continuité de ces réunions « au désert » que nous avons signalées dès l'an II entre Barcelonnette et Castellane, à ces foules qui se rassemblent dans les grottes de la Nerthe ou de la chaîne de l'Etoile, entre Marseille et Aix, pour entendre et voir célébrer les messes clandestines de l'abbé Reimonet, apôtre de ce dangereux apostolat. On songe aussi à certains épisodes comme l'expiation publique de certains prêtres abdicataires, suivant un rituel imposé par Reimonet : ainsi pour Jaubert, ancien curé de la paroisse Saint-Laurent à Marseille, abbé des pêcheurs, grand jacobin, sectionnaire puis fédéraliste... venu à récipiscence et qui apparaît pour déclarer ses fautes à une foule rassemblée, hâve, l'œil flamboyant (dit-on), la barbe et les cheveux non coupés : dans la tenue même de l'anachorète auquel on vient d'imposer de longues macérations.

Cette fête réfractaire, que les retours occasionnels de la clandestinité ramènent, disparaît assez vite, mais elle laisse des traces dans la sensibilité religieuse populaire : nous pardonnera-t-on un peu d'annexionnisme provençal si nous franchissons — si peu — la frontière de la Durance pour évoquer, entre Nyons et le Buis, les processions et concours de peuple d'un pèlerinage panique qui semble fait pour Fellini ou A. Dupront, et qui porte les populations avoisinantes vers le corps momifié et miraculeux de Louise, petite bergère de Venterol, morte jeune en odeur de sainteté, sous l'escalier où elle vivait, comme dans les hagiographies médiévales ; des miracles se produisent et persisteront jusqu'à ce que le sous-préfet fasse enterrer la momie, qui dormira anonyme dans un des greniers de la sous-préfecture jusqu'à ce qu'un érudit du XIXᵉ siècle la découvre et nous raconte cette histoire.

Mais très vite, en ce domaine, il a été tenté de parvenir à une restauration de la fête religieuse dans toutes ses pompes. Une entreprise prématurée sans doute, mais significative, a lieu à Marseille en l'an III pour la Fête-Dieu. Reimonet célèbre la messe dans la cathédrale — la Major — rendue au culte, puis, nous disent les historiens, « cinq à six cents personnes décident de gravir la colline

CLEMENTIÆ

Ibene inue et delin

h Mellan fecit 1667

I B Lautz pinxit

LA FÊTE BAROQUE (II) : Cérémonie d'actions de Grâces célébrée par Monseigneur de Belsunce sur le cours, à Marseille, à l'occasion de l'éloignement du fléau de la peste. Est-ce une «fête» au sens strict? La mort est là présente : mais c'est à coup sûr une de ces grandes liturgies collectives qui rassemblent les foules urbaines à l'âge baroque.
(Musée Arbaud - Aix - Cliché Nicollas)

Légende de la page précédente :

LA FÊTE BAROQUE (I) : Décor et illuminations d'un feu d'artifice tiré à Avignon en 1667, illustrant le «Temple de la clémence» dédié au pape Clément IX. Détail d'un de ces spectacles officiels qui rythment la vie des cités, dans le midi comme ailleurs.
(Musée Arbaud - Aix - Cliché Nicollas)

LA FÊTE POPULAIRE (I): Le mannequin de la Tarasque, tel qu'on le promène à
Tarascon, tenu en laisse par une jeune fille qui tient le rôle de sainte Marthe. Facture
naïve, proche de celle de l'ex-voto.
(Musée Arbaud - Aix - Cliché Nicollas)

LA FÊTE POPULAIRE (II): Danseurs dans le port de Marseille. Détail du tableau de Vernet sur le port de Marseille, dans la série des grands ports français. «Gavots», originaires des Alpes de Haute-Provence ou du Dauphiné, dansant la «gavote» qu'ils ont contribué à répandre.
(Musée de la Chambre de Commerce de Marseille - Cliché Baudelaire)

LA FÊTE A CHANGÉ (I): Procession à Notre-Dame-de-la-Garde, dans la seconde
moitié du XVIIIᵉ siècle. Est-il injuste de voir dans l'évocation de ce cortège traditionnel
— les «gazettes» de pénitents ramènent à son sanctuaire la statue de la Bonne-Mère —
les indices d'un changement dans la manière dont la fête est vécue? Ce sont des
groupes bien profanes qui assistent en spectateurs ou en curieux à cette festivité.
(Musée du Vieux-Marseille - Cliché atelier municipal de reprographie)

LA FÊTE A CHANGÉ (II): Lancement d'un aérostat à Aix-en-Provence en 1788.
Cette belle gravure de Constantin, qui fut le maître de Granet, évoque la fête de
plein air, telle qu'on la conçoit à l'époque des Lumières.
(Musée du Vieil-Aix - Cliché Nicollas)

LA FÊTE RÉVOLUTIONNAIRE : Célébration de la fête de la Fédération sur le cours à Aix, le 14 juillet 1790 : naissance de la fête civique.
(Musée Arbaud - Aix - Cliché Nicollas)

LA FÊTE RESTAURÉE : La fête-Dieu à Marseille sous l'Empire. Une « restauration »...
et ses limites : le cortège, militaire autant que religieux, reste très officiel, le public
clairsemé, semble-t-il.
(Musée Arbaud - Aix - Cliché Nicollas)

de Notre-Dame de la Garde, précédées de tambourins et ayant à leur tête une bannière de damas blanc... Arrivés au premier oratoire, un officier municipal intime l'ordre de replier la bannière et de se disperser. On lui obéit mais le plus grand nombre arrive à la chapelle où l'abbé Jaubert donne la bénédiction du Saint Sacrement ».

Les retours de bâton de l'an IV et surtout de l'an VI contraignent la fête religieuse à se faire à nouveau clandestine et même à disparaître. Mais en l'an VII on la signale en voie de rétablissement en de nombreux lieux, et un observateur, Massa, note (il est vrai pour les Alpes-Maritimes) que les fêtes catholiques sont célébrées « avec affectation ». Il faut franchir encore une étape, celle du Consulat et des premières années de l'Empire, pour assister à la réinstallation officielle des processions, âprement négociée entre les préfets et les prélats (à Marseille, Tibeaudeau contre Champion de Cicé) : mais si l'on veut une date symbolique sans vouloir trop s'engager dans une aventure qui n'est plus celle dont on traite ici, c'est le 13 mai 1807 que la procession traditionnelle du vœu de Belsunce (vouant Marseille au Sacré-Cœur en 1721) est restaurée solennellement à Marseille. On n'a pas toujours attendu si longtemps, et l'on nous signale que la procession des « Vertus », c'est-à-dire des rogations telle qu'on la connaît entre Marseille et Toulon, reprit dès le Consulat. Tel exemple amenant à poser le problème de la fête patronale et du romérage, à mi-chemin de la fête religieuse et de la fête profane.

Le romérage retrouvé

Avait-il vraiment disparu ? Nous ne saurions véritablement l'affirmer faute d'une enquête au niveau du village, à partir des registres de délibérations : car il doit bien y avoir eu des « sanctuaires » géographiques pour conserver un rythme inaltéré. Dans la plupart des cas cependant, il nous semble qu'il y a eu au moins discontinuité momentanée, et le texte que cite Maurice Agulhon de l'administration du Var proscrivant les bravades le 15 pluviôse an III comme « l'un des moyens que le fanatisme emploie pour s'opposer à l'établissement des fêtes républicaines et pour rappeler le régime sacerdotal », nous

semble plutôt viser la reprise, ailleurs signalée, des romérages en
l'an III, qu'attester une continuité même semi-souterraine.

Pour l'essentiel, il nous semble que c'est entre 1792 et 1793 que
la fête traditionnelle a dû être supprimée et nous citerons à l'appui
de cette lecture l'arrêté de la municipalité de Saint-Paul que signale
M. Agulhon pour interdire « à tous citoyens de mener ou de former
les farandoles le soir après la fin du bal, sous peine d'être saisis comme
coupables d'attroupements et condamnés à trois mois de prison ».
Sans être encore complètement interdit, le romérage se voit donc
cantonné dans de strictes limites, étape que sanctionnera l'éradiction
des saints et la fermeture des églises en l'an II.

En l'an V, c'est en bien des sites, surtout urbains, comme un
appoint à la contre-révolution juvénile que se présente le rétablissement des trains et romérages traditionnels. Barruol, l'historien de
la contre-révolution du Midi, qui cite Roux-Alphéran, chroniqueur
aixois, signale pour Aix et sa région qu'au mois de mai 1797, alors
même que quatre églises urbaines sont rouvertes, « les fêtes champêtres et romérégis remplacent les froides fêtes décadaires ». A
Marseille, plus explicitement encore le 9 thermidor an V, une « société
de jeunes gens et de jeunes demoiselles » organise un « train » ou
« romérage » et parcourt la ville en donnant des aubades, et fait
dresser pour le bal une grande salle verte autour de l'autel de la
patrie : malgré ce dernier détail, l'intention réactionnaire est évidente.

Ce romérage restauré en l'an V, sous la houlette du général Willot,
peut sembler se dépolitiser dans le cadre de ce que l'on peut appeler
la fête urbaine directoriale qui, dit-on, n'a jamais été si brillante que
sous le proconsulat de l'ami de Pichegru. Cette époque où Mme Laeti-
tia Bonaparte et ses filles aînées sont, on s'en souvient, chassées de
l'Opéra de Marseille pour une exhibition « topless » prématurée.

Mais cette « dépolitisation », qui correspond à la banalisation croissante d'une pratique trop enracinée pour n'être pas très vite restaurée,
laisse affleurer des clivages politiques. Il y a eu sans doute des
romérages républicains : et c'est bien l'un d'eux, le traditionnel
déplacement à Notre-Dame-de-Valcluse près de Grasse, que les
« bravi » de Joseph de Fontmichel mitraillent en fructidor an V,
dans une scène qui évoque — toutes proportions gardées et transpositions faites — la fusillade de Portello della Ginestra par Giu-
liano et ses hommes.

Dans ce domaine, on peut dire que, dès le Consulat et le début de l'Empire, la restauration est faite et bien reçue : et nous rejoignons sur ce point pleinement l'analyse de M. Agulhon, qui montre, à travers le témoignage du préfet Fauchet en l'an XII, la bravade plus bruyante que jamais, et le carnaval toléré mieux peut-être que sous l'Ancien Régime. Le voyageur Millin, dont nous avons exploité amplement les souvenirs de l'an XII et qui partage le regard froid et tolérant des préfets (Fauchet, Delacroix, Ladoucette) qui l'accueillent, nous a fourni un faisceau de données dont la richesse atteste bien que la chaîne du temps a été renouée.

L'est-elle complètement ? Le rétablissement des grandes fêtes urbaines traditionnelles offrait des difficultés spécifiques à la fois par ses difficultés techniques et psychologiques, à sensibilité modifiée. On peut apprécier comme les contemporains en ont eu conscience, à la proclamation ambiguë, que cite Millin, des jeux de la Fête-Dieu en l'an XII par le maire d'Aix, Sallier :

« La foire commencera en la présente année le 10 du présent mois de prairial, jour de mercredi ; elle durera huit jours consécutifs et finira le 18. La mairie d'Aix, empressée de donner à cette foire la célébrité dont elle a joui, accueillera les marchands : elle promet à tous protection, faveur, sûreté. Le dimanche 14, jour fixé par le Concordat pour la fête religieuse, la procession solennelle sera relevée par les mystères qu'un roi pieux ami des lettres et des arts qu'il cultiva avec honneur et dont la mémoire sera toujours chère aux Provençaux, établit dans un moment d'enthousiasme que lui inspira la vivacité provençale et la gaieté des habitants d'Aix... La mairie d'Aix, en reproduisant, en consacrant ces institutions territoriales et toujours chères aux bons Provençaux, se félicite de leur donner un témoignage du vif intérêt qu'elle prend à leurs amusements et à leur félicité. »

La fête, associée à la foire et pour le reste perçue comme folklorique et défendue à ce titre : une lecture nouvelle se dessine à ces traits. Elle sera systématique désormais (voir Fauchet cité par M. Agulhon). On sait les vicissitudes essuyées par cette fragile Restauration : que lorsque Pauline Bonaparte en route vers les bains de Gréoux est accueillie à l'étape d'Aix par son sigisbée Forbin, il lui fait donner le spectacle des jeux de la Fête-Dieu... en les payant de sa poche. En 1814, un nouvel essai à l'occasion de la visite du comte d'Artois fera, nous dit Bérenger Féraud, apparaître le caractère désuet de ce qui est devenu « une parade ridicule ».

Restauration, mais restauration incomplète et fragile : on pourrait en dire autant d'autres fêtes telles que la procession du Pétard à Castellane que Bérenger Féraud là encore nous évoque sabotée au début du siècle (précision insuffisante !) par un curé janséniste attardé...

Un bilan s'imposera, entre 1815 et 1830, des formes de la fête retrouvée dans la région provençale pour faire plus systématiquement l'inventaire des pertes et des continuités.

UN NOUVEAU MODÈLE DE LA FÊTE, OU LA FÊTE DANS LE TEMPS COURT

X

CHRONOLOGIE, GÉOGRAPHIE, TYPOLOGIE :
LES DIMENSIONS DE LA FÊTE

Les dimensions d'un corpus

Le temps d'une révolution imposait une première démarche du type de celle que nous avons suivie : reconnaissance cavalière des mutations de la fête dans le cadre d'une histoire volontairement narrative, et proche du fil des événements. Est-ce à dire qu'on ne saurait légitimement aller au-delà de ce parcours ?

Il reste bien, dans l'ensemble, qu'en Provence un nouveau modèle de la fête à été proposé, différent par bien des points — et souvent radicalement — de celui qui préexistait. Il n'est pas abusif, croyons-nous de soumettre ce nouveau système de la fête, dans ses traductions provençales, à une procédure d'analyse comparable à celle qui a été appliquée précédemment à la fête de longue durée. Décomposer pas à pas, dans ses articulations, ce nouveau système de la fête n'est pas en méconnaître les contrastes ou les contradictions : mais bien les mettre en valeur à partir d'un site choisi. Une histoire structurelle — à partir du moment où elle est attentive à rester histoire — a son mot à dire ici.

On prendra donc dans son ensemble le corpus des fêtes révolutionnaires dont nous disposons pour la Provence : et si, terme à terme, nous le confrontons à celui qui a servi de support à l'étude de longue durée, il apparaît somme toute comparable, quantitativement du moins : plus de 600 fêtes (625) répertoriées, dont près de 450 (432) précisément décrites, les autres étant simplement signalées.

La base est loin d'être négligeable dans la perspective d'un traitement — si peu que ce soit — statistique, en fonction de la multiplicité, et même du foisonnement des questions qui peuvent être
posées à un procès-verbal de fête révolutionnaire. Pour certaines
d'entre elles, urbaines essentiellement, c'est d'un dossier complet
que l'on dispose, qui va de l'annonce de la fête, avec ordre de marche, au compte rendu, en passant par l'impression des discours.

Sans doute faut-il souligner, inversement, les limites d'une telle
approche : volumineux, le corpus n'en est pas moins résiduel.

Il y a eu bien plus de 700 fêtes révolutionnaires en Provence et dans
le ci-devant Comtat. La sélection par le silence ou la perte des documents affecte surtout les fêtes des bourgs et villages, ce qui avantage
les fêtes urbaines. Par ailleurs, comme on l'a déjà noté, la diligence
des autorités à transmettre ou à réclamer les procès-verbaux n'a pas
été constante, ce qui privilégie l'époque directoriale. Enfin, il est
des fêtes sans procès-verbaux : les sources qui nous portent rensei-
gnent sur la fête officielle, ou académique, mais méconnaissent la fête
« sauvage » ou simplement spontanée ; toute une catégorie de cérémonies, à demi informelles (ainsi les mascarades ou manifestations
déchristianisatrices) se trouvent sous-représentées.

Ces déformations existent, elles sont lourdes, et il convient de ne
pas les sous-estimer. Mais en tenant compte de ces limites, il ne
semble pas vain de tenter d'analyser à partir de ce corpus les visages
de la fête révolutionnaire en Provence : telle procédure analytique
qui se penchera sur les éléments constitutifs de la fête — le temps
ou l'espace de la fête, sa sociologie, ses langages — devant permettre de revenir, *in fine*, à une lecture plus synthétique des différents
modèles de la fête qui ont alors trouvé à s'exprimer.

Une reconnaissance globale : 1. Le flux des fêtes

D'entrée, on peut extraire de ce fichier un certain nombre de traits
essentiels de la fête, telle qu'elle nous paraît avoir été reçue en
Provence : et sans vouloir encore aller plus loin, nous en tirons
la perception précisée d'une chronologie, d'une géographie et d'une
typologie.

Le graphique général qui synthétise la distribution chronologique

des différentes fêtes relevées, et servira comme tel, de point de référence pour la mesure des phénomènes que l'on suivra à la trace, res-
titue ce que l'on peut estimer comme une respiration globale, au fil
de la Révolution. A condition, bien sûr, mais nous nous sommes déjà
expliqué sur ce point, que l'on veuille bien admettre une propor-
tionnalité même grossière, entre ce flux résiduel et le flux réel du
nombre des fêtes sous la Révolution. Un certain nombre de nuances
ont, d'entrée, été prises en compte : et en particulier la distinction
entre fêtes décrites, connues par leurs procès-verbaux, et fêtes simplement signalées, comme la distinction entre les fêtes « urbaines »
et celles des bourgs ou villages. Il fallait une frontière entre les deux
groupes : le très fort taux d'urbanisation de la Provence ne la rendait pas aisée à établir, sous peine de gonfler à l'extrême la première
catégorie. La barre a donc été placée haut, au niveau des villes
de plus de 10 000 habitants, ou au moins des chefs-lieux de départements ou de districts.

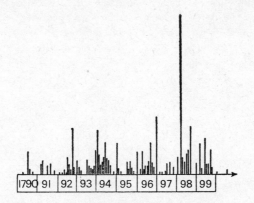

Le flux des fêtes révolutionnaires en Provence

Dans ces limites, le graphique ne laisse pas d'être assez éclairant.
Il scande la respiration d'ensemble du phénomène. On voit la fête
révolutionnaire s'établir, progresser à partir de débuts modestes, de
1790 à 1792. Essentiellement urbaine au commencement, elle rayonne
plus amplement à partir de 1792 sur l'espace provençal. 1793 marque
dans cette courbe un palier ambigu, et le fédéralisme y est à coup sûr

pour beaucoup : avant, pendant et après le fédéralisme, la fête continue sa progression dans les cités, cependant que la région, en prélude
à un mouvement qui se retrouvera, se replie sur elle-même.

La fête jacobine de l'an II, qui marque, et de beaucoup, le point
culminant de la courbe dans les cités, garde ce caractère urbain,
encore que le terroir se réveille : mais c'est en ville que la rencontre
entre le foisonnement des fêtes spontanées du type déchristianisateur et les premières grandes liturgies dont la fête de l'Etre Suprême
est le modèle, justifie le plus cette omniprésence de la fête. L'évolution ultérieure voit le repli généralisé en tous lieux des fêtes en
l'an III, leur retour modeste et momentané en l'an IV : contrariété difficilement assumée de la mise en place du nouveau système festif officiel du Directoire, et du poids de la contre-révolution. En l'an V,
alors que cette contre-révolution hier, un instant assoupie, culmine à
nouveau, la fête se cache derechef, même dans les villes les plus
importantes. La poussée de l'an VI, spectaculaire, puisqu'en apparence c'est alors que la fête révolutionnaire a acquis le plus pleinement droit de cité en Provence, se voit immédiatement nuancée : dans
les cités les plus importantes, s'il y a redécouverte partielle, on reste
encore loin du bilan de 1794, mais c'est des bourgs que procès-verbaux et comptes rendus — malheureusement souvent anonymes ou
presque inexistants — affluent en grand nombre. Le bourg provençal serait-il, à l'occasion de cette tardive poussée jacobine, en train

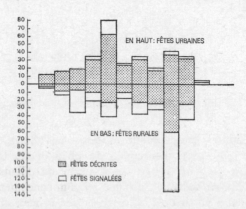

Fêtes urbaines et fêtes rurales de 1790 à 1800

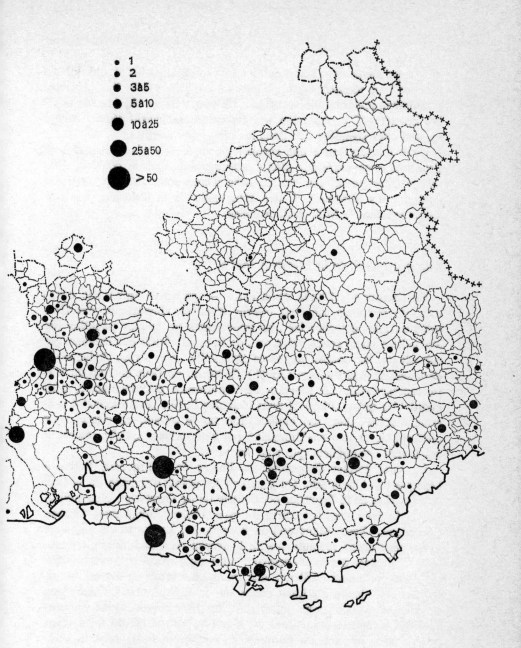

Diffusion des fêtes révolutionnaires en Provence

de s'apprivoiser et d'accepter le nouveau système festif qui lui est proposé ? Le moment est bref, puisque dès l'an VII la fête redevient phénomène majoritairement urbain. En l'an VIII, on liquide : le nombre des fêtes d' « obligation » a été considérablement réduit, encore ne sont-elles signalées que dans les plus grandes villes.

Cette introduction à une chronologie de la fête révolutionnaire en Provence nous laisse sur plus d'interrogations que de constats. Elle amène directement, par les nuances même sommaires qu'on a été contraint d'y introduire, à une géographie de la diffusion des fêtes (connues) dans le Midi méditerranéen.

Une géographie de la Provence festive

En transition à l'étude de la carte — qui va devenir ici le document de référence, on peut relever d'emblée l'importance des fêtes urbaines : les dix cités les plus importantes et les plus peuplées (de Marseille à Nice) concentrant près de la moitié (482) des témoignages subsistants, les quatre premières (Marseille, Aix, Arles, Avignon) à elles seules, plus du tiers (36 %). Si même on tient compte de leur sur-représentation en fonction de l'abondance des documents, plus abordables qu'au village, il reste bien que la fête révolutionnaire présente d'entrée, dans son implantation sur le terrain, un visage assez différent de la fête traditionnelle, par l'importance qu'elle réserve à ces foyers exemplaires que sont les villes.

La carte permet d'apprécier les limites de la Provence festive à l'époque révolutionnaire. On y perçoit les points d'ancrage de la fête, grandes cités de la Provence occidentale ou du Comtat et, plus modestes relais, les autres épicentres du type Toulon, Draguignan, Grasse, Carpentras, Digne, Manosque ou Forcalquier. Sur les fronts pionniers de la pénétration révolutionnaire, le réseau peut se limiter pratiquement à de tels points d'ancrage : ainsi pour Nice et Monaco dans les Alpes maritimes. Ailleurs, une trame plus serrée se dessine, particulièrement visible du Bas-Comtat ou de la Moyenne-Durance aux Bouches-du-Rhône et au Var : dans les Bouches-du-Rhône on possède des comptes rendus pour 53 localités, soit 44 % du total, dans le Var pour 67, soit un pourcentage équivalent (44), dans le Vaucluse le score s'abaisse de moitié, à 22 %, soit 33 communes, reflet du contraste marqué entre Haut et Bas-Comtat, dans les Basses-Alpes nous n'avons de traces que pour une communauté sur dix (25), moins encore dans les Alpes maritimes.

On dira à juste titre que cette carte est faussée par la sous-représentation villageoise : et il serait erroné d'en conclure que les zones en blanc sur cette trame n'ont pas connu la fête. Mais si elle est faussée, elle n'est point fausse pour autant : et la cohérence même de ses suggestions le prouve, qui mettent en valeur, par exemple, la chaîne continue des gros bourgs varois de Saint-Maximin à Draguignan ou même Grasse par référence au relatif désert du Haut-Var au nord, du littoral au sud, à l'exception de la région toulonnaise ou du golfe de Saint-Tropez : semis attendu, familier déjà par d'autres références de la Révolution ou du XIXᵉ siècle. De même, dans les Basses-Alpes, l'implantation des sites privilégie sans surprise majeure les agglomérations du nord-ouest du département, proches de la vallée (Forcalquier, Manosque, Valensole ou les Mées) et secondairement, une clairière autour de Digne, et quelques points proches de la frontière (Entrevaux) où les garnisons ont un rôle d'animateurs. Si l'on ne craignait d'être entraîné trop loin, on corrélerait avec profit telle carte avec d'autres documents de référence que nous avons établis par ailleurs : carte des abdications de prêtrise de l'an II, de l'implantation des sociétés populaires, de l'extension de la révolte fédéraliste, voire — et ce ne serait pas les corrélations les moins instructives — de la rapidité de transmission des nouvelles ou du réseau routier. Au-delà du disparate apparent de telles références, la convergence des images suggère l'opposition naïve mais fondamentale de la province ouverte et pénétrée, face à celle qui n'est qu'effleurée par le phénomène révolutionnaire.

On peut pousser plus loin la sophistication et tenter, comme nous l'avons fait, de suivre la corrélation entre l'importance des témoignages sur la fête et la taille des agglomérations : sans surprise là encore — mais ce sont des évidences qui n'apparaissent telles qu'a posteriori —, on découvre qu'il n'y a qu'une dizaine de villages de 300 ou moins de 300 habitants qui aient livré témoignages sur leurs fêtes, le bourg urbanisé entre 1 000 et 2 000 âmes a généralement laissé des traces, mais discrètes, le score s'élevant lorsqu'on aborde les petites villes de 2 à 5 000 habitants pour culminer dans les cités principales. Quelques témoignages isolés (Cogolin dans les Maures, le

Castellet près de Saint-Paul de Vence) prouvent bien ce qu'il y aurait d'injuste à prendre au pied de la lettre un tel bilan, puisque la fête, notamment à Cogolin, apparaît presque aussi fréquente que dans les villes véritables, mais il reste que dans nombre de communautés la fête révolutionnaire — rupture et innovation — a dû être exceptionnelle. On n'en saurait dire autant des villes importantes : avec quatre-vingt-trois fêtes décrites en onze ans, dont près de quatre-vingts

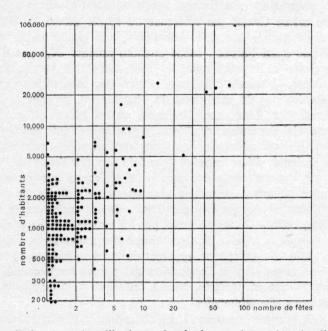

Corrélation entre la taille des agglomérations et le nombre des fêtes

dans les huit années qui vont de 1792 à 1799, Marseille propose un rythme quasi mensuel qui témoigne d'un changement beaucoup plus profond des rythmes de la vie collective : mais nous y reviendrons. Avant de nous pencher sur le temps de la fête, cette reconnaissance globale doit s'achever par une typologie, au moins sommaire, des fêtes répertoriées.

Typologie des fêtes

Le tableau, comme la représentation graphique que nous proposons pour analyser dans leur apparition successive les types de fêtes révolutionnaires, reprend un certain nombre de classements classiques, et qui s'imposent d'eux-mêmes : en premier rang, célébrations occasionnelles, sur le moment même, par la Révolution des événements qui en ponctuent le cours : victoires, deuils aussi, étapes franchies également, ainsi à l'occasion de la proclamation des textes constitutionnels. Parmi ces fêtes uniques en leur genre, il s'imposait de distinguer les célébrations que l'on peut dire spontanées, ou de façon plus adéquate semi-improvisées, reflétant une initiative généralement locale : ainsi pour les plantations des arbres de la Liberté, comme pour les manifestations déchristianisatrices. Puis, très vite, se greffent sur ces premiers types de fêtes les cérémonies commémoratives, ou de la répétition : pratique qui commence dès le 14 juillet 1790, dans le cadre des fédérations et par laquelle la Révolution célèbre sa propre histoire. Enfin, de floréal an II aux mesures législatives de l'an IV, ce cycle des fêtes commémoratives s'est doublé, on le sait, de celui des fêtes « morales » par lequel la république devait célébrer les valeurs sur lesquelles elle reposait : la fête de l'Etre Suprême en est la première et spectaculaire expression ; les fêtes directoriales de la Jeunesse, des Vieillards ou des Epoux en prirent le relai en termes différents. Ce système festif a eu sa petite monnaie : les fêtes décadaires qui, dès l'an II, se sont proposé de scander sur un mode nouveau les rythmes de la vie collective. Ce sont là toutes choses connues, et que pour cette raison nous évitons de reprendre dans leurs aspects institutionnels. Plus nouveau sans doute est de voir comment ces différents types de fêtes ont été reçus, comme la place qu'ils ont tenue dans ces fêtes provençales, en recherche de nouveaux langages.

Les premières fêtes provençales de 1790-1791 — et jusqu'au début de 1792 — témoignent de cette recherche : ce que nous avons dénommé, faute de mieux, fêtes à l'ancienne, traduit, dans un cadre formel généralement éprouvé (la messe, le cortège de type traditionnel) les aspirations nouvelles, bénédictions de drapeaux, installations de corps constitués. Dans ce premier modèle la fête funèbre fait son

apparition avec la célébration (dans un seul site) des morts de Nancy,
et surtout avec celle de la mort de Mirabeau : la fête funèbre conservera au long de la période une importance à la fois limitée et non
démentie : et successivement l'on verra célébrer Le Peletier, Marat,
Bara et Viala, voire Beauvais et Gasparin, puis les « martyrs de la
tyrannie décemvirale » et enfin les plénipotentiaires de Rastadt, puis
Championnet et Joubert. Il s'en faut d'ailleurs que ces célébrations
soient simple application de consignes nationales : certaines ont été
reçues, d'autres non. Au plus fort de la vague jacobine la Provence
a réagi très vivement à la mort de Le Peletier, elle sera beaucoup plus
réticente à l'égard de Marat et ignore complètement Chalier. L'éloignement y est peut-être pour quelque chose, qui expliquerait en particulier l'absence de réaction à l'affaire de Nancy comme à celle des
Suisses de Châteauvieux, ailleurs très vivement ressentis : et nous
avons vu la paradoxale — unique et tardive — découverte de Simonneau par les sans-culottes de Fréjus qui l'associent de façon assez
incongrue à Marat et Le Peletier.

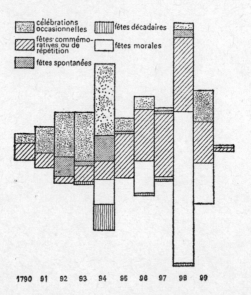

Typologie des fêtes provençales

Fêtes occasionnelles

Les fêtes jubilatoires pour la célébration des victoires de la patrie affectent une courbe plus discontinue, provoquant parfois de franches et soudaines flambées mobilisatrices : ainsi à l'automne 1792 pour les victoires aux frontières méridionales — Savoie et Nice — ainsi plus nettement encore à l'hiver 1793-1794 pour la célébration de la reprise de Toulon qui suscite une série de fêtes spontanées avant même les cérémonies officielles.

Dans cette première phase, seul l'événement du 14 juillet fournit l'amorce d'un rituel de la répétition, de façon il est vrai spectaculaire dans le cadre des fêtes de la fédération en 1790 et de leur réédition dans un climat beaucoup plus polémique lors des deux années suivantes.

A partir de 1792, un tournant très sensible se fait jour : avec les plantations des arbres de la Liberté à l'été et à l'automne, la fête, même si elle reste souvent à l'inspiration des municipalités ou des sociétés populaires, devient différente, s'installant dans les quartiers, y durant des jours entiers, comme on le verra sous peu : cette fête pour une bonne part spontanée s'affirme à l'été 1792, est comprimée par l'épisode fédéraliste et disparaît un temps en 1793, mais elle reparaît plus vivace et plus audacieuse à l'hiver 1793-1794 : c'est elle qui donne le ton, en ville, jusqu'au printemps 1794, dans la grande flambée déchristianisatrice : autodafés ou mascarades apparaissent peu nombreux sur notre tableau, mais c'est qu'ils se mêlent aux autres types de fêtes, sans souci d'éviter le mélange des genres.

Ce polymorphisme de la fête transparaît bien d'ailleurs dans le bilan de l'année 1794 — même si les chiffres annuels pêchent, d'évidence — en gommant un tournant essentiel qui serait celui de prairial, avant même celui de thermidor. Dans la profusion des fêtes de l'an II coexistent tous les types de cérémonies : jamais on n'a célébré, au coup par coup, tant d'événements joyeux (victoires telles que la prise de Saorge), ou funèbres, mais en même temps, parfois mêlée, la grande fête déchristianisatrice bat son plein, tandis que la série des fêtes commémoratives s'enrichit des dates nouvelles d'une histoire alourdie : au 14 juillet, au 10 août et au 1er vendémiaire s'adjoignent le 21 janvier, et éphémèrement le 31 mai. Puis la fête de l'Etre Suprême introduit une autre catégorie de célébrations en ouvrant la voie aux « fêtes morales » à venir. A-t-elle été bien reçue ? Notre statistique invite à être nuancé qui place son audience, essentiellement urbaine, en retrait du mouvement des fêtes de la Raison ; mais les fêtes décadaires, il est vrai surtout en ville également, complètent au fil de l'année le réseau de ces fêtes morales, à ambition pédagogique : c'est alors, et alors seulement, qu'elles revêtent une importance réelle, qu'elles perdront très vite.

Sous le Directoire : fêtes morales ou de la répétition

Il est loisible de traiter, sur la base de ce schéma, les six années de la période directoriale dans leur unité, leur continuité comme dans les évolutions qu'elles trahissent.

En vue cavalière, ce qui disparaît, parfois presque complètement, c'est la fête ponctuelle, ou occasionnelle : la Révolution n'invente plus, et commence à se pencher sur son passé. L'événementiel révolutionnaire ne fait plus intrusion dans la fête : ou du moins il est refoulé aux frontières puisque c'est désormais la mort des généraux, ou des diplomates assassinés que l'on célèbre. La fête spontanée n'a plus droit de cité : elle ne le reprendra — momentanément mais significativement — qu'en l'an VI, où l'on plante à nouveau les arbres de la Liberté... mais spontanéité bien canalisée et « organisée » par les municipalités. La fête décadaire se meurt, quitte à retrouver momentanément (en l'an VI également) un semblant de vie dans les villes. La dialectique qui s'impose en ces années affronte fêtes commémoratives et fêtes morales : et finalement il n'est pas malaisé d'interpréter les fluctuations de leurs mouvements alternés. En l'an III comme en l'an V, ce sont les fêtes commémoratives ou de la répétition qui l'emportent : rien que de naturel en l'an III avant la mise en place du système des fêtes sous une forme définitive. Mais en l'an V les fêtes morales — Epoux, Vieillards, Agriculture... — qui avaient connu l'année précédente un semblant de succès, disparaissent presque complètement : c'est que, dans le climat de contre-révolution quasi triomphante qui est alors celui de la Provence, ces sereines liturgies n'ont pas leur place, et l'on se restreint, pour l'essentiel, aux fêtes que nous dirions d'obligation, rappel du passé comme des conquêtes révolutionnaires. Le tableau des fêtes de l'an VI est bien différent : dans ce dernier triomphe du jacobinisme méridional ne cherchons pas un retour au foisonnement des fêtes de l'an II : les liturgies que l'on célèbre sont celles d'une Révolution qui se veut stabilisée. A la campagne, autant et plus encore qu'à la ville, la fête nouvellement instituée de la souveraineté du peuple devient la fête d'obligation entre toutes. L'an VII reprend pour l'essentiel ce schéma, à une différence près, mais elle est lourde : le repli est général du nombre des célébrations, qu'elles soient commémoratives ou morales : et vendémiaire an VIII verra la dernière série notable de fêtes célébrées en Provence. Si l'on tente un bilan plus global de la manière dont ont été reçues en Provence ces fêtes directoriales, seules quelques-unes se détachent : le 21 janvier (mais il est vrai qu'on y reçoit le serment des fonctionnaires, ce qui explique bien des procès-verbaux), le 1er vendémiaire, et en ventôse la fête de la souveraineté du peuple.

Les fêtes morales (Epoux, Jeunesse, Vieillards, Agriculture...) ne sont guère sorties des villes, et l'on pourrait en dire autant de plusieurs fêtes commémoratives — en renvoyant dos à dos celle du 9 thermidor, comme celle du 18 fructidor.

Telle typologie des fêtes « reçues », si elle a peut-être le mérite de ventiler globalement le stock étudié, assume les défauts de toute simplification : elle ignore la fête mixte qui peut — ainsi à l'hiver 1793-1794 — associer la liturgie funéraire, l'autodafé et la farandole et qui, à ce titre, occupe une place importante à un tournant dans l'histoire de la fête ; elle impose une distinction bien abrupte et souvent délicate entre la fête spontanée et la fête officielle. Mais on ne saurait faire l'économie d'une enquête plus approfondie dans les structures de la fête.

XI

DU TEMPS DE LA FÊTE À L'ESPACE FESTIF

Le temps de la fête

Insérer dans le temps les fêtes révolutionnaires provençales ? On dira que nous n'avons fait que cela, évoquant, sur les onze années de la durée révolutionnaire le flux général, et certaines des modifications internes.

Mais tout n'est point dit ; si nous revenons à notre problématique de base : dans quelle mesure la fête révolutionnaire s'insère-t-elle dans un cadre existant, dans quelle mesure a-t-elle au contraire complètement détruit, ou tenté de détruire ce cadre, le problème reprend toute son importance.

L'évocation des fêtes d'ancien régime nous a laissé sur le constat d'un rythme, ou d'une respiration régulière très scandée, fruit de l'équilibre façonné sur des siècles entre le calendrier liturgique et celui des travaux et des jours. Or la Révolution apporte sa chronologie, dont elle n'est point maîtresse, la recevant du flux même des événements dont elle vit. A partir de l'an II, puis de l'an IV, elle va tenter de systématiser ces apports, en un nouveau calendrier quasi liturgique, comme elle tente par l'instauration du décadi un remodelage titanesque du temps. Dans quelle mesure telles novations ont-elles été ressenties, et plus encore acceptées ? Un enquête s'impose, à laquelle la précision de nos procès-verbaux permet de répondre parfois minutieusement, qui suit la fête au fil des années, des saisons, des mois, des semaines et des jours... et pourquoi pas des heures ?

Au fil des saisons

Au fil des saisons, il semble bien que la marche de la Révolution impose sa dynamique propre, désorganisant les rythmes sages d'antan. Il convient sans doute de distinguer ici une première phase, qui va jusqu'en 1794, et où les fêtes répondent à des sollicitations renouvelées, de celle qui s'instaure en l'an III et surtout en l'an IV, où un calendrier national tend à s'instaurer, non sans repentirs il est vrai ni sans imprévus, ainsi les fêtes funèbres... Sur le film continu des cent vingt-deux mois que nous balayons, les fêtes s'associent en grappes : en 1790, c'est l'été dominé par la poussée des fédérations de juillet, en 1791 il y a une première poussée de printemps que les célébrations en l'honneur de Mirabeau ne justifient que partiellement, puis juillet ramène le rappel des fédérations de l'année précédente. 1792 offre le premier exemple d'une séquence presque continue étalée sur plusieurs mois, en gros de juin à janvier 1793. En juin c'est la plantation des arbres de la Liberté, puis en juillet la célébration renouvelée de la chute de la Bastille, prolongée par les cérémonies en l'honneur des morts des Tuileries, associées à la proclamation de la patrie en danger ; après un très court temps de repos en décembre, les fêtes en l'honneur de Lepeletier s'associent à la joie de la mort du roi : une telle phase où la fête semble se chroniciser et devenir quotidienne, se retrouve après la discontinuité qu'introduit le fédéralisme. De l'automne 1793 à la Fête-Dieu 1793 — c'est-à-dire à la fête de l'Etre Suprême — la fête est continue dans les villes, dans le cadre d'une flambée d'hiver prolongée jusqu'au printemps, flambée carnavalesque par son épicentre comme par ses manifestations : la fête contestataire s'étale ici tardivement, à laquelle la célébration de l'Etre Suprême mettra un point final. De l'automne 1794, à la fin de l'an III, un long temps de latence dans lequel, un peu paradoxalement, la poussée la plus marquée est celle de janvier, à l'occasion du 21 janvier. Puis un rythme semble se dessiner au fil des années suivantes, en fonction du nouveau calendrier.

Nombre de fêtes par mois (1795-1800)

J	F	M	A	M	J	J	A	S	O	N	D
65	35	121	22	6	47	40	32	77	10	8	6

Les temps de latence sont ici l'automne et le début de l'hiver, d'octobre à décembre inclus, et le printemps, mars et avril. La poussée carnavalesque de janvier à mars, entendons de nivôse où se fête la chute du dernier des tyrans à ventôse où se célèbre la souveraineté du peuple est bien marquée, plus encore que celle d'été (fête de l'agriculture, 14 juillet) et même de septembre (en vendémiaire la fondation de la république).

Les jours et les heures de la fête

C'est de façon bien hésitante qu'un rythme nouveau (fêtes de fin d'hiver, fêtes d'été) se met en place : et qui n'est pour une part que la reprise modifiée du rythme ancien. Beaucoup plus spectaculaire, et finalement réussi est l'effort révolutionnaire de destruction de la semaine. Qu'on se reporte aux graphiques que nous avons dressés : jusqu'en 1794, inclusivement, le rythme hebdomadaire des fêtes trahit le respect — volontaire au début, inconscient ensuite — du dimanche : sur 264 fêtes, 82 prennent place en ce jour, soit plus du double de la moyenne : et 1794 ne modifie pas ce profil qui place la fête de l'Etre Suprême non seulement un dimanche, mais au jour de la Fête-Dieu. A partir de 1795, le rythme décadaire vient à bout de ces souvenirs, en égalisant, peu ou prou, les moyennes : mais il y a plus, semble-t-il qu'un retour du dimanche au lot commun — 26 fêtes dominicales pour un total de 309, c'est-à-dire à peine plus de la moitié de la moyenne escomptable : non seulement le dimanche n'est plus recherché, mais il semble bien qu'on le fuie.

Le temps de la fête c'est également, et de façon significative, la fête dans la journée... ou les journées. Car la tradition provençale avait légué ici un modèle, dont le romérage fixait les rythmes pour le monde des bourgs et des villages : annonce de la fête ou réveil du saint la veille, fête d'un jour, suivie éventuellement d'un lendemain. Les cérémonials urbains offrent parfois une articulation plus complexe sur plusieurs jours (ainsi pour les jeux de la Fête-Dieu d'Aix). La fête révolutionnaire cherche ses solutions et ses rites : elle a repris d'entrée l'annonce de la veille par cloches (dont ce sera un temps l'un des seuls usages) par proclamations, ou par cortèges de tambourins, promenant parfois, suivant la tradition, les prix des jeux du lendemain.

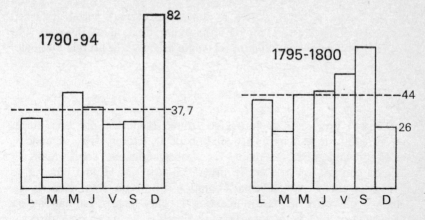

Les jours de la fête

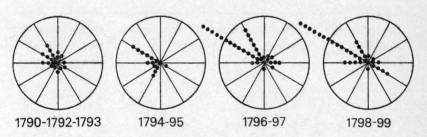

Les heures de la fête
(les heures sont celles d'un cadran horaire)

Mais sur le déroulement, comme sur l'ampleur à donner à la fête, un consensus ne se fait pas immédiatement : et rien de plus significatif à cet égard que la statistique des heures auxquelles débute la fête, au fil de la période.

Dans les premières années, tout est possible, de la fête qui s'assemble à l'aube à celle qui allume ses flambeaux à 18 heures, de la fête matinale à celle qui s'assemble l'après-midi sur le cours. Puis, à partir de l'an II, mais beaucoup plus nettement encore à l'époque directoriale, un rythme s'impose qui va privilégier de façon presque écrasante la fête de 10 heures du matin, ou secondairement de 11 heures. Constat naïf ? Oui et non peut-être. Nous venons de suivre les

efforts menés pour déraciner le dimanche et leur succès relatif :
et voici que sans même cultiver trop le paradoxe, nous pouvons dire
que la Provence révolutionnaire réinvente la messe, la liturgie matinale.

La fête morcelée

D'autant que cette évolution se trouve confortée par une autre,
qui en confirme le sens : l'articulation de la fête en deux séquences,
au fil de la journée, le matin les choses sérieuses, l'après-midi les
jeux et courses, ou comme le disent les textes « la joie pure et le
divertissement ». Ce schéma l'emporte de façon très décisive en
l'an VI, qui offre la base statistique la plus large d'estimations en
même temps que la lecture la plus significative de la fête directoriale :

Déroulement des fêtes en l'an VI	Fêtes le matin seulement	Fêtes l'après-midi	Célébration le matin, réjouis-sances l'après-midi
Villes	6	6	6
campagnes	5	4	23

Ces chiffres s'entendent des sites
pour lesquels les précisions ont été recueillies

A la campagne, plus encore qu'à la ville, la fête directoriale a
retrouvé la dichotomie du romérage à l'ancienne, avec sa partie sacrée
et sa partie profane.

Il n'en a pas toujours été ainsi, même si, très tôt, les réjouissances
ont pu clore les fêtes. Les premières tentatives festives de 1790 et
1791, du type célébration ou fédération, pratiquent assez peu le
mélange des genres et se restreignent assez volontiers sur la séquence
précise de leur déroulement.

En 1792 et jusqu'à la fin de 1794, il en va tout différemment ; continue, la fête s'enferme difficilement dans le cadre de la journée : elle déborde sur la nuit, dure jusqu'à l'aube, et c'est alors que l'on voit relever, et relever avec satisfaction par des municipaux qui n'ont pas peur de la nuit, que la fête s'est prolongée jusqu'au matin (Marseille, 14 juillet 1892, « une partie de la nuit » ; Entrevaux, fête pour la reprise de Toulon en janvier 1794, « jusqu'à l'aube »...). Si elle déborde sur la nuit, cette fête carnavalesque se satisfait peu d'un jour. La fête qui perdure et se prolonge, dans les quartiers, est une invention de l'été 1792. C'est entre juin et surtout juillet et août — la grande saison des pendaisons marseillaises et toulonnaises, mais celle aussi de la plantation des arbres de la Liberté —, que cette fête non interrompue et comme chronicisée s'installe dans les cités. Elle a frappé les contemporains qui en témoignent dans leurs souvenirs (Lourde), inquiété les autorités qui ont tenté de la restreindre « dans l'intérêt du commerce ». Elle jaillit à nouveau à l'hiver 1792-1793, ou Marseille célèbre, en janvier, la mort du tyran, resurgit à l'hiver 1793-1794, à Marseille qui célèbre des jours entiers la reprise de Toulon, cependant que Aix et Avignon consacrent l'une et l'autre, fin janvier, trois jours pleins à ces cérémonies et aux réjouissances qui les accompagnent. Dans ces deux flambées de fin d'hiver, le rappel qui s'impose de lui-même, bien plus que celui du romérage, étant évidemment celui du cycle carnavalesque.

On comprend mieux, dans ce contexte, ce que représente l'assagissement directorial, et la distinction des genres introduite entre fête officielle et réjouissances profanes. C'en est fini désormais de la fête étalée sur plusieurs jours : à quelques exceptions près que l'on relève : le 10 août 1798 à Carpentras, le 18 fructidor de la même année à Tarascon, traductions ponctuelles de l'éphémère réveil de l'an VI, et surtout les fêtes des 9 et 10 thermidor dans les grandes villes qui respectent (ans IV, V et VI) l'articulation officielle de la cérémonie en deux journées successives. Mais ce sont exceptions : il est bien révélateur, désormais, qu'au lieu de se féliciter du prolongement nocturne des réjouissances les municipalités réglementent strictement la fin de la fête. Oh ! bien sûr, inégalement, suivant qu'on se trouve en ville ou au village : dans les rues d'Allauch, en vendémiaire IV, on danse encore fort avant dans la nuit, pour la fondation de la république, comme à Barbentane au 21 janvier de la même

année... mais dans les cités la réglementation se fait stricte, et tout
particulièrement (s'en étonnera-t-on ?), en l'an VIII : au 14 juillet,
Avignon clôt ses bals à 9 heures, Marseille les tolérant jusqu'à 11.
Mais sur l'ordre du préfet, un coup de canon sonne la retraite : la
réjouissance n'est tolérée que dans de certaines limites.

Replacée dans le temps qui l'accueille, la fête se colore déjà de significations parfois plus élaborées ou imprévues qu'on eût pu l'attendre
d'une mise en contexte aussi simple. C'est ce qui encourage à se pencher sur l'étude de l'espace de la fête.

Les lieux de la fête

Situer dans l'espace la fête révolutionnaire provençale ? L'entreprise
a déjà été menée, au moins en vue cavalière, dira-t-on, puisque ce chapitre s'est ouvert sur une géographie de la fête. Mais au-delà de cette
insertion globale dans l'espace de la région, l'espace de la fête à l'intérieur de la cité ou du bourg et de son terroir sont des éléments qui
permettent d'ancrer plus solidement l'approche : et l'on sait tout le
parti que M. Ozouf a su tirer de l'étude des cortèges révolutionnaires
parisiens. Dans le cadre parisien toutefois, un tissu urbain ample, à
la fois structuré et contrasté, des points de repères à valeur symbolique et expressive, facilitent sans doute et valorisent un tel parti pris.

Peut-on le transposer dans un cadre provincial ? On le souhaite
d'autant plus que l'entreprise n'a rien de formel. La fête urbaine
traditionnelle nous a laissé sur le souvenir des cortèges de la société
d'ordres ou des entrées royales, ou plus simplement du « tour de
ville » des obsèques baroques, la fête villageoise nous a accoutumés
aux défilés du romérage. Est-ce dans ces pas que la fête révolutionnaire va placer les siens ?

La réponse doit tenir compte à la fois des sources dont nous disposons et de l'originalité d'un corpus qui associe des villes parfois
importantes et de simples bourgs ou villages : la multiplicité, mais
aussi la mesquinerie de la plupart des espaces envisagés impose une
approche collective spécifique.

Cortèges urbains : Marseille

Non, certes, qu'on ne puisse appliquer, au moins à la principale cité provençale, Marseille, la technique d'approche par cartes cinématiques juxtaposées ou superposées, qui a permis à Paris de saisir les itinéraires dans leurs continuités comme dans leurs modifications significatives : nous disposons d'un nombre relativement considérable d' « ordres de marche » qui règlent par le menu l'itinéraire à suivre.

Mené dans la cité phocéenne pour la plupart des grandes fêtes de la période, ce travail de cartographie suggère comment les cortèges urbains, avec monotonie à la fois, et des variantes significatives, s'articulent sur les points d'ancrage qui sont devenus comme autant d'étapes obligées : d'un point de départ qui reste le plus fréquemment l'hôtel de ville, on gagne par différents itinéraires, l'autel de la patrie au croisement de la Canebière et de la rue des Phocéens, le champ du 10 Août en haut de la Canebière, le temple de la raison, en l'église des Prêcheurs, dans le vieux Marseille populaire... on ne s'est que très exceptionnellement risqué plus loin, entendons jusqu'à la Montagne établie pour la fête de l'Etre Suprême sur la place Castellane.

Ce qui frappe, à considérer ces itinéraires, c'est plus que ces éléments d'inertie, leur adaptation aux conditions de la vie politique locale, dans une ville où des options bien tranchées d'un quartier à l'autre se superposent à une ségrégation sociale très précocement marquée. Sans doute, la Canebière et le Cours, points de rencontre et axes de la vie publique, fournissent-ils les objectifs tout tracés du cortège, de l'autel de la Patrie au Champ du 10-Août : ce qui impose aux itinéraires une certaine constance à partir de leur point de départ de la Maison commune, dans le Marseille de rive nord, à dominante populaire... Mais en fonction même de ces servitudes ou de ces constantes, la révolution jacobine de l'an II et des fêtes décadaires fait suivre ses cortèges pour la plupart dans les rues du Marseille populaire et s'arrête le plus souvent aux frontières du Marseille des négociants (fêtes décadaires de prairial et floréal an II). La prise de possession la plus ample, et par là même exceptionnelle, restant le cortège de la fête de l'Etre Suprême qui traverse de part en part les quartiers neufs et opulents. La fête directoriale s'étrique : elle ne

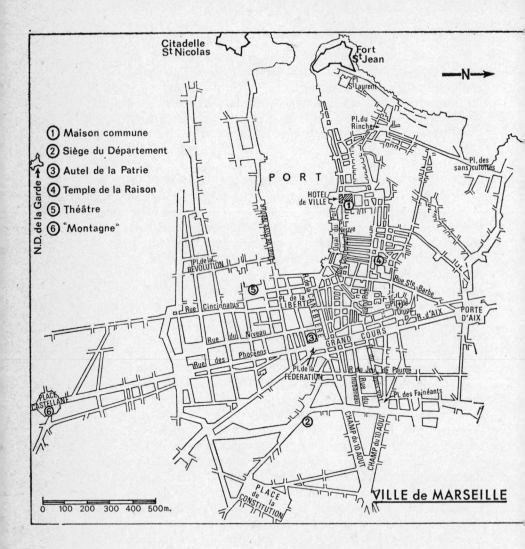

Citadelle
St Nicolas

Fort
St Jean

Pl.
St Laurent

N →

① Maison commune

② Siège du Département

③ Autel de la Patrie

④ Temple de la Raison

⑤ Théâtre

⑥ "Montagne"

N.D. de la Garde →

Pl. du
Rincher

Pl. des
sans culottes

P O R T

HOTEL
de VILLE ①

Pl.
Neuve

④

Rue Ste. Barbe

Pl. de la
RÉVOLUTION

⑤

Pl. de la
LIBERTÉ

Rue Cincinnatus

Rue de la CABETTE

Pl. de
l'Union

R. D'AIX

PORTE
D'AIX

Rue du Niveau

③

GRAND COURS

Rue des Phocéens

Pl. de la
FÉDÉRATION

R. du Jeu DE PAUME

Rue du Robanneau

Pl. des Fainéants

PLACE
CASTELLANE
⑥

②

CHAMP du 10 AOUT

CHAMP du 10 AOUT

VILLE de MARSEILLE

0   100 200 300 400 500m.

PLACE
de la
CONSTITUTION

s'attarde plus dans le Marseille populaire sans pour cela toujours
s'étaler dans celui des négociants. L'axe Quai du Port-Canebière-
Cours, devient l'itinéraire le plus fréquenté jusqu'à l'autel de la Patrie,
et parfois, mais point toujours, jusqu'au Champ du 10 Août : assez
illustratif du repli d'un cortège rabougri est l'itinéraire de l'anniversaire du 10 Août en l'an VII, en une période où la fête se replie parfois sur le temple décadaire.

Au total, l'impression d'une mainmise médiocre ou prudente sur
la cité, d'un certain conformisme dans l'utilisation des cours les plus

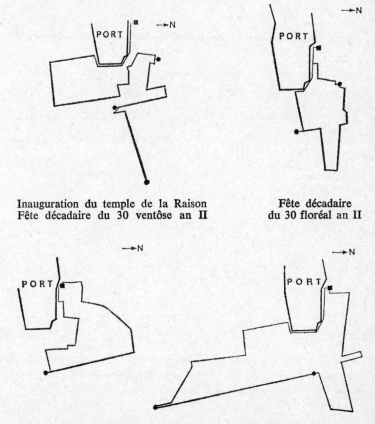

Inauguration du temple de la Raison
Fête décadaire du 30 ventôse an II

Fête décadaire
du 30 floréal an II

Fête décadaire du 10 prairial an II

Fête de l'Etre Suprême du 20 prairial
an II

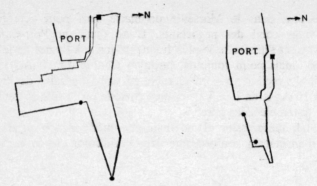

Fête de la mort du dernier des tyrans   Fête du 9 thermidor an III
(2 pluviôse an III)

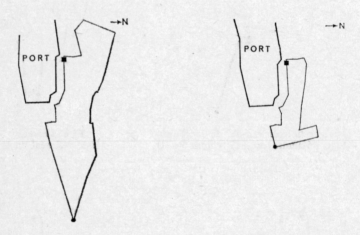

Fête du 23 thermidor an VI   Fête du 10 août an VII

frayés (Grand-Rue, Cours, Canebière, quai du Port), mais aussi d'une certaine adaptation au milieu qui privilégie paradoxalement un temps les rues étroites du vieux Marseille jacobin.

Tel parcours, on s'en doute, ne peut être fait partout : en Arles ou à Avignon, comme à Aix, il perdrait déjà de son intérêt, un itinéraire presque de rigueur s'étant rapidement imposé.

Une typologie des cortèges festifs

Il nous a paru plus fructueux peut-être de tenter pour les quelques centaines de fêtes dont nous disposions dans tout l'espace provençal, une typologie des cérémonies et des cortèges selon leur déroulement, dans la mesure où s'y révèlent autant d'options sur le sens que l'on entend donner à la fête, voire même autant d'aveux sur les conditions dans lesquelles elle doit parfois se dérouler.

A partir des éléments extraits du traitement de notre corpus, un répertoire des types de fêtes s'esquisse assez aisément sans d'ailleurs viser à l'originalité : on le retrouverait en tous lieux.

La fête à lieu fixe

La fête à lieu fixe, abordée en premier, comme la forme la plus élémentaire, a pu prendre différents visages. Fête d'intérieur, c'est celle qui prend place — rarement — dans la maison commune, plus souvent utilisée comme point de rendez-vous. Plus fréquemment c'est la cérémonie religieuse à l'église (fête funèbre ou bénédiction) qui garde dans les premières années de la Révolution une place certaine. A partir de la fin de 1793, les temples de la Raison relaient l'Eglise... à l'intérieur des mêmes murs. Le temple de la Raison, qui s'impose dans la flambée du printemps 1794, va être, sous sa forme initiale ou sous l'étiquette de temple décadaire, le refuge commode, à la campagne ou à la ville, de la fête des temps difficiles, de la contre-révolution en l'an IV ou l'an V, parfois même aussi le moyen d'abriter les derniers fidèles d'une fête désertée, ainsi en l'an VII.

Mais la fête à lieu fixe a pu aussi se dérouler en extérieurs, encore que dans un lieu clos : c'est le recours là encore, des périodes qui refusent ou qui craignent les inconvénients du contact public ou qui veulent cacher les misères d'une fête désertée : à Avignon c'est l'enclos des Célestins qui remplit ce rôle à partir de l'an III, ailleurs, en ville comme dans les bourgs, on aménage sur une place une « salle verte » délimitée par des branchages ou des tentures. La salle verte a abrité en 1790 et 1791 des banquets qui ne se voulaient pas encore démocratiques (ainsi à Marseille), elle affirme surtout sa commodité

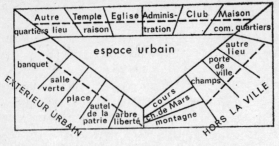

La cité festive :

modèle de fiche

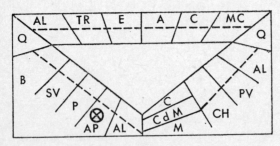

Et quelques illustrations :

1) Fête à lieu fixe à un
   autel de la patrie

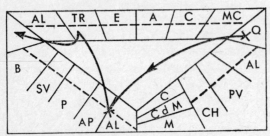

2) Fête éclatée :

Le cortège se rassemble
dans les quartiers, va à
l'arbre de la liberté
planté sur l'autel de la
patrie puis au temple
de la raison, et se pro-
longe en farandoles

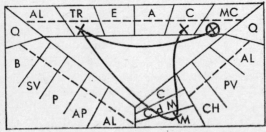

3) Promenade civique :

Au départ de la maison
commune, se rend sur
la montagne puis au
temple de l'être suprême
avant de revenir à la
maison commune

comme salle de bal ou de distribution de prix dans les années du Directoire.

Après ce type de transition, la fête à lieu fixe peut se dérouler carrément en extérieurs, qu'il s'agisse d'un lieu intra-urbain : une place, qui s'équipera très vite d'un autel de la Patrie, ou recevra un arbre de la Liberté ; et quand le besoin le requiert un espace plus éetndu cours, ou champ de mars.

Mais on touche ici au dernier type de fête à lieu fixe : celle où la concentration se fait hors de la ville, qu'il s'agisse de la montagne proche qui fut parfois utilisée en prairial an II ou du champ où les fêtes directoriales de l'Agriculture allèrent tracer un sillon.

La fête cortège

Dans ces derniers cas, il est peu toutefois de concentrations informelles qui ne s'accompagnent, si peu que ce soit, d'un cortège. La fête cortège, seconde rubrique majeure dans cette typologie, va faire entrer en ligne de compte les éléments dont nous avons parlé plus haut, qui seront point de rendez-vous (la maison commune) but du cortège (Montagne ou temple de la Raison) ou simplement étapes sur un parcours (stations aux autels de la Patrie ou aux arbres de la Liberté). Non qu'il n'existe des fêtes qui nous sont décrites comme de simples « promenades civiques », tours de ville sans but précis, autre que de faire voir un cortège à la cité. Mais ces défilés sont à la limite aussi peu fréquents que les fêtes strictement à lieu fixe : le type mixte l'emporte de beaucoup, qui ponctue de stations obligées un cortège urbain.

Reste que ces mouvements de la fête-cortège dans la cité ont pu répondre à différents schémas, ou dynamismes, qui sont à leur manière révélateurs. La fête unanime au unanimiste des débuts de la Révolution a affectionné dans les villes (la fédération de 1790 à Marseille) le type de fête « concentration » ou des groupes convergent et se rassemblent autour d'un point fixe, tel que l'autel de la patrie.

A ce type, on peut opposer les différentes lectures de la « promenade civique » : en termes de cortège que nous dirons « ouverts » ou « fermés ». Cortèges ouverts ? Le plus simple est celui où la cité est traversée de part en part d'un cortège qui entre par une porte et sort par l'autre : c'est ce qui se passe à Carpentras à la fédération de 1790, mais peut se retrouver en d'autres lieux (réception des femmes de la Crau en Arles en 1783, avec tout un cérémonial d'accueil). Ce type n'est pas le plus fréquent, il s'en faut et il sera utilisé dans une intention précise à Toulon en l'an II en rappel de la soumission de la ville maîtrisée et méprisée.

Circuits clos et fête ouverte

Une autre variante de la fête « ouverte » est celle qui l'est si l'on peut dire, dans le temps : entendons qu'elle ne comporte pas de départ ni de retour, fût-ce à des points différents. C'est le type de la fête, soit organisée, soit semi-informelle, que l'on rencontre en 1793, coalescence plus ou moins spontanée des apports des différents quartiers et qui, après un cortège unique, « explose » si l'on peut dire en farandoles dans les rues et sur les places. Importante un temps, mais très datée, cette fête reste seconde au regard de la fête « close » qui suppose retour au point de départ. C'est la fête-cortège en forme de tour de ville, rythmée par des stations plus ou moins nombreuses et importantes. Il se dessine toute une gradation de la fête essentiellement promenade civique, dont les étapes ne sont que des haltes, à la fête « d'intérieur » qui s'extériorise momentanément en public : ainsi pour prendre un exemple parmi d'autres, l'inauguration d'un temple de la Raison qui explose littéralement sur la place publique, en autodafé et en mascarade.

Il serait vain, et sans doute artificiel, de multiplier les cas de figure. Du moins ne doit-on pas omettre un autre type de dialectique ou de balancement : celui qui oppose la fête intra-muros à la fête qui s'étend à l'extérieur du bourg et de la cité. Le cas nous retiendra peu car il est relativement rare : en référence au romérage traditionnel souvent baladoire, et excentré, ce contraste devait cependant être relevé.

En présentant cette typologie des cortèges rencontrés, nous sommes allés sans doute au-delà d'un simple schéma de classement : il s'y dessine une technique d'approche qui nous a permis, à partir d'une fiche type, naïve sans doute, à coup sûr commode, de procéder à l'inventaire des quelques centaines de fêtes (382) pour lesquelles nous disposions, soit d'un ordre de marche, soit d'une description assez explicite pour permettre de répondre au questionnaire.

Quels sont, très simplement, les résultats que l'on peut tirer d'un tel traitement ?

On perçoit mieux le balancement des différents types de fêtes que nous n'avons encore présentées qu'un peu abstraitement. Entre fête à lieu fixe et promenade civique, une évolution sensible se dessine : les cérémonies des premières années de la Révolution sont partagées entre le défilé — encore militaire — des fédérations et les cérémonies d'intérieur où l'Eglise tient encore un rôle essentiel. C'est en 1792 que la fête commence à voir dominer le schéma de la promenade civique qui s'élabore alors. Triomphe qui n'est pas immédiat : en 1793 et encore en 1794, la fête statique garde une importance non négligeable ; qu'il s'agisse de grandes célébrations à l'Autel de la Patrie telles que Dorfeuille les répand dans les cités provençales, ou plus tard des inaugurations de temples de la Raison. Au fil des ans, la fête cortège l'emporte décisivement jusqu'à représenter autour de 80 % des cas de l'an IV, VI et VII. Il est vrai que les retours de bâton de la contre-Révolution amènent la fête, surtout peut-être au village, à se claquemurer à l'intérieur du temple décadaire, ce qui fait reculer en l'an IV et V la fête intinérante. Mais pour l'essentiel, la fête révolutionnaire a adapté à ses besoins les rythmes et les chemins du tour de ville à l'ancienne.

S'y est-elle mimétisée ? Non sans doute, il s'en faut de beaucoup, même au village : on notera en particulier, dans le balancement que l'on peut suivre entre espace clos et espace ouvert, qu'à aucun moment la fête révolutionaire ne réussit vraiment à sortir des murs de la ville ou du bourg, pour une véritable maîtrise du terroir. Le caractère urbain de la fête révolutionnaire, même au village, apparaît sur nos graphiques fort nettement : c'est finalement au début, sur les champs de mars improvisés des fêtes de la fédération que l'on est le plus sorti des murs, puis à nouveau un peu en l'an II : la montagne n'a pas toujours été édifiée dans l'église, sur une place... ou trouvée en ville (le rocher des Doms à Avignon), et certaines communautés (Arles, Fontvieille) ont retrouvé le chemin des sites d'acropoles traditionnels. Mais cela reste des curiosités limitées. La fête directoriale s'enferme : et même l'obligation de tracer un sillon, lors de la fête de l'Agriculture, ne sort pratiquement pas de leurs murs les municipaux provençaux.

Dernière dialectique à suivre : celle de la fête close — qui retourne à son point de départ, et de la fête éclatée. Ici le rythme est assez bien scandé, et somme toute sans surprise. La coalescence spontanée des quartiers, qui s'organise en fête et se résout en farandoles, se rencontre pour l'essentiel dans les flambées festives de l'été 1792 et de l'hiver, puis du printemps 1793-1794 : mises à part quelques surprises villageoises, notamment en l'an VI, on ne la retrouvera plus ensuite. Il est vrai que sur ce plan nous avons déjà fourni dans le développement précédent quelques éléments d'appréciation, en signalant la coupure qui se fait, à partir de l'an III entre la fête officielle du matin et les divertissements profanes de l'après-midi. La discontinuité ici est dans le temps plus encore que dans l'espace.

Les points d'ancrage de la fête

Enfin, et ce sera la dernière exploitation de ce fichier, mais elle s'impose, il permet de suivre non seulement les formes différentes du cortège, mais les destinées contrastées des lieux émetteurs ou relais de la fête. La traduction graphique que nous avons donnée

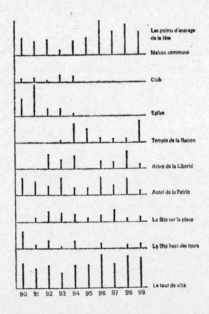

est ici assez explicite pour nous dispenser de trop longs commentaires. La maison commune reste en tout temps l'un des lieux les plus constamment rencontrés : point de départ obligé du cortège, croirait-on. Il s'en faut toutefois que ce soit sans nuances : dans la première partie de la Révolution, la maison commune n'apparaît pas dans la moitié des cas, et le creux le plus bas de la courbe apparaît en 1793 : concurrence de l'Eglise, du club, de l'autel de la patrie. La municipalisation de la fête, sur laquelle nous serons amené à revenir par d'autres voies, s'effectue de façon fort nette à partir de l'an IV. Il est vrai qu'à cette date, a disparu depuis plus d'un an le club qui avait jusqu'en 1794 représenté, dans les villes du moins, une étape fréquente dans la fête.

Il y a relais, sans qu'on s'en étonne, entre les destinées de l'Eglise et celles du temple de la Raison qui se substitue à elle. L'Eglise tient une place considérable jusqu'à 1791 puisque, en cette année, 75 % encore des fêtes s'y tiennent ou y transitent : son rôle n'est pas inexistant encore en 1792 et même 1793, à la campagne surtout. Le temple de la Raison affirme son importance dans la flambée de l'an II, la conserve partiellement en l'an III où il offre un abri commode à la fête ; les années suivantes voient les cérémonies le déserter partiellement pour les cortèges en plein air. Les derniers feux du culte décadaire et surtout le repli de la fête sur elle-même le valorisent à nouveau en l'an VII.

La fête sur la place a trouvé tôt ses points d'ancrage : autels de la Patrie dès 1790, arbres de la Liberté à partir de 1792 en Provence. Rendez-vous le plus constant, du moins en ville, des cortèges itinérants, l'autel de la Patrie disparaît bien souvent en campagne dès l'an III, victime du vandalisme contre-révolutionnaire ; et la courbe complémentaire de la fête sur la place remonte en l'an IV et V de façon un peu factice : les places où l'on s'arrête sont celles d'où a disparu l'Autel de la Patrie.

Les destinées des arbres de la Liberté sont plus heurtées : rendez-vous constant de leur plantation en 1792 à l'an II, ils disparaissent complètement en l'an III, mais l'an VI, lors d'une nouvelle campagne de plantations, les voit reprendre momentanément la place qu'ils avaient perdue.

Le paysage de la fête s'est donc modifié au fil de l'histoire révolutionnaire. On se tournera maintenant, dans cette approche pas à pas, vers ceux qui en ont été les acteurs.

XII

SOCIOLOGIE DE LA FÊTE

Peut-on proposer de ces fêtes révolutionnaires une sociologie en termes d'analyse de leurs participants ? Telle recherche n'est pas aisée, et l'on a pu, lors d'un récent colloque sur la « fête révolutionnaire », faire l'expérience que nul n'avait osé s'affronter à ce problème, cependant proposé à la sagacité des chercheurs. Mais on comprend ce silence si l'on affronte les sources mêmes qui nous portent. Qui participe aux fêtes ? A la limite nous n'en savons rien. On ne dispose pas pour la fête des sources équivalentes à celles que fournissent les archives judiciaires pour l'autopsie des foules révolutionnaires, telles que les a étudiées Georges Rudé par exemple.

Comment tricher avec le silence des sources ? On peut s'en remettre — en gardant l'œil critique — aux procès-verbaux pour les quelques appréciations qu'ils nous donnent, quantitativement d'abord — en même temps que qualitativement : fête réussie, foule immense, succès, ou au contraire échec, tensions perçues et dénoncées. Puis on y trouvera mention d'un certain nombre de participants — individus ou plus souvent groupes — dont le caractère officiel fait relever la présence : autorités administratives, troupes de ligne, gardes nationales, clergé, sociétés populaires... On entre dans le flou lorsqu'il s'agit de la masse anonyme de la population : du « peuple » ou des « citoyens ». Mais on peut là encore tricher et essayer d'aller au-delà. On peut en particulier s'attacher à relever toutes mentions de groupes plus précisément définis, que ce soit par l'âge ou le sexe (femmes, enfants, vieillards) ou par le statut professionnel (agriculteurs,

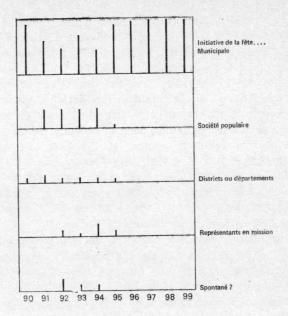

artisans, « artistes »). Sans doute un tel relevé confronte-t-il à une autre difficulté : on risque d'y rencontrer la sociologie « officielle » ou rêvée de la fête plus encore que la sociologie réelle : et nous le verrons bien à propos des paysans... héros rêvés, sollicités et absents de la fête directoriale. Bien prise, telle confrontation peut n'être pas elle-même sans enseignements.

Les promoteurs de la fête

Il semble naturel, partant à la recherche des participants de la fête, de préluder par ceux qui en ont l'initiative, au moins localement. Sans doute importe-t-il, sur ce plan, de faire entrer en ligne de compte les données nationales qui ont pu réduire, parfois totalement, la part des groupes locaux dans l'organisation de la fête. Jusqu'à floréal an II, point de système national des fêtes, mais des décisions ponctuelles,

encore que générales, pour la célébration d'une cérémonie donnée :
ainsi, par exemple, pour les victoires en Savoie à l'automne 1792 ou
pour la reprise de Toulon en décembre 1793. Avec les décisions de
floréal an II, puis avec les systématisations ou modifications d'époque
directorale, on peut dire que l'essentiel de l'initiative échappe aux
groupes locaux, et que le système des fêtes devient national. On doit
donc distinguer soigneusement deux périodes, avant et après floréal
an II : ce que nous appellerons dans la seconde « l'initiative » des
corps municipaux n'étant finalement que le droit d'appliquer... des
directives nationales qui leur sont transmises par les départements et
districts. Disons que notre comptage, plutôt qu'un relevé des « promoteurs » de la fête, apparaît plutôt comme une statistique de ceux
qui en rendent compte localement, pour en avoir porté le poids,
qu'ils en soient ou non les inventeurs.

A ce titre elle permet déjà, toutefois, de relever plusieurs phases,
assez bien marquées. Si la fête de 1790 reste fête « municipale » à
la diligence des corps de ville, les quatre années qui suivent voient se
multiplier les initiatives, qui réduisent le rôle des municipalités, sans
entrer vraiment en concurrence avec elles, puisque les initiatives
particulières sont bien souvent reprises en compte « pour exécution » par les autorités locales. Derrière la fête « municipale » dont la part va jusqu'à se réduire à moitié au moins
du total, en 1792 et l'an II, le rôle le plus important est pris
par les sociétés populaires que l'on rencontre à l'initiative d'une
fête sur trois, traduction, surtout en ville, de l'importance comme
du foisonnement de ces instances dans le cadre méridional. Mais
la dialectique ne se réduit pas alors au zèle concurrent des clubs
et des municipalités : l'initiative revient parfois encore à un groupe
ou à un corps, et ceci est particulièrement net dans la poussée des
plantations d'arbres de la Liberté à l'été 1792 : négociants, marins,
groupes de quartier aussi prenant l'initiative de la célébration. C'est
là une originalité qui ne se retrouvera plus : comme nous frappe
aussi l'importance relative de la fête « spontanée », entendons de
celle à laquelle on ne peut attribuer de paternité précise. C'est en
1792 que ce type de fête se rencontre le plus fréquemment (les farandoles de juillet dans les rues de Marseille, Arles ou Avignon), quitte
à resurgir à l'hiver et au printemps 1794 dans le cadre de la déchristianisation (mascarades et autodafés). Ne nous y trompons pas ; le

poids de ces fêtes spontanées est certainement largement minoré en ces périodes, pour deux raisons : une partie d'entre elles ont certainement été reprises en compte par les sociétés populaires, dont elles augmentent le score, quant aux autres, un nombre important doit nous échapper... faute de compte rendu. Résignons-nous à ce que nos sources majorent l'importance de la fête, si peu que ce soit, officielle, mais n'en soyons pas dupes. Enfin, dans cette phase, des influences que l'on peut dire exogènes se font sentir : prosélytes de la Révolution comme Dorfeuille, qui accompagne jusqu'à Nice les armées révolutionnaires à l'été 1792 et qui, sur le chemin du retour, chante leurs victoires de ville en ville. De telles influences, qui peuvent paraître anecdotiques, ne sont pas sans importance pour comprendre de quelle façon se sont mis en place les rituels nouveaux de la fête provençale (importation ou création spontanée). Puis, en l'an II, l'influence se fait sentir, non négligeable, des représentants en mission : Barras et surtout Fréron qui attache une importance toute particulière à réglementer les fêtes dont il attend beaucoup pour régénérer une province corrompue ; Maignet ensuite, qui intervient directement dans l'organisation des fêtes décadaires, comme il présidera à celle de l'Etre Suprême. Si ces représentants opèrent surtout dans les Bouches-du-Rhône, la Haute-Provence n'est pas en reste, sous l'influence de missionnaires ardents comme Dherbez-Latour, grand déchristianisateur dont la trace se retrouve dans les Basses-Alpes. C'est sans doute en l'an II que les distorsions les plus marquées apparaissent, aux origines de la fête : entre districts, municipalités, sociétés populaires, initiative des représentants... ou spontanéité pure, toutes les possibilités coexistent, ce qui explique sans doute à la fois le nombre des fêtes et les visages contradictoires qu'elles offrent. A partir de 1795, la municipalisation totale de la fête s'explique par son caractère nouveau : il s'agit d'appliquer un schéma national. Dans cette perspective les cités les plus importantes confient à un comité ou à une commission le soin de cette organisation. De ce nivellement apparent, n'allons pas conclure que l'étude de la fête ait perdu son intérêt, il a changé de nature. Fête reçue ou fête refusée et dans le premier cas, avec quelle part d'invention propre, témoignant d'une participation véritable, telles sont les nouvelles questions que l'on peut poser au récit de ces célébrations.

Les acteurs de la fête

Des responsables de la cérémonie à ses acteurs éventuellement passifs, est-il possible de franchir le pas ? Réservons pour un instant le cas de ceux que nous appellerons acteurs privilégiés, parce que le regard s'attarde un instant sur eux : groupes professionnels, femmes, vieillards, enfants... Quant au reste, il convient de distinguer deux registres, celui des acteurs officiels, présents ès qualités comme partie intégrante du cortège, de celui, beaucoup plus fluide, qui regroupe la « population », et qui demande, en fonction même de son vague, un traitement particulier.

Participants officiels

Des acteurs officiels, la participation est à la fois sans grande surprise, et finalement plus instructive qu'on ne l'eût attendu. La présence des autorités est de rigueur, dans plus de 90 % des cas à une exception près, qui est celle de l'an II, où elle s'abaisse à 78 % : mesure à la fois intéressante et limitée du poids de la spontanéité dans la fête déchristianisatrice. Pour le reste, la présence de la municipalité

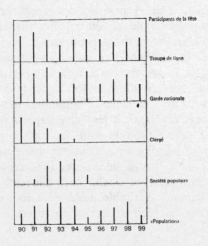

et, suivant les cas, du district ou du département, puis des autres corps : justice, corps consulaires, fonctionnaires divers, se fait suivant un ordre qui se fixe dès les premières années, en 1790 ou 1791 (on trouve alors des correspondances d'une municipalité à une autre plus importante, sur le point épineux de l'ordre à respecter dans le cortège entre les autorités judiciaires et administratives, et qui ressuscite, avec quelque désir parfois de proscrire les vieilles querelles d'antan, l'ordre processionnel des cortèges d'Ancien Régime).

La Ligne ou la garde nationale sont participants non seulement souhaités, mais de rigueur, les modulations étant liées ici à la taille de l'agglomération, et à la présence ou l'absence de troupes réglées : certains bourgs médiocres, frontaliers ou littoraux, d'Ollioules à Entrevaux, bénéficient ainsi d'une garnison qui participe parfois fort activement, par ses volontaires, à l'organisation de la fête, notamment de 1792 à 1794. Pour l'ensemble les deux courbes témoignent d'une évolution qui n'est pas toujours synchrone, il s'en faut. Au début de la Révolution, la garde nationale est omniprésente, ou presque, jusqu'en 1793. Doit-on s'en étonner ? Dans une période qui vit à l'exemple des fédérations, la présence de la milice populaire armée demeure un des traits essentiels de la fête. Plus à coup sûr que celle des troupes de lignes, fréquemment participantes, mais moins, et qui connaissent en 1793, à la veille et au cœur de l'épisode fédéraliste, leur point le plus bas (guère plus du tiers des cas). La fête de l'an II, à laquelle les troupes de ligne comme la garde nationale ne participent que dans moins de la moitié des cas, est sans doute l'une des moins « militarisées » dans son esprit comme dans son déroulement. La fête directoriale, au contraire, souvent défensive, se protège et s'entoure, surtout lorsqu'elle se sent menacée : en l'an III déjà, mais aussi dans les années suivantes. Mais au sein de la période, une évolution se fait jour : la part des détachements de ligne se maintient et se renforce même jusqu'en l'an VII, celle de la garde nationale, devenue parfois, suivant les cas, colonne mobile, tend à s'effacer sensiblement à quelques épisodes près (l'an VI) : la fête révolutionnaire se détache de sa milice citoyenne. On s'épargnera un grand commentaire des courbes qui matérialisent, dans deux registres différents, la participation à la fête du clergé, puis des sociétés populaires, tant leur évolution est claire, et somme toute, attendue. L'abandon du clergé, au début participant au cortège dans la majorité des cas, est plus

linéaire et continu, moins brusque peut-être qu'on ne l'eût attendu
de 1790 à 1794 ; inversement, de 1791 à 1794, la part des clubs se
gonfle continuement, jusqu'à devenir majoritaire, avant le brutal décrochement qui prélude en l'an III à leur totale disparition par la suite.

Le « peuple » dans le cortèges : rêve et réalités

La courbe des mentions de la « population » ou du « peuple »
dans le cortège est à la fois plus nuancée et plus intéressante peut-
être dans son interprétation : la fête se « popularise » progressivement de 1790 à 1793, puis un creux brutal marque les années troubles du Directoire de 1795 à 1797 jusqu'à la nette flambée de
l'an VI ; nette mais éphémère puisque le « peuple » déserte à nouveau
la fête en 1799. On doit aller au-delà de cette statistique. La présence attestée du peuple ou de la population, il est naïf mais indispensable de le dire, peut avoir une signification toute différente suivant la
place qu'il occupe, par exemple dans le cortège : en fait-il partie
intégrante... ou le regarde-t-il derrière deux haies de troupes ? Est-
il lui-même le cortège ? Ce sont là notations qualitatives essentielles,
qu'il faudra reprendre en parlant plus loin de l'ordre de la fête.

Dans la recherche des notations quantitatives-qualitatives qui peuvent éclairer le rôle à la fois *effectif* et *rêvé* du « peuple » dans la
fête, on peut s'arrêter, sans trop simplifier, peut-être, à quatre notations, comme les plus fréquentes, et les plus signifiantes : unanimité
perçue, ou au contraire petit nombre de participants et tensions relevées, unanimité refusée au nom d'une vision sélective de la fête, ou
unanimité forcée de tous les citoyens.

Nous savons bien aussi que telles affirmations sont plus que sujet-
tes à caution : et l'optimisme de rigueur des municipaux — ruraux
surtout — ne doit pas être accepté sans réserves. A ce titre, la notation négative (le trouble ressenti) est sans doute plus valable, paradoxalement que celle de la fête réussie : mais ce sont des modulations
qu'il importe à notre discrétion d'introduire.

On en trouve d'entrée l'illustration s'agissant des notations d'unanimité éprouvée : « foule de citoyens », « grand concours », « enthousiasme général »... autant de mentions que l'on voit se développer de
1790 à l'an II, à mesure que se codifie une description rituelle de

la fête : convention dira-t-on, mais on notera qu'en l'an III, comme en l'an VII, la convention s'efface devant l'évidence des faits. Je serais plus porté à admettre que la reprise des formules d'enthousiasme de rigueur de l'an IV à l'an VI surtout, est pour une part de convention, surtout dans les comptes rendus assez stéréotypés des petits bourgs. Mais peut-être pour partie seulement, surtout en l'an VI.

Le trouble dans la fête, ou l'unanimité rompue

Inversement, c'est sans ambiguïté que les périodes de tension ou de trouble dans la fête s'inscrivent sur nos graphiques : les comptes rendus les ignorent jusqu'en l'an II, et il semble bien qu'il ne puisse y avoir de fête que réussie : les premiers échecs avoués apparaissent alors, principalement dans le cadre des fêtes décadaires, ou au gré du pessimisme d'un représentant hostile (Fréron, adversaire de Marseille). Sous le Directoire l'aveu se fait plus fréquent, qu'il soit isolé (« Les quelques citoyens que nous avons pu rassembler » à Eyguières en l'an VII, « quelques élèves et un certain nombre de citoyens » à Bollène en vendémiaire an V) ou sans détours : à Noves en germinal an IV les municipaux s'excusent sur « l'esprit public corrompu et fanatique », à Eyragues ils rappellent que « le nombre des républicains est très peu nombreux dans la commune ».

Parfois une autre source substitue sans fard à la gêne l'exultation : « le fameux 14 Juillet a passé chez nous incognito » triomphe bassement en l'an III le journal des départements méridionaux. Enfin le constat existe sous sa forme la plus simple et apparemment la plus anecdotique : lorsque à Manosque comme en Arles, en messidor an VI tous les laboureurs boudent la fête de l'agriculture, lorsque ailleurs ils consentent à regret à venir... mais laissent à la maison leurs épouses dont la présence devait rehausser la cérémonie. D'aigres contentieux suivent parfois ces constats d'échec : à Marseille, en l'an IV, la fête des vieillards est manquée parce que les musiciens ne sont pas venus... deux ans plus tard c'est le général commandant la place qui se plaindra que la municipalité elle-même ait fait faux bond !

Le « trouble » dans la fête est rarement avoué : il n'en est que plus frappant, notamment en l'an V, où Cavaillon substitue aux réjouissances projetées en vendémiaire des évolutions militaires plus

propres à intimider les mécontents, et Mouriès voit les républicains
agressés aux cris de « M... pour les républicains, va te faire foutre,
toi et ta république... » A Marseille, au 21 janvier de la même
année, un conflit ouvert et meurtrier oppose une garde nationale restée très jacobine aux cadres militaires royalistes et aux « sabreurs ».

A côté de ces témoignages sans ambiguïté, d'autres plus secrets
n'en sont pas moins intéressants : et c'est dans cette perspective que
l'on pourrait interpréter la tendance de la fête directoriale à se replier
sur le temple décadaire ou sur la « salle verte » qui cache sa misère.

Nous n'avons jusqu'à présent abordé cette dialectique du succès
et de l'échec de la fête que par l'approche la plus simple — en fonction de la présence ou de l'absence des masses souhaitées.

Le problème ne se présente pas toujours aussi uniment : dès 1791
se développe une autre lecture de la fête, qui non seulement ne stipule pas la participation de tous, mais au contraire stipule l'exclusion
de certains, sur le thème « cette fête sera la terreur des aristocrates ».
Telle lecture se trouve remarquablement développée à l'occasion du
14 juillet 1792 par un article du journal de Marseille qui dénonce
les fictions trompeuses de l'unanimité. Mais on peut dire que c'est
en Arles que la pratique même de la fête illustre le mieux le thème :
Arles ; il est vrai théâtre très précoce des affrontements entre « monnaidiers » jacobins et « chiffonistes » contre-révolutionnaires. Très
tôt, dès l'automne 1791, les proclamations de la fête s'y font agressives, et surtout les fêtes de l'an II, depuis l'hiver 1793-1794, jusqu'à l'été, s'y agrémentent d'une symbolique très expressive puisque
l'on y promène rituellement la guillotine que l'on fait fonctionner
devant les demeures des aristocrates... Arles, cas exceptionnel, peut
être par ses démonstrations sans nuances, mais Marseille, en octobre 1793, après la reconquête jacobine, propose sur les devises de
ses bannières un langage également combatif.

De l'unanimité refusée à l'unanimité forcée, il est à peine paradoxal
de dire qu'il n'y a qu'un pas : la lecture combative de la fête s'est
forgée de 1791 à l'an II ; au plus haut de cette vague, les fêtes du cycle
de prairial an II, principalement celles de l'Etre Suprême, comportent
à Arles, Aix, Toulon, mais aussi au village l'impérative obligation pour
tous ceux qui ne sont point malades ni infirmes d'assister en personne
à la cérémonie. La révolution jacobine érige ainsi en principe la pratique que le maire d'Arles, Antonelle, le futur babouviste, avait

dès 1790 demandé à ses administrés de ne point suivre, en déplorant
qu'on ait entraîné nonnes et religieux dans des farandoles non souhaitées : mais de 1790 à 1794, les temps ont changé.

Sur le caractère « populaire » ou non de la fête, un dernier
indice reste intéressant à relever : le recours à la langue provençale,
malheureusement trop rarement relevé, mais peut-être les procès-
verbaux n'y tenaient-ils guère ? En octobre 1792, en Avignon, on
honore la plantation d'un arbre de la Liberté d'une chanson « en
patois », en l'an VI encore, après une interruption peut-être révélatrice, on prononce à Cavaillon un discours en « idiome provençal »
à la fête de la souveraineté du peuple, cependant qu'à Aix, à la
fête du 18 fructidor, la table de réunion républicaine retentit des
couplets « Pissan, Cagan... » dont il n'est pas besoin d'être très
versé en provençal pour deviner qu'ils ne s'adressent pas aux
jacobins.

Populaire, au sens le plus banal du terme, la fête révolutionnaire
provençale paraît bien l'avoir été pendant une grande partie de sa
carrière, et seules les reconstructions postrévolutionnaires, valorisant
les épisodes du déclin directorial, ont pu laisser l'impression d'une
fête étriquée, oscillant entre les saturnales de quelques-uns, et l'ennui
de quelques autres.

A partir des groupes du cortège, peut-on cerner de plus près la
composition professionnelle et sociale de la fête ? C'est sans doute
l'une des approches les plus difficiles et somme toute les plus déce-
vantes, dans la mesure où c'est ici que les masquages se font les plus
pesants, que la distorsion est la plus forte entre la fête rêvée et la
fête vécue. Dans la cité idéale dont la fête se veut la projection,
certains groupes trouvent leur place de droit, d'autres occasionnellement, d'autres jamais. Mais ce codage, lui-même fluide, ne correspond pas, il s'en faut, aux réalités concrètes de la fête : et le cas
est flagrant pour les agriculteurs. La fête révolutionnaire que nous
avons vue si étroitement renfermée dans les murs des cités et des
bourgs s'efforcera constamment de figurer la représentation et les
symboles d'un monde rural qui se dérobe : au point souvent de
négliger, et parfois intentionnellement, les artisans et les « artistes »
qu'elle abrite, et qui tiennent une place sensiblement plus mince. Ici,
la pratique provinciale recoupe les lectures officielles de l'an II au
Directoire, qui privilégient l'homme des champs. N'attendons donc

point des groupes de nos cortèges un tableau fidèle : mais un tableau signifiant, dans ses déformations mêmes.

Riches et pauvres : un sujet tabou

S'il est un domaine dans lequel la consigne du silence a été très tôt formulée, et sauf un créneau historique, fidèlement respectée, c'est dans l'évocation non pas des statuts professionnels mais des statuts sociaux. Y a-t-il des riches et des pauvres à la fête ? On soupçonne encore que oui, dans les toutes premières étapes de son histoire : ainsi dans telle célébration **encore** à l'ancienne comme celle qui marque à Digne en 1790 le retour de l'abbé Gassendi, député aux états généraux. Le banquet payant qui fête l'événement ouvre le bas bout de sa table à ceux qui, faute d'argent, peuvent apporter leur nourriture ; puis on clôt la cérémonie par des distributions manuelles aux pauvres d'aumônes ou de restes. On voit à cette occasion comme dans d'autres similaires s'exercer, si l'on peut dire, cette fraternité « verticale » et... paternelle qui avait été l'un des traits de la fête offerte à l'ancienne. Mais ces notations disparaissent très vite dès 1791, dans la fiction d'une unanimité qui nie la réalité des clivages. Est-ce complètement ? Non sans doute, leur perception reste très vive chez le témoin populaire comme l'Avignonnais Coulet qui sait bien noter en grommelant en 1792 que les heureux élus sont allés prendre un banquet à 35 sols, ce qui ne nous paraît pas trop cher, mais ce qui l'est à coup sûr pour lui. Notation trop fugitive : ce ne sont point les gens comme Coulet qui ont fait les procès-verbaux.

A défaut d'une perception réaliste des choses, du moins un autre rêve va à son tour se faire jour, remplaçant celui de la fraternité protectrice ou paternelle des premiers essais de la fête : c'est celui de la fraternité niveleuse qui s'exprime en gestes comme en professions de foi de la fin de 1793 à 1794. Le banquet se veut égalitaire : en germinal an II, pour la fête décadaire de la fraternité, c'est sur les biens d'un émigré que le représentant Maignet prélève les milleroles de vin et l'argent nécessaire à acheter bœufs et moutons.

La revendication s'exprime en symboles : le 18 novembre 1793, lors d'une des premières fêtes décadaires marseillaises, on promène un gigantesque niveau, porté d'un côté par un riche, de l'autre par un « patriote peu aisé ». A Avignon de même, le 2 prairial an II, le char des arts et métiers s'orne d'une longue inscription qui apostrophe les inutiles et s'adresse aux laborieux.

Très vite, disons-le, aussi vite que se clôt l'épisode jacobin, le clivage assumé et choisi de la fête disparaît des procès-verbaux. On verra, par quelques touches fugitives, réapparaître des notations en ce domaine, mais dans une lecture bien différente : à Marseille, en l'an V, lorsque renaît le romérage, ce sont des jeunes gens « de bonnes familles » qui en prennent l'initiative et qui vont donner l'aubade aux « personnes distinguées ».

Des tensions parfois fort vives dans la fête de cette époque, et qui sont tensions de classes en même temps que politiques, peu de choses, finalement, transparaîtra : à l'exception de la séquence 1792-1794, le masquage est ici presque complet.

La représentation des corps et des états

Il n'en va pas tout à fait de même de la réalité des groupes professionnels, mais il s'en faut de peu. C'est sans doute, si l'on y réfléchit bien, l'une des mutations majeures dans le cortège de la fête, que l'abolition de ce défilé des corps et des états qui en était

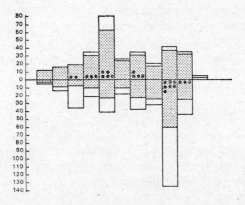

Les groupes professionnels : agriculteurs et artisans

partie intégrante, notamment en ville. Les corporations n'existent plus : il nous faut aller jusqu'en Avignon pour voir, au 14 juillet 1790, le serment fédératif suivi d'un cortège où la municipalité précède les corporations.

Il s'en faut toutefois que la présence des corps et métiers s'efface, et dans l'histoire de la fête révolutionnaire provençale nous réserverons une place spécifique à l'étape qui couvre l'été 1792, l'un des paroxysmes sans doute de la fête semi-spontanée. Une fête qui ne se veut pas encore unificatrice lors de la plantation des arbres de la Liberté, mais qui joue sur l'émulation entre groupes, réserve l'expression des différents particularismes à l'intérieur de la ville : particularismes de quartiers (un arbre dans chaque quartier à Marseille comme à Avignon, où ce trait est spectaculaire), particularismes ethniques (la « nation génoise » reçoit à Nice comme à Marseille un traitement de faveur de 1792 à 1794, et défile parfois en corps), particularismes de groupes enfin. Dans cette émulation, ce sont ou les notables, ou les groupes structurés et repliés sur eux-mêmes qui l'emportent : on plante un arbre à la Bourse, chez les négociants (le 2 août 1792), « vraie fête de famille », dit-on, comme en plantent un « Messieurs de la Marine ». A Martigues de même l'initiative est prise par les prud'hommes pêcheurs. Ce qui s'est produit dans les principales villes à l'été 1792 se retrouve à l'hiver en janvier 1793 où la farandole et les banquets éclatent à Marseille suivant les quartiers et les professions. Mais ensuite l'initiative sectorielle de la fête disparaît à peu près complètement : on ne la retrouve que dans quelques cas très précis, ainsi les ouvriers des ateliers nationaux (ce sont eux qui fêtent à Avignon la prise de la Hollande le 20 pluviôse an III, comme ceux des poudres et salpêtre s'obstinent à planter à Marseille un arbre de la liberté bien à contretemps en germinal an V). Même particularité se retrouve à l'arsenal de Toulon (fête des plénipotentiaires de Rastadt le 20 prairial an VII).

Si la fête limitée à un groupe n'a plus guère droit de cité à partir de 1793, c'est alors que l'on voit s'introduire dans les cortèges urbains une représentation et une symbolique des professions, la charnière dans l'étude de ce thème étant constituée par la mise en place du système des fêtes directoriales.

Artisans et paysans

A la fin de 1793, après la répression du fédéralisme, comme en 1794, les cortèges urbains font une place notable aux groupes de producteurs : en Provence, Arles donne l'exemple, en octobre 1793, en mêlant aux autres chars, lors de la fête en l'honneur de Marat, une charrette chargée de personnes portant les attributs des arts et métiers, et plus loin un pressoir, puis un char de travailleurs. Mais Marseille emboîte le pas en faisant défiler le 20 nivôse an II, à l'occasion de la reprise de Toulon, un groupe d'ouvriers avec leurs outils, puis deux charrues attelées de bœufs, suivies de laboureurs : ces chars serviront à plusieurs reprises puisqu'on les retrouve à la fête de la fraternité au 1ᵉʳ germinal, augmentés d'un char d'Apollon et des neuf muses, où les artistes présentent leurs travaux en cours, comme d'un char dit de l'abondance et des quatre saisons ; au 20 prairial, pour la fête de l'Etre Suprême enfin, figure une charrue suivie d'agriculteurs : mais l'accessoire est ici de rigueur et se retrouve à Aix. La fête jacobine de l'an II associe ainsi dans les grandes villes provençales la représentation des arts et métiers urbains à celle, aussi fréquente, de l'agriculture à qui la ville tend la main.

Le Directoire ne se soucie plus des arts et métiers : du moins ne leur réserve-t-il plus une place spécifique. Mais s'il a rompu avec cet aspect du spectacle par lequel la sans-culotterie urbaine de l'échoppe et de la boutique exaltait ses propres activités, il se tourne avec constance vers les paysans. D'où le paradoxe apparent de la quasi-disparition de la symbolique des arts et métiers : deux mentions seulement, encore est-ce au bourg, à Correns en ventôse an VI (groupes d'agriculteurs, marchands, commerçants et artisans avec leurs outils) ; à Mallemort en ventôse an VII (cultivateurs et ouvriers figurant l'agriculture et l'industrie). Paradoxe : c'est en ville, au moins de prime abord, que se déroulent les fêtes de l'Agriculture prévues par les décrets de l'an IV. Avignon, Marseille, Aix, Arles appliquent avec docilité en messidor an IV les prescriptions qui leur imposent l'ouverture d'un sillon et le couronnement des agriculteurs les plus distingués, puis un rituel comportant l'échange des armes et des instruments du travail agricole. Ce n'est pas sans mérite parfois, comme on le constate à Arles : « On aurait désiré que les laboureurs désignés s'y fussent trouvés, mais l'immensité de leurs travaux actuels les a empêchés d'y assister... » Fort heureusement, on déniche *in extremis* un candidat à l'ouverture du sillon. Même mésaventure se retrouve à Manosque en l'an VI : car si l'an V n'a pas connu de fêtes de ce genre, l'année suivante tente avec quelque succès de les réintroduire. On note tout particulièrement que si les grandes villes ne s'obstinent plus guère à un cérémonial pour lequel elles ne sont pas directement faites, ce sont des bourgs ruraux du Var, des Bouches-du-Rhône, des Basses-Alpes même comme Lorgues, Signes, Ollioules, Le Luc, Manosque ou Mallemort, qui prennent le relai dans le cadre de cortèges qui ne sont pas sans rappeler les traditionnels trains de la Saint-Eloi, avec leurs mulets enrubannés (Le Luc, 10 messidor an VI). La paysannerie aurait-elle retrouvé ses formes d'expression propre, en accord avec le nouveau régime ? La médiocrité du nombre des cas relevés (une demi-douzaine pour l'an VI) interdit une extrapolation aussi hasardeuse. Par rapport à la fête des ordres ou des états, la fête révolutionnaire marque bien une rupture profonde et décisive.

La symbolique des âges

Au nombre des acteurs que la fête révolutionnaire a été amenée à s'inventer, en codage à la fois mystificateur et expressif des représentations collectives, les classes d'âge tiennent un rôle que nous ne pouvons plus méconnaître depuis les approches essentielles de M. Ozouf. Sans vouloir revenir ici sur les résultats acquis, on peut tenter de percevoir comment cette réalité a été perçue et pratiquée dans un cadre provincial. La continuité même de notre information, le jeu qu'elle permet entre la mesure des réalités urbaines et rurales autorise une approche de la diffusion sociale de ce modèle.

En réservant pour l'instant le cas de l'enfant ou de la femme qui méritent d'être traités pour eux-mêmes, nous pouvons, en vue cavalière, saisir la naissance et le développement de ces représentations avant même que le Directoire n'en fige les normes dans son système de fêtes codifiées.

La Révolution constituante a, en Provence du moins, ignoré de tels codages dans ses fêtes, et les premières annonces que nous per-

cevons se situent en fin de 1792 : à Arles, lors de la fête du place-
ment d'un bonnet phrygien sur l'obélisque, des bannières sont portées
par deux laboureurs, deux enfants et deux vétérans. Ce n'est encore
qu'annonce ponctuelle, et c'est pour l'essentiel dans la poussée, si
amplement créatrice de l'hiver 1793-1794, que d'octobre à janvier
toute une symbolique nouvelle se met en place. Arles, souvent à la
pointe de la novation, propose en octobre 1793, lors de la fête
funèbre de Marat, une charrette garnie de pères et mères de famille,
une autre de vieillards, une troisième de jeunes gens qui chantent et
qui trinquent. A Marseille, le char des vieillards se retrouve lors
d'une fête décadaire en novembre 1793, puis en nivôse an II la
liturgie se structure, associant enfants des écoles, groupes de citoyennes, groupes de vieillards. Tels détails se retrouvent en d'autres lieux :
Nice à la même époque assied un vieillard de cent deux ans sur une
charrue. Annot dans la montagne fait porter, toujours en nivôse, le
texte de la constitution par les quatre vieillards les plus âgés, mais
c'est à Fréjus, au 30 nivôse an II, que la fête des martyrs de la
Liberté donne à ce cérémonial la plus grande profusion. Ne rencontre-
t-on pas dans les tableaux vivants qui illustrent le cortège celui de
la piété filiale (sur le thème de « l'enfant de Bayonne »), puis de la
vieillesse (« le vieillard du Jura », « la négresse octogénaire »), et
ensuite, suivant un modèle beaucoup plus fréquent, les détachements
armés, qui de piques et qui de fusils, de douze vieillards, douze citoyens
et douze enfants, dont les banderoles égrènent les formules spartiates :
« Nous avons été jadis jeunes, vaillants et hardis... »

A la veille de la fête de l'Etre Suprême, au 30 prairial an II, qui
représente ici comme ailleurs un tournant dans cette histoire, la fête
provençale recourt, dans les villes du moins, déjà amplement à cette
symbolique des âges : mais les groupes que nous avons mis en place
restent insérés dans un cortège composite et improvisé plus qu'à
demi. C'est à coup sûr en prairial que l'effort de mise en forme
transparaît le plus : dans les grandes villes on a appliqué à la lettre,
et parfois avec des raffinements de zèle, les prescriptions du schéma
davidien de la fête. A Aix défilent sur le cours les deux colonnes
des pères et des mères avec leurs enfants, ornés les uns et les autres
du symbole approprié : branche de chêne pour les chefs de famille,
bouquet de roses pour les mères, de fleurs pour les filles... et sabre
pour les jeunes citoyens. Les quatre groupes de l'enfance, de l'ado-

lescence, de la virilité, puis de la vieillesse, la distinction des ménages et des célibataires : tout contribue ici à renforcer l'impression d'un codage pointilleux et minutieusement observé. Sans doute pas avec la morne résignation que l'on a dit : et si nous passons à Avignon pour animer cette scène jusqu'à présent trop statique, on y voit l'assemblée parcourue d'un grand souffle lorsque, après la strophe des pères et des filles, tous les groupes s'enlacent à la troisième strophe, cependant que les mères brandissent leurs enfants et que les vieillards bénissent la scène. Mais on dira que l'attendrissement aussi faisait partie du scénario. Point n'est besoin de détailler, ce qui fait partie d'un cérémonial national : qu'il suffise de relever qu'avec des variantes on le trouve appliqué de Marseille, à Aix, Avignon, Arles ou Toulon, et même dans des villages, il est vrai peu nombreux. Au lendemain de la fête de l'Etre Suprême, on voit triompher à nouveau cette mise en scène des âges en messidor, à Aix ou à Avignon qui fait figurer dans un cortège commémoratif les parents de Viala.

Puis tout rentre dans l'ordre : entendons qu'à partir de l'an IV la codification devient très stricte, des fêtes qui mettent en scène les âges de la vie : fête de la Jeunesse en germinal, des Vieillards en fructidor, des Epoux en floréal. Mais d'autres fêtes officielles que celles-ci font une place non négligeable aux classes d'âge : celle du 9 thermidor, qui deviendra celle de la liberté, introduit des groupes de pères et mères de famille avec leurs enfants, et surtout la fête de la souveraineté du peuple qui s'impose et connaît un véritable succès en l'an VI réserve un rôle spécifique tant à des jeunes gens qu'à un groupe de vieillards — plus ou moins fourni suivant les lieux — qui vont, des baguettes qu'ils portent individuellement, former à la fin de la cérémonie le faisceau qui symbolise l'union du peuple.

Dans quelle mesure cette symbolique a-t-elle été perçue, dans quelle mesure ces cérémonials ont-ils été respectés ? On sait déjà l'inégal succès de ces fêtes en Provence : médiocre pour celles de la Jeunesse, des Epoux et des Vieillards, qui sont pour la plupart restées confinées dans les villes, beaucoup plus marqué pour la fête de la souveraineté du peuple. On n'a guère vu appliquer hors de Marseille le rituel de la fête des Vieillards, qu'une délégation d'enfants allait prendre à leur domicile pour les conduire au lieu de leur couronnement, les reconduire ensuite. La fête des Epoux, avec là encore, le couronnement des parents méritants par un vieillard, père de famille nombreuse, et éventuellement la célébration de mariages a eu sans doute un impact plus réel au village, notamment en l'an VI. Mais c'est vraiment avec la fête de la souveraineté du peuple que l'on a l'impression d'un succès — relatif du moins — : une carte qui rayonne sur les quatre départements provençaux, du Vaucluse au Var et aux Basses-Alpes même, un respect du rituel — aisément perceptible dans sa symbolique — qui n'exclut pas des fioritures et adaptations au tempérament local, ainsi à la Roquebrussanne en ventôse an VI, où le folklore traditionnel des chevaux frus permet à deux vieillards de faire la preuve de leur légèreté en tenant le rôle de basques.

Dans le cadre d'une évolution qui n'est point spécifiquement provençale, mais à laquelle la Provence réagit à sa manière, on assiste à l'hypertrophie des valeurs familiales, à une polarisation croissante, comme aussi à une précision croissante des rôles, aisément perceptible dans le cas des vieillards : du vieillard spartiate de 1793 qui apprend aux guerriers à combattre, au patriarche entouré de la piété filiale de l'époque directoriale.

Mais tel parcours peut avec plus de profit encore être appliqué au personnage de l'enfant, comme à celui de la femme.

L'enfant dans la fête révolutionnaire

L'enfant, ou plus largement les jeunes gens : à la fois un thème important dans la fête révolutionnaire et une découverte relativement tardive. Expliquons-nous de ce paradoxe : avec quatre-vingts mentions, soit un cinquième à peu près des fêtes décrites, l'enfant apparaît relativement souvent, plus, certainement, comme nous le verrons dans un instant, que la femme, et point suivant les mêmes rythmes. On note sous le Directoire une invasion progressive de la fête par l'enfant sur laquelle nous aurons à nous interroger.

Inversement, il semble bien que la préoccupation de l'enfant ou de la jeunesse n'apparaisse pas de prime abord dans le monde de la fête, et que les préoccupations qui la sous-tendent ont sensiblement évolué au fil de ces onze années.

Rien n'est à relever avant la fin de 1792, où l'enfant apparaît

discrètement en octobre, en Arles, lors de la cérémonie du place-
ment du bonnet phrygien sur l'obélisque, sous la forme de deux
enfants associés à deux vieillards : début d'une dialectique constante. Mais à peu près à la même date, à Avignon, la plantation
des arbres de la liberté requiert la participation des enfants « des
quatre petits bataillons des quatre écoles gratuites » : et quelques
mois plus tard, en février 1793, les bataillons d'enfants participeront,
encore à Avignon, à la cérémonie funèbre de Marat.

Premier visage de la jeunesse : celui des bataillons d'enfants, et
c'est bien celui qui se retrouve à Nice, le 20 nivôse an II, lors des
cérémonies pour la reprise de Toulon. L'enfant reste le balilla, le
futur guerrier. Un autre visage de la jeunesse coexiste encore, assez
différent, sous la forme de ces « jeunes gens chantant et trinquant »
qui garnissent un des chars de la cérémonie tenue en Arles en octobre 1793 en l'honneur de Marat. Mais ce visage traditionnel (la
jeunesse ou la nef des fous) s'estompe très vite derrière le tableau
héroïque sur lequel insistera l'an II : à Fréjus, le 30 nivôse an II,
dans la profusion d'une cérémonie exceptionnelle, l'enfant héroïque
est partout : il ouvre le cortège par un groupe d'enfants porteurs
de lois. Il illustre les thèmes moraux : le courage, un jeune tambour
avec la main coupée ; la piété filiale, l'enfant de Bayonne.... cependant que, pour clore le cortège, défilent les douze petits spartiates
prêts à prendre le relais des vieillards et des adultes, suivis immédiatement de leurs instituteurs dont la pancarte proclame, pour que
nul ne s'y méprenne : « Nous les élèverons. »

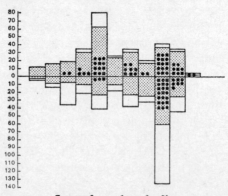

Les enfants dans la fête

Enfant héroïque des fêtes en l'honneur des héros adultes ou juvéniles : enfants aussi, objets d'une attention pédagogique extrême, comme on peut le voir lors des fêtes décadaires, ainsi celle que célèbre Aix le 20 pluviôse an II et à laquelle participent les élèves de toutes les écoles et les « familles » de toutes les maisons de charité. L'enfant est écouté : c'est un jeune enfant, à Aix encore, qui chante les hymnes de la fête du 31 mai, au 12 prairial an II. Mais le point culminant de cette première lecture de l'enfant est à coup sûr la festivité de l'Etre Suprême au 20 prairial an II : la minutie des prescriptions est ici extrême, qui prend l'enfant au berceau (les nourrices doivent inscrire les nouveau-nés) et le conduit tenant la main de son père, mais déjà armé d'un sabre au service de la patrie.

Cette image, nous la retrouvons inaltérée jusqu'à la fin de la période jacobine, en messidor notamment, où les festivités en l'honneur des héros enfants (Bara et Viala) sont autant de nouvelles occasions : à Avignon, le 30 messidor an II, la jeune garde nationale citoyenne porte les bustes de Bara et de Viala et reçoit le serment d'un jeune homme de treize ans.

Le rôle de l'enfant ainsi défini se perpétue à la fois et se modifie profondément à l'époque directoriale. Il se perpétue par l'idée réaffirmée que dans l'enfant, c'est le citoyen, éventuellement en armes, qui se profile : et les fêtes de la jeunesse comportent un rituel d'armement des jeunes de seize ans.

Mais parallèlement l'enfant devient beaucoup plus l'écolier (cependant que la « jeunesse » reprend son autonomie comme classe d'âge, ainsi qu'on l'a vu dans la renaissance du romérage). A ce titre, il entre en complémentarité déférente et soumise dans la dialectique qui l'associe au vieillard dans nombre de fêtes (de la jeunesse, des vieillards, de la souveraineté de la République). Il est surtout mis à toutes les sauces, et c'est peut-être l'argument banal qui explique son omniprésence, ou presque, en l'an VI et l'an VII. Un nouveau couple apparaît, en leitmotiv : « les instituteurs et leurs élèves », et on les voit figurer avec constance dans la plupart des fêtes urbaines, dans nombre aussi de fêtes au village. Une lecture à courte vue, mais non dépourvue peut-être de toute valeur, consisterait à faire de cette présence des enfants des écoles et de leurs maîtres (très XIXe siècle d'allure) le palliatif de la désertion des fêtes directoriales. Il y a sans doute sensiblement plus, et notamment le puissant investissement pédagogique de ces années, qui fait que la fête de la Jeunesse, de plus en plus, s'enferme dans la salle verte où elle prend toutes les apparences d'une distribution de prix, agrémentée de chants, de discours et de récitations, récompensées des œuvres de François de Neuchateau. Même s'ils sont encore parfois costumés en Romains (Marseille, ventôse an VI, fête de la souveraineté du peuple), ces enfants ou ces jeunes gens ont perdu de leur allure héroïque : et à Pertuis en l'an VII on les vêt pour la fête de la Jeunesse d'habits « dont la couleur était l'emblème de la candeur adolescente », de même qu'à Cavaillon, le 18 fructidor de la même année, on leur fait donner un spectacle lyrique et dramatique — Fanfan et Nicolas puis le Devin du village — ; mais, comme le dit un autre procès-verbal de plantation d'un arbre de la Liberté à Grimaud en l'an VII : « Ils n'ont plus d'arbres à planter, à eux de les faire prospérer. » C'est peut-être le fin mot de cette mutation pédagogique.

Les femmes dans le cortège

A travers l'histoire de la fête en Provence, l'image de la femme, suivie au fil des cérémonies, prend des visages différents : et sur ce point la fête est un bon test pour apprécier le regard porté sur la femme. Mais la réciproque est vraie : à travers cette évolution, les modifications de la fête transparaissent clairement.

L'ancien système avait légué à la femme, dans ses structures festives, des rôles réels mais codifiés. Elle participait à la fête profane ou ludique — entendons plus simplement — à la danse du romérage. Dans les grands cérémonials-cortèges, elle n'avait qu'un rôle second, et le plus souvent nul, dans une société dominée par les hommes. Les choses ont-elles changé ? Le graphique d'ensemble que nous avons dressé des mentions explicites d'une participation féminine en tant que telle témoigne d'apparitions à éclipses, et dans l'ensemble, à quelques moments près, assez discrète. C'est en 1792 que les femmes s'affirment, puis surtout en l'an II, dans les six premiers mois de l'année 1794 ; on les voit reparaître, mais modestement, dans les moments de grâce de la fête directoriale : an IV et surtout an VI. Mais il faut y aller voir de plus près.

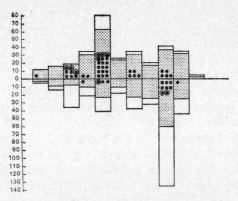

Les femmes dans le cortège
(cercles entourés : déesses Raison personnifiées)

Dans ses premières formes, la fête révolutionnaire est fête à caractère masculin très prononcé : les fédérations de 1790 en donnent le
modèle très militaire. Mais c'est dans ce contexte qu'une première
réaction féminine, urbaine et plus précisément marseillaise se fait
jour, le 15 juillet 1790, le lendemain du serment fédératif. Voulant
s'associer à ce serment et manifester leur engagement révolutionnaire, « les dames » marseillaises, sous la conduite de l'épouse du
maire, Mme Martin, et de celle du commandant de la garde nationale, Mme Lieutaud, se rendent à leur tour en cortège à l'autel de
la Patrie pour y prêter serment. Retenons jusqu'à leur tenue — robes
blanches à ceintures tricolores, nous allons les voir réapparaître avec
continuité par la suite. Ce geste, isolé, n'étonne pas cependant dans
une ville où l'élite féminine éclairée avait déjà manifesté sa présence
et son autonomie par la rédaction, en 1789, de cahiers de doléances
des femmes. Mais on en sent les limites : originalité marseillaise,
comportement d'élite bourgeoise qui reste de bonne compagnie. Au
demeurant, il est provisoirement sans lendemain. Est-ce à dire que
d'autres présences féminines ne se manifestent pas dans un registre
tout différent ? Dans la farandole improvisée qui, en 1790, promène
au bout d'un bâton les tripes du major de Beausset, après l'assaut du
fort Saint-Nicolas, il y a aussi des femmes, mais ce ne sont pas
les mêmes.

Entre ces deux registres discordants, la rencontre se fait « à chaud » dans la poussée de l'été 1892 : dans la poussée festive qui accompagne la plantation des arbres de la Liberté, on signale dans les farandoles la présence de « femmes et filles » (ainsi à Marseille en juillet 1792). De façon plus évocatrice encore, Coulet, le chroniqueur populaire d'Avignon, note, le 14 octobre 1792, sur son journal, que les filles, qui se répandent en farandoles, « se sont fait couper les cheveux à la jacobine et portent sur leurs têtes le bonnet de la nation ». Entrée spontanée de la femme sur le théâtre de la fête révolutionnaire. Mais on va très vite lui trouver un rôle dans le cortège. C'est à l'occasion des fêtes funèbres pour les morts du 10 août qu'une scénographie est mise au point, à quelques jours d'intervalle, à Grasse et à Marseille, par Dorfeuille qui suit pour lors les troupes victorieuses du général Danselme dans le comté de Nice. A Grasse, il dispose autour de l'autel de la Patrie transformé en cénotaphe quatre femmes en grand deuil visitées par la liturgie d'une déesse Liberté — c'est la citoyenne Danselme — suivies de cinquante jeunes filles en blanc qui jettent des fleurs en chantant des hymnes. Presque *ne varietur*, cette scénographie est reproduite à Marseille avec une autre déesse vivante. La femme, introduite dans la fête officielle, prend ici trois visages nouveaux mais proches dans leur tonalité néo-classique : l'épouse ou la veuve du guerrier, la vestale, la déesse non point encore Raison, mais Liberté, dont on relève ici l'apparition.

Est-ce totale nouveauté, qui serait d'introduction exogène par l'initiative de Dorfeuille ? Dès le 14 juillet précédent, un mois plus tôt, Coulet décrit la fête de plantation à Avignon d'un arbre de la Liberté « porté par une déesse qui avait entre ses bras un paquet de verges avec une petite hache » : statue... ou déesse vivante ? N'ergotons pas sur ce point d'histoire cependant un peu plus qu'anecdotique, et situons, pour l'ensemble, cette nouveauté à l'été 1792.

1793 est année de trouble et d'absence dans cette histoire de la femme et de la fête révolutionnaire en Provence : dans la continuité des fêtes de l'été précédent, on voit bien à Avignon, le 17 février 1793, la fête funèbre de Lepeletier faire intervenir un groupe de citoyennes en blanc. Mais cela reste curiosité urbaine dont un détail illustre la fragilité : à la Garde, dans le district de Saint-Paul, la plantation de l'arbre de la Liberté en ces temps se fait en présence de femmes du lieu dont on nous dit qu'elles doivent assister à la

cérémonie avec une cocarde à leur bonnet. Au village, l'engagement
de la femme dans la fête révolutionnaire n'a pas cause gagnée. Le
fédéralisme interrompt l'évolution précédemment amorcée : mais au
lendemain de la crise, dans les villes du moins, les femmes se retrouvent présentes. A Avignon encore, le 1er novembre 1793, les femmes
figurent en nombre à la célébration en l'honneur de Marat. Mais
leur rôle s'est diversifié : aux jeunes filles en blanc portant des urnes,
qui s'inscrivent dans une tradition déjà frayée, s'adjoignent, dit-on, les
femmes « reçues » du Club, portant des piques couronnées. Visage
nouveau de l'amazone, participante à part entière, qui complète —
sans l'éliminer — le rôle de figuration de la vestale ou le rôle symbolique de la déesse.

Entre l'hiver et le printemps de 1794, ce sont bien ces deux
images que l'on voit coexister, contradiction assumée apparemment
sans heurt, dans le cadre de la période où les femmes ont certainement
participé le plus intensément à la fête : près de la moitié des notations
relevées pour l'ensemble de la Révolution s'y trouvant rassemblées.
Certes, cette présence féminine a ses limites : les exemples que l'on
relève sont presque tous urbains. La nouvelle lecture du rapport
hommes-femmes n'a pratiquement pas pénétré au bourg, semble-t-il.

L' « amazone » ou la femme en armes, clubiste et jacobine, se
rencontre désignée sous ce terme à Grasse en nivôse an II ; à Arles,
elle s'illustre en ce mois de ventôse II où culmine la déchristianisation méridionale : puisqu'un procès-verbal décrit la fête célébrée
pour la réception d'un drapeau présenté à leurs sœurs d'Arles par
les femmes et filles de la Crau, qui sollicitent l'affiliation à leur société.
Le sabre ou la pique à la main, les femmes de la Crau sont accueillie à la porte du Marché-Neuf par celles d'Arles, on échange des
compliments, puis une promenade civique s'achève en banquet suivi
de farandoles — ou plutôt d'orgies si l'on en croit l'érudit qui écrivit
sur les Révolutions d'Arles à cette époque. Fête exceptionnelle par
son caractère sinon exclusivement féminin, du moins à dominante
très marquée puisque les hommes n'y sont que des comparses : mais
l'exemple reste isolé.

Les déesses Raison

Le cas le plus général reste celui de la femme statufiée vivante :
déesse Liberté, déesse Raison, Victoire ; à Entrevaux, pour célébrer
la reprise de Toulon, le 25 janvier 1794, la Victoire, sous les traits
d'une jeune citoyenne, est promenée sur un char, cependant que la
déesse Liberté s'avance sous le dais qui n'a jamais reçu un tel usage.
A Nice, c'est la déesse Liberté qui triomphe en nivôse an II ; à
Digne, Madeleine, fille patriote de la société populaire, offre dans le
temple de la Raison, en la ci-devant église Saint-Jérôme, l'image de
la nouvelle divinité, à demi couchée sous un dais de velours rouge,
drapée dans une robe de lin. A Fréjus (30 nivôse), la citoyenne
Franc tient le rôle de la Raison, quand la citoyenne Laget en déesse
Liberté chante des couplets appropriés. Liberté ou Raison ? L'œil
populaire a-t-il fait le détail... pour Coulet, précieux chroniqueur,
il s'agit de la « Mère de la patrie » et c'est bien ainsi peut-être que
l'œil populaire les a perçues, avant que les déesses Raison marseillaises, la célèbre « Cavale » et la « Fassy » ne paient d'une mort
atroce en l'an III, sous les coups des égorgeurs royalistes, le prix
d'avoir été les déesses d'un jour. L'historiographie du siècle suivant
ne fera pas le détail, qui sous la plume d'ecclésiastiques évoquera à
Saint-Trophime d'Arles le rôle de la Raison et de la Liberté indif-
féremment tenu par une prostituée, ce qui n'est point vrai dans le
cas général.

Amazones, déesses Liberté ou Raison, vestales aussi dont les théo-
ries vêtues de blanc les escortent en chantant, les femmes ont reçu
droit de cité dans la fête : cette valorisation de leur rôle s'exprime
aussi différemment.: dans la galerie des héros révolutionnaires dont
elle promène les effigies et commente les mérites, la fête du 30 nivôse
an II, à Fréjus, fait une place à la négresse octogénaire qui a pour
elle le triple mérite de la race, de l'âge et du sexe.

Sans privilégier les coupures traditionnelles — mais elles ont du
bon —, on doit dire que sous ce rapport le tournant de prairial est
fortement ressenti : à vrai dire, dès germinal an II, à Marseille lors
de la fête de la fraternité qu'organise le représentant Maignet, un
« groupe de citoyennes » figure à la place qui sera désormais la
sienne : un des éléments sans plus, dans une symbolique des âges

et des états. Les déesses vivantes disparaissent. De Marseille à Aix,
Toulon, Avignon, Arles... ou Fontvieille, la fête de l'Etre Suprême
au 20 prairial an II donne aux femmes et aux filles la place qui
leur revient dans l'ordonnance du cortège, et qui n'est point mi-
neure. Mais c'est sans concessions à Aix : les hommes sur une file,
tenant leurs fils à la main, les femmes sur l'autre, accompagnées de
leurs filles. Ce que l'on demande à la femme est bien exprimé à
Aix encore le 30 messidor an II, lors de la fête des Martyrs de la
Liberté : en théorie, trente-six citoyennes vêtues de blanc, à ceinture
tricolore et cheveux épars, s'en viennent jurer de ne prendre pour
époux que de vrais républicains et d'élever leurs enfants dans l'amour
de la patrie.

Réduite, dès lors, à son rôle d'épouse ou de vestale, la femme voit
sa place se restreindre encore dans les années directoriales. Elle
figure à ce titre dans les fêtes des Epoux de l'an IV à l'an VII, que ce
soit dans les villes ou parfois dans les campagnes, ainsi à Mézel en
l'an VI où l'on découvre « douze époux et épouses qui ne s'étaient
jamais dit une parole plus haute que l'autre », idéal bien quotidien
après les serments héroïques de l'an II. Les jeunes filles vêtues de
blanc se retrouvent, mais bien rarement, à certaines célébrations :
cinquante jeunes filles en Avignon, le 30 vendémiaire an VI, pour
célébrer la mémoire du général Hoche, ou à Marseille en pluviôse
de la même année, lors de la plantation d'un arbre de la Liberté que
trois jeunes filles vêtues de tricolore arrosent de l'eau de leurs
aiguières, cependant que quatre autres, deux blanches et deux noires,
figurent les quatre parties du monde. Mais ce sont bien là des thèmes
de l'iconologie classique depuis César Ripa... et l'on voit, à ce détail
plus qu'anecdotique, qu'on est bien loin de la saison des déesses
Raison. Ont-elles complètement disparu ? Point tout à fait, et il est
intéressant de voir où elles se réfugient. En ville, les deux dernières
personnifications rencontrées se trouvent à Arles en germinal an IV,
à la fête de la Jeunesse : deux jeunes filles vêtues de blanc, à ceinture
tricolore, figurent la liberté et l'égalité. Mais c'est la dernière apparition de ces déesses. On les retrouve au village ou au bourg : à
Ollioules en thermidor an VI, fête de la liberté, où l'on promène la
déesse sur un char, à La Valette en ventôse de la même année (fête
de la souveraineté du peuple) : une jeune fille de dix à douze ans

habillée à la romaine, avec bonnet et pique, est portée sur un brancard puis chante avec grâce des stances.

Si l'on doit relever avec attention que se réveille et perdure en l'an VI dans des sites « ruraux » la pratique bannie de la ville, on voit aussi ce qui a changé ; la femme est devenue une petite fille, comme les Belles de Mai : infantilisation, désexualisation du thème. Puis on comprend aussi une partie des raisons de cette pratique : au Luc, non loin de là, en messidor an VI, on ne peut orner le cortège de la figure de la liberté cependant requise par les textes : on s'en justifie par l'absence de statue appropriée et... « aucune citoyenne du lieu n'ayant voulu en remplir l'office ». Dans le paradoxe apparent de cette diffusion rurale tardive des déesses Raison (dont le souvenir sera cependant si tenace : voyez chez Mistral) entre peut-être pour une part le poids de cette considération technique.

Mais ce dernier épisode amène aussi directement à une dernière considération sur ce thème : la femme ne paraît plus à la fête, mais c'est aussi parce qu'elle ne veut plus y venir. L'affirmation mérite d'être nuancée : nous ne manquons pas vraiment, essentiellement en l'an VI de rapports qui signalent avec joie la présence remarquée de citoyennes : à la ville (Toulon) comme au bourg (ainsi dans le Var : Roquebrune, Cogolin, la Roquebrussanne, Varages « repas vraiment frugal auquel assistaient bien des citoyennes »). Mais si les femmes et surtout peut-être les filles ne boudent pas les jeux et les bals au village, elles ont rompu avec la fête officielle, quitte à y laisser participer leurs hommes : au Luc, à la fête même où aucune femme n'a voulu remplir l'office de la Liberté, les vingt-quatre agriculteurs héros de la fête étaient invités avec leurs femmes... mais une seule d'entre elles a bien voulu s'y rendre. La fête agonisante de la fin du Directoire est redevenue, à l'exception des danses de l'après-midi, une fête essentiellement masculine.

XIII

LES LANGAGES DE LA FÊTE

I. Du discours aux images

Très vite, la fête révolutionnaire telle que nous la saisissons affirme sa vocation pédagogique : elle veut transmettre un message. La réjouissance gratuite ou purement ludique n'est pas absente, qu'elle constitue une fête en elle-même ou qu'elle se mêle à la célébration engagée. Nous verrons même par la suite l'importance qu'elle revêt dans l'histoire totale de la fête révolutionnaire. Mais dans l'ordre des urgences comme des importances, c'est bien la fête porteuse d'un langage qui passe en premier.

Un langage, mais lequel ? La présentation analytique que nous suivons, sans nous dissimuler la part d'artifice qu'elle comporte, impose d'articuler suivant les formes d'expression ce qui s'est voulu bien souvent spectacle total. Quitte à retrouver ensuite l'unité du propos. Trois ou même quatre rubriques s'imposent ainsi : langage parlé, chanté ou écrit, première approche et sans doute la plus explicite ; expression visuelle, elle-même subdivisée en deux éléments : le magasin des accessoires ou la symbolique révolutionnaire approchée à partir des images de la fête, puis l'ordre ou l'ordonnance du cortège débouchant sur une véritable scénographie ; enfin, du parlé ou de l'écrit au visuel, on passe naturellement au gestuel, à la démonstration même, explicite ou non, qui est portée par la fête.

Parlé, écrit, chanté

L'intention de prosélytisme qui se trouve à la base de la fête révolutionnaire donne à ces registres une importance spécifique. C'est ici qu'une pédagogie simple, expressive et directe doit se mettre en place et trouver des formules adaptées. Ce n'est point chose facile si l'on veut bien se souvenir des difficultés spécifiques que la Provence peut offrir sous ce rapport : l'analphabétisme, en dehors des grandes villes, est le lot de sept hommes et neuf femmes sur dix, parfois plus. La pratique de la langue provençale est une autre composante, qui jouera bien souvent comme obstacle, sans que nous puissions vraiment savoir, à partir du discours « traduit » des procès-verbaux, dans quelle langue a été portée la parole.

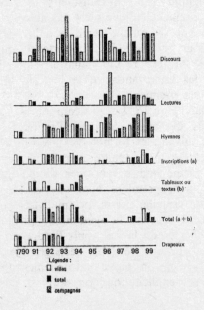

Les langages de la fête

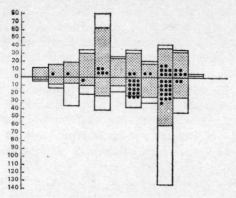

Les lectures publiques

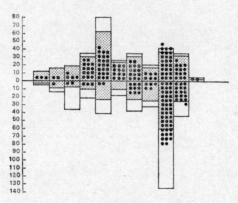

Le discours dans la fête

Les discours de la fête

Les fêtes provençales de la Révolution sont fêtes où l'on prend la parole : pas tout à fait d'entrée, si l'on en juge par les graphiques établis, des discours prononcés. Les premières années jusqu'à 1792 font aux proclamations une place qui reste limitée ou en tout cas moins mise en valeur dans les procès-verbaux. La fête devient ici bavarde à partir de 1793, et de façon croissante jusqu'au Directoire, qui n'introduit pas sur ce plan de discontinuité, il s'en faut, à l'exception de l'an V, temps du silence et de l'embarras. Mais dans l'ensemble, la fête directoriale accentue, dans le monde rural comme à la ville, l'importance de la pédagogie par la parole qui tend à se généraliser. Tous ne peuvent se payer, si l'on peut dire, le luxe d'un ou plusieurs discours : la lecture de la loi ou du texte constitutionnel en est le substitut dans les plus petites communautés, encore que les cités n'en ignorent pas la pratique ; les stipulations officielles qui règlent le cours de la fête en imposant parfois l'obligation. Mais pour l'essentiel, les lectures publiques reprennent en mineur, dans leur flux d'une année à l'autre, celui de la pratique du discours.

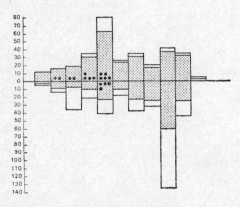

Ostention de la Constitution et des droits de l'Homme

Proclamations écrites

Plus originale, et en tout cas inattendue, apparaît l'autre forme de pédagogie employée, que nous dirons de la parole écrite. On a déjà relevé, de Brunot à C. Robert, l'importance exceptionnelle de l'épigraphie sous la Révolution française.

Elle s'inscrit de façons à la fois proches et diverses qui vont de la formule laconique (la Nation, la Loi, le Roi ; la Liberté ou la Mort) au quatrain plus explicite, au tableau (morts du 10 août, Déclaration des droits de l'homme), et sur le plan de la présentation formelle, de la bannière à la pancarte ou au panneau, jusqu'à l'inscription éphémère ou fixe d'un balcon ou d'un Autel de la Patrie. L'évolution de la pratique suit un rythme plus saccadé, s'imposant progressivement de 1790 à 1794, remise en cause, partiellement du moins, par le Directoire, réinventée par certaines des fêtes les plus jacobines de la période, ainsi celle de la souveraineté du peuple à partir de l'an VI, qui ramène inscriptions et banderoles. Dans ces limites, la pratique apparaît donc liée aux étapes les plus populaires de l'épisode révolutionnaire. On comprend un peu mieux pourquoi, à suivre l'évolution qualitative du phénomène. Les premières années de la Révolution pratiquent encore peu la bannière ou le panneau, mais réservent au drapeau une place relativement importante : c'est l'époque des réceptions officielles ou des bénédictions de drapeaux des gardes nationales dans toutes les villes comme dans des bourgs plus médiocres (Valensole, Cogolin, Gardanne). En 1792 on exhibe les étendards des peuples réputés frères (des Etats-Unis à la Pologne), on procède à des jumelages (drapeaux anglais et français..., à Marseille, sous l'égide des négociants). Cette symbolique première, qui se passe de l'écrit, s'efface dès 1793, pour faire place à une pratique plus explicite. L'ostention des textes constitutionnels et surtout des droits de l'homme, discrète en 1791, s'affirme en 1793, les inscriptions fleurissent sur les bannières comme sur les cénotaphes et les Autels de la Patrie. Prétentieuses parfois, traditionnelles, du moins au début (« *Pro patria, pro rege* ; Toulon, octobre 1791), les inscriptions se francisent, deviennent moins laconiques et plus agressives : « Ci-gît les cendres des patriotes assassinés » (Marseille, 18 novembre 1793), parfois ironiques (« Les sections contre-révolutionnaires d'Aix à leurs bonnes sœurs de Marseille », même date), le plus souvent frappées en devises (« Les devises du pauvre Marat », Avignon, 1er novembre 1793). On cherche parfois l'effet de masse par l'insistance d'une pédagogie explicative qui commente tous les éléments du cortège d'une banderole ou d'un panneau, et nous ne savons pas meilleur exemple sur ce plan que la fête des martyrs de la liberté à Fréjus en janvier 1794. « Les monstres ne m'arrêtent pas », proclame un soleil flanqué du lion et du scorpion, « Cet art est le premier », dit la banderole qui accompagne la charrue, « Il brave le danger », commente le navire en réduction des gens de mer, « Il conserve et défend la terre qu'il porte », illustre l'olivier porté processionnellement... Telle insistance apparaît très caractéristique de la période qui culmine à l'hiver et au printemps de l'an II, et de son souci pédagogique. Les fêtes directoriales s'inscrivent en discordance avec cette première phase. De l'an III à l'an V la fête, qui cependant développe ses discours à l'usage des notables, dédaigne cette forme de prosélytisme primaire. Elle la retrouve surtout à partir de l'an IV : une initiative nationale y est peut-être pour quelque chose, puisque le cérémonial officiel d'une fête comme celle de la souveraineté du peuple comporte le port de quatre bannières par quatre jeunes gens, distillant les éléments d'une pédagogie très progressive, encore qu'un peu abstraite peut-être.

1. La souveraineté réside dans l'universalité des citoyens,
2. L'universalité des citoyens est le souverain,
3. Nul ne peut sans une délégation légale exercer une autorité,
4. C'est par la sagesse des choix...

Mais si l'on peut rester sceptique sur la portée réelle de cette méthode, on doit bien constater que le regain de jacobinisme de cet automne du Directoire retrouve la pratique de l'an II ; qu'il s'agisse des cérémonies funéraires (Hoche ou les plénipotentiaires de Rastadt) ou d'autres célébrations (la fête des Epoux à Carpentras, où l'on promène un panneau sur les devoirs... de l'épouse !). L'an VII accentue cette tendance bien qu'il devienne difficile de distinguer ce qui est la part de l'invention de celle d'une application zélée des consignes nationales (« Une bannière portant l'inscription prescrite », Carpentras, 10 août 1799).

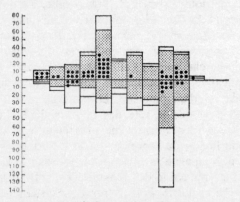

Inscriptions et bannières

La musique : hymnes et couplets

Parmi les moyens de transmission du message révolutionnaire, la musique tient une place importante, et figure même comme une constante : musique militaire dans les villes, ou musique « des deux théâtres » à Marseille, ailleurs concert plus modeste de tambours et des tambourins, et comme l'on dit des « instruments du pays ». Il y a là plus qu'un fond sonore : un test, d'abord de l'intégration de la fête aux mœurs méridionales, dont le recours au tambourin est assez illustratif. Le tambourin est très fréquemment évoqué au tout début (44 % des fêtes en 1790) puis on s'en détache dans les années qui suivent et jusqu'en l'an II un dixième environ des fêtes y recourent, et parfois moins. La fête directoriale le redécouvre, et le tambourin figure à nouveau fréquemment dans les cérémonies de l'an VI et VII. Test ambigu, au niveau de l'engagement révolutionnaire : le tambourin accompagne la fête folklorique profane qui ressurgit alors dans le cadre (mais en même temps en dehors) de la fête révolutionnaire, et c'est à ce titre que nous aurons à en reparler.

Beaucoup plus significatif est le chant des hymnes et couplets révolutionnaires, qui répondent à une forme très directe de transmission du message révolutionnaire.

La fête provençale, en ce domaine, semble se doter progressivement de son répertoire, dans le cadre d'une pratique qui progresse presque

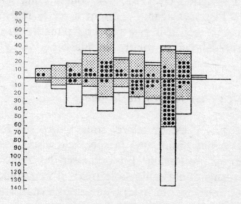

Hymnes et chansons

constamment : on chante certes des couplets en 1790 et 1791, mais
c'est encore un peu luxe de notables « francisés » ou beaux esprits :
c'est un archidiacre qui compose à Digne les 24 couplets chantés en
août 1790 pour la réception de la bannière du département. La pratique se popularise à partir de 1792, et en l'an II on chante des hymnes dans moitié des fêtes urbaines. Sous le Directoire elle se maintient et même, semble-t-il, progresse. Sans doute, note-t-on, le silence
de l'an V, mais il ne nous surprend pas. Plus nettement, les deux
années les plus festives du Directoire, en Provence, an IV et an VI,
témoignent non seulement d'une progression mais d'une diffusion,
puisqu'on y chante sensiblement plus au bourg et au village qu'à la
ville. Test intéressant, nous semble-t-il, de la diffusion d'une pratique au niveau de la région. Les Provençaux ont appris à chanter la
Révolution : comment la chantent-ils ? On a chanté le chant des
Marseillais en 1792 et 1793, on le redécouvre en 1798 et 1799. On a
chanté, mais dans les villes seulement l'air « à l'Eternel » en prairial
an II, du moins d'après ce que nous en savons. Les autres titres notés
sont ceux de la Révolution des notables : « Où peut-être mieux qu'au
sein de sa famille », « Veillons au Salut de l'Empire... », le premier
se rencontrant significativement en 1790 puis... en 1799, le second
en 1798 et 1799. La Provence a donc connu le répertoire national,
même si les quelques indications glanées ici nous laissent sur notre
faim. Mais elle a conservé un répertoire propre, semble-t-il, même si
les allusions sont ici singulièrement discrètes : on cite une chanson
en provençal à Avignon en 1792, des couplets marseillais en 1798,
dont l'intitulé « Pissan, Cagan... » disent assez le registre. Mais l'épisode révolutionnaire ne fut-il pas trop bref pour qu'un répertoire provençal pût véritablement se mettre en place ?

Un autre langage : les images de la fête

Si la parole portée est première, sous toutes ses formes, dans la
fête, il n'en reste pas moins que le spectacle visuel l'emporte par sa
richesse, et par sa profession. En organiser les registres ? Le parti
pris analytique, sans doute critiquable (mais il nous faudra rassembler
les éléments ici présentés un à un), que nous avons adopté, amène à
distinguer deux niveaux : les éléments ponctuels de la symbolique

de la fête, puis l'agencement du spectacle dans l'ordre même du cortège.

Le magasin aux accessoires

Pénétrons donc, d'entrée, dans le magasin aux accessoires, pour voir de quels motifs s'orne la fête révolutionnaire en Provence. Pour certains d'entre eux, on peut à peine parler d'accessoire, car ce sont éléments pivots autour desquels s'organise bien souvent le cérémonial : et à ce titre ils ont déjà retenu l'attention dans le cadre de l'étude de l'espace festif. Ainsi pour les arbres de la Liberté, ainsi pour l'autel de la Patrie, dont nous savons les avatars au fil de la Révolution, de leur découverte et de leur établissement entre 1790 et 1792, à leur omniprésence en l'an II, leur décri ensuite et leur redécouverte en l'an VI. Mais si nous savons en gros déjà leur histoire, la description reste à faire de ces deux supports essentiels de la fête. Il y a peu à dire sans doute de l'arbre de la Liberté, sinon que les documents, particulièrement abondants en 1792, permettent de l'imaginer alors : arbre vif en général, on précise parfois un pin, et l'on s'inquiète même à Marseille de réglementer l'arrachage des arbres de la Liberté dans les quartiers de la cité : souci peut-être excessif. Cet arbre est généralement surmonté alors d'une pique, coiffée du bonnet de la liberté, ainsi que le précisent nombre de documents d'Aix ou Toulon à... Vauvenargues (octobre 1792), ou Saint-Jeannet en Provence orientale. Après la première génération de l'été 1792, on raffina : et il semble bien que parfois on ait planté l'arbre de la liberté au milieu d'un autel de la patrie évidé, ainsi que le suppose F. Benoit qui a étudié avec l'œil de l'archéologue l'autel de la Patrie de Fontvieille, exceptionnel survivant. La plupart de ces arbres de 1792 à 1794 n'ont pas survécu à la contre-révolution de l'an III : dans le nombre de ceux que l'on replante en l'an VI il nous revient parfois quelques précisions complémentaires, ainsi à Marseille, en pluviôse an VI, où l'on précise qu'il sera planté deux arbres, l'un en vif, l'autre en pique : correspondant plus précisément au « mai » traditionnel, dont le nom avait parfois été évoqué en 1792 (« le mai de la Liberté »). Sans qu'on puisse quantifier, il semble bien qu'à l'époque directoriale un certain nombre de communes aient préféré cette formule économique, après avoir vainement tenté de protéger leurs arbres vifs...

Autels de la Patrie

Il y aurait beaucoup plus à dire des autels de la Patrie, sur lesquels les procès verbaux des fêtes livrent une information souvent précise. Celui qui se met en place dans les grandes villes en 1790, à l'occasion des fêtes de la Fédération, revêt une importance inégale suivant les lieux : majestueux à Marseille, il est de forme octogonale, décoré de motifs et bas-reliefs sur ses huit pans, surmonté d'une statue de Marseille, qui s'identifiera à celle de la Liberté. A la croisée du Cours et de la Canebière on y accède par degrés ; l'impression ici recherchée se retrouve en d'autres lieux : à Toulon où l'autel à quatre faces est surmonté d'un dais porté par quatre colonnes, à Aix qui associe sur le cours un autel élevé sur trois gradins, faisant face à un obélisque prolongé par deux colonnades incurvées. Plus modestement Arles ne propose encore qu'un autel provisoire à deux faces à la base de l'obélisque de la place de la Mairie.

Ces autels se stabilisent, s'enrichissent aussi entre 1792 et 1793 : Aix a décidé en janvier 1793 que l'autel resterait dressé tant que la patrie serait en danger, Arles décrète le 10 août 1793 l'érection d'un autel surmonté d'une statue de la liberté pour remplacer le précédent. Ce mouvement se poursuit dans les grandes villes jusqu'à l'an II : à Avignon, c'est en février 1794 que l'on démonte la guillotine sur la place de la Révolution pour la remplacer symboliquement par l'autel de la patrie. Tel que nous le décrit le naïf chroniqueur Coulet, il doit assez bien répondre à un modèle qui se généralise alors et que l'on retrouve en Provence dans d'autres monuments de l'époque (le cénotaphe maçonnique de Joseph Sec à Aix) : quatre pans, les bustes des quatre « philosophes » Rousseau, Brutus, Marat et Peletier, surmontés de la statue de la « Mère de la Patrie ».

Au village, les versions adoptées doivent être plus simples : du quadrilatère évasé en forme de bénitier pour recevoir l'arbre de la liberté que F. Benoît a pu observer à Fontvieille, la décoration résiduelle se restreint à une couronne de laurier et une main en position de serment.

Ces autels, pas plus que les arbres de la Liberté, n'ont résisté au vandalisme de l'an III : à Marseille la statue que l'on s'obstine alors — pour mieux la condamner — à dire de la Raison, est mutilée en prairial an III, on la remplace alors par une statue de la Liberté qui connaîtra elle aussi des malheurs. Au bourg il semble bien que c'en soit fait de l'autel de la Patrie, du moins sous sa forme permanente : et lorsqu'en l'an VI on lui redonnera vie, ce sont des constructions temporaires pour la durée d'une fête qu'on signale, tant à Varages qu'à Ollioules ou Tarascon, signe d'un zèle que d'autres municipalités ne partagent pas, laissant dégrader les leurs (Lambesc).

Symboles en marche

A côté de ces points d'insertion fixes, les symboles en marche : leur profusion dans la fête oblige de les ranger sous des rubriques qui s'imposent d'ailleurs aisément, esquissant, dans leur ventilation, l'inventaire iconographique de la fête révolutionnaire provençale telle que nous la percevons à travers les procès-verbaux : sous une forme résiduelle donc, mais peut-être pas déformée à ce point.

En premier lieu viennent les symboles inanimés dont la Révolution s'est progressivement forgé un système, de la pique aux faisceaux, en passant par le bonnet phrygien (72 occurrences sur 209 dans notre corpus), puis, affectés d'une connotation moins nettement engagée, les objets du labeur quotidien, des outils à la charrue (14/209), après quoi l'on entre dans le panthéon révolutionnaire par les créatures d'imagination qui ont nom Liberté, Raison, Victoire... ou athéisme (44/209) qu'elles apparaissent statufiées... ou bien vivantes ; d'où l'on passe à la galerie des héros du passé ou du présent, de Brutus à Marat (49/209), le thème se complétant par l'allusion directe à la mythologie ou à l'histoire de l'antiquité (9/209). Reste une dernière rubrique, que l'on peut définir comme le registre de l'anathème ou l'ostension des dépouilles de l'Ancien Régime, sous des formes aussi variées que les pierres de la Bastille, les confessionnaux des églises ou les mannequins du pape et du roi d'Angleterre !

Avant que de décrire ces produits de l'inventivité révolutionnaire, on peut d'un mot en délimiter la diffusion dans le temps comme dans l'espace. Chronologiquement, une courbe sans appel montre la fête créant ses symboles depuis les débuts très modestes de 1790 et 1791 jusqu'à la prolifération impressionnante de 1794, puis la retombée quasi totale des années suivantes, à peine infléchie par une légère reprise en l'an VI, qu'il faudrait peut-être souligner un peu plus du fait que nous n'avons pas fait figurer certains accessoires nécessaires des fêtes devenues d'obligation : ainsi les faisceaux que rassemblent les vingt-quatre vieillards de la célébration de la souveraineté du peuple. Mais le bilan reste sans équivoque dans sa massivité. Il demande toutefois à être nuancé géographiquement : les occurrences relevées sont à 79 % apportées par six villes importantes (Marseille, Aix, Arles, Avignon, Toulon, Nice), trente et une localités seulement, dont une dizaine de villes de plus de cinq mille habitants se partageant le maigre reliquat. Est-ce à dire que les bourgs ou les villages n'ont rien connu de l'imagerie révolutionnaire ? A coup sûr non, mais outre qu'ils en ont fait une confidence beaucoup plus discrète, ils n'en ont certainement pratiqué qu'une partie restreinte et somme toute assez pauvre.

Parmi les symboles inanimés, une statistique, appauvrissante comme toutes les statistiques, mais sans doute pas infidèle, classe par ordre de fréquence décroissante le bonnet phrygien, la montagne, la pique ; l'urne, accessoire obligé des grandes cérémonies funèbres, les faisceaux (grâce à la fête de la souveraineté du peuple), puis pêle-mêle, pour une ou quelques apparitions, le vaisseau de la République (deux cas), le niveau (un), l'aiguière, le soleil ou l'œil. N'émerge de cette ultime poussière d'impressions éparses que la guillotine qui se rencontre comme symbole dans le cortège en cinq occasions, mais dans un seul site, Arles, qui la promène avec obstination d'octobre 1793 à juillet 1794. Mais c'est exception dans une palette où les symboles positifs l'emportent de façon écrasante.

Du bonnet phrygien à la Sainte-Pique

Pour s'en tenir à quelques-uns, le bonnet phrygien apparaît à Marseille dès le mois d'avril 1790 dans la fête offerte aux commissaires du roi : mais c'est nouveauté signalée, par le notable qui le porte dans le cortège, au bout d'une pique. C'est véritablement 1792 qui fait sa fortune : il se répand du printemps à l'été au sommet des arbres de la Liberté qu'il couronne, et 1794 voit les sites attardés l'adopter sur leurs monuments, ainsi Digne qui en couronne son clocher en pluviôse an II. Après l'éclipse de rigueur, l'an IV très discrètement, l'an VI dans les campagnes plus encore qu'à la ville (La Valette ou Roquebrune dans le Var), le voient réapparaître dans quelques cérémonies. Les tribulations de la Sainte-Pique sont pratiquement synchrones de celles du bonnet phrygien, à cela près qu'elle apparaît sensiblement plus tardivement, à l'été 1792 (Aix au mois d'août), mais par la suite elle se trouve fréquemment associée à lui, ainsi en l'an II. La réaction de l'an III reconnaît à sa manière la pugnacité symbolique de la pique, qui en dépouille à Marseille le 19 novembre 1795 la statue de la Liberté pour y substituer un rameau d'olivier. Elle réapparaîtra pour un temps, elle aussi en l'an VI.

La montagne, sainte elle aussi, s'identifie précisément à l'an II, ou plus nettement encore apparaît, en Provence, à Arles en octobre 1793, lors de la cérémonie funèbre de Marat. Elle sera promenée ensuite en l'an II, à Arles encore avec constance, mais aussi à Aix, cependant qu'au 19 janvier 1794 Avignon consacrera un char au thème de la Montagne assiégeant Toulon. En prairial les symboles de la Montagne se répondent en écho dans un même site et Marseille en germinal an II (fête de la fraternité) promène une montagne, cependant qu'une autre s'élève en plein air, et une troisième dans l'église des prêcheurs : redondances qui se retrouvent en d'autres lieux (Font-vieille où l'on va d'une montagne « naturelle » à celle qui s'élève dans le temple).

Les symboles plus élaborés ou moins directs restent témoignages plus isolés et privilèges urbains : ainsi le niveau que nous avons vu porté à Marseille en l'an II par deux citoyens, l'un riche, l'autre peu aisé. Mais certaines fêtes privilégiées, pas toujours dans les plus grandes cités, s'offrent comme une collection profuse de tableaux symboliques expressifs d'une pédagogie révolutionnaire : ainsi pour Entrevaux en décembre 1793 comme pour Fréjus en janvier 1794, dans l'un et l'autre cas à l'occasion de la reprise de Toulon. Il nous faudra revenir sur ce point.

Le travail honoré dans ses outils

On peut passer beaucoup plus vite sur la symbolique de la nature ou du travail, à laquelle nous réservons cependant un regard particulier pour la part qu'elle a occupée en certaines périodes, et pour être précis, essentiellement d'octobre 1793 à juin 1794 ou prairial an II. C'est en octobre 1793 pour célébrer Marat qu'apparaît à Arles le char évocateur des activités de la ville et de la campagne, chargé d'un pressoir ; Aix fera figurer à partir de décembre un char de l'abondance ou des quatre saisons, imitant en cela Marseille qui, dès le 18 novembre, a fait exécuter par Raynaud, sculpteur, un groupe sur ce thème. D'Arles à Marseille, à Aix mais aussi à Nice ou à Fréjus, le thème se met alors en place, parfois réduit à la présence d'une charrue : il se retrouve très généralement au 20 prairial à la fête de l'Etre Suprême, qui, il est vrai, le prévoit dans son scénario officiel : à Marseille comme à Avignon, les taureaux domptés précèdent la charrue, et s'insèrent dans une profusion de productions naturelles, fruits ou fleurs des bouquets, qui donnent à la fête son cachet particulier de fête de la nature. Les pétales de la Fête-Dieu, en beaucoup plus exubérant. Le Directoire n'oublie pas totalement ce thème, mais il le modifie : l'insérant tout naturellement dans la fête des Agriculteurs, lui laissant sa place dans celle des Vieillards, dont la coloration automnale s'accompagne de distribution de fruits et de bouquets. Puis, occasionnellement, en l'an VI (toujours l'an VI), on le voit réapparaître sous une forme spontanée, ainsi à Marseille en pluviôse an VI lors de la plantation d'un arbre de la Liberté que trois jeunes filles arrosent du contenu de trois aiguières de lait, de vin et de miel : jardinage incongru à l'usage des populations urbaines.

Créatures d'imagination : Liberté et Raison

La personnalisation des valeurs vécues au creuset de l'expérience révolutionnaire et son expression soit par l'image et la statuaire, soit par le tableau vivant, reste un des traits les plus connus, mais aussi les plus caractéristiques de cette inventivité de la fête. Statufiée d'abord, vivante ensuite, la Liberté puis la Raison sont apparues aux

spectateurs de la fête, à la ville d'abord, mais aussi à la campagne :
car si deux tiers des occurrences relevées restent concentrées dans les
six milieux urbains dont on a parlé, la proportion est inférieure à celle
que nous avons relevée dans l'ensemble pour la diffusion de la symbolique révolutionnaire. On s'en explique quand on sait que tel
sculpteur localement implanté comme Chardigny a diffusé dans toute
la région les plâtres de la Liberté dont il avait imaginé le buste. On
s'en explique aussi en constatant que cette apparition, loin de choquer
toujours, a été perçue positivement par les regards populaires comme
on peut le deviner aux descriptions de l'Avignonnais Coulet : vivante
ou statufiée, cette femme ne le surprend pas, qui n'est pour lui ni
la Liberté ni la Raison, mais « la mayre de la patrie ». On a retrouvé
la Bonne Mère, diraient les amateurs de folklore méridional superfi-
ciel : il se trouve qu'elle est souvent une vénusté, ce qui ne gâte rien.
Mais on s'explique aussi, par réaction, l'ardeur mutilante ou massa-
crante de l'an III. Pour avoir parlé, à propos de la femme, des déesses
Liberté ou Raison de chair et d'os, nous n'y reviendrons pas :
mais le thème iconographique, pris pour lui-même, réclame quelque
commentaire. Quelle déesse est apparue aux Provençaux ? La Raison,
nous ont dit les chroniqueurs souvent malveillants et scandalisés du
XIXᵉ siècle ; la Liberté, nous répondent les sources, puisque nous relevons dans notre corpus non exhaustif, mais suggestif à coup sûr,
vingt-huit Libertés vivantes ou statufiées pour six déesses Raison.
Les autres personnifications occasionnelles se comptent sur les doigts
de la main : « Marseille » à ... Marseille au 14 juillet 1790, la Victoire (Entrevaux, 21 décembre 1793), l'Egalité et la France (Fréjus,
janvier 1794), les quatre parties du monde (Marseille, an VI), et
— mais dans deux sites seulement — la statue de l'athéisme brûlée
au 20 prairial an II (Aix et Avignon). Pour l'ensemble, ce processus
de personnification est très précisément daté : sur quarante-quatre
occurrences, trente se situent entre l'hiver 1793 et les débuts de
l'été 1794. L'histoire de cette découverte n'est cependant pas indifférente, qui nous montre Marseille ouvrir la marche en se statufiant
elle-même en juillet 1790, Aix suivre (commande en octobre 1791
d'une statue de la Liberté à Chardigny), cependant que l'été 1792,
comme on l'a vu plus haut, découvre au passage de Dorfeuille les
beautés d'une Liberté vivante : puis on sait aussi après la flambée
de l'an II les aventures de la Liberté animée ou statufiée : comment

elle se cache ou se dissimule sous les traits d'une petite fille (an VI). Nous ne sommes point sûrs cependant que ce n'est pas à cette période que l'image de la Liberté a été le plus amplement diffusée dans les mairies de campagne, utilisée réglementairement pour certaines cérémonies, ainsi celle des époux ou de l'agriculture où elle est promenée sur un brancard.

L'héroïsation révolutionnaire

L'héroïsation, ou la célébration des héros d'hier ou d'aujourd'hui tient dans un cortège révolutionnaire dont elle fournit parfois le thème central (fêtes funèbres ou apothéoses) une place importante. Les Provençaux ont d'abord révéré la personne royale : et le 14 juillet 1790 à Aix réserve dans sa célébration une place d'honneur au portrait du souverain, présenté par un peintre local, et promené en grande pompe. Mirabeau, au printemps suivant, aura droit à son portrait dans la salle du département du Var : le trait n'est pas isolé qui se retrouve dans les autres villes importantes. Là encore, c'est véritablement la séquence des six mois qui vont d'octobre 1793 à avril 1794 — de brumaire à germinal — qui concentre la très grande majorité des exemples relevés (43 sur 49). Le palmarès n'est point sans intérêt : sur 15 héros ainsi mis à l'honneur, 10 n'apparaissent qu'une fois... mais Marat est présent en 13 cérémonies, dépassant de peu Le Peletier (11 occurrences). Les Provençaux n'ont pratiquement pas connu Chalier, troisième homme de la triade héroïque, qui ne figure qu'à deux reprises dans leurs célébrations, ils n'ont fait qu'un sort aussi médiocre aux héros enfants, ce qui étonne un peu pour Viala, célébré, il est vrai, chez lui à Avignon. On voit passer occasionnellement les héros de second rang que les Marseillais, ou leurs voisins, avaient connus directement, victimes du fédéralisme méridional : Baille ou Gasparin. Mais pour équilibrer la personnalité écrasante des héros divinisés, Marat (« nous ne devons avoir de culte que pour lui », dit-on à Arles) ou secondairement Le Peletier, les Provençaux préfèrent se tourner vers le passé récent ou lointain : solution préférable aux inventions incongrues qui prouvent combien la Provence est loin de Paris, telle que la découverte en janvier 1794 à Fréjus d'un portrait de... Simonneau dont la présence n'apparaît pas très opportune. Les héros du passé seront Rousseau, cinq fois signalé en buste ou en image, à Marseille, Avignon, Nice ou Digne, qui l'emporte haut la main sur Voltaire, une seule fois associé à Jean-Jacques. Surtout, Brutus est huit fois signalé dans une Provence qui tient à se retremper dans la tradition d'une fermeté romaine. Aucun de ces héros ne suscite, même Le Peletier, des manifestations aussi extrêmes que Marat ; en Arles, il est vrai fort foyer maratiste, on lui consacre un tableau vivant : un disciple de Marat argumente avec un prêtre et un religieux, cependant qu'en un autre point du cortège on porte sur un bassin les yeux de l'Ami du Peuple : image digne d'un Zurbaran et propre à faire rêver surréalistes... ou psychanalystes.

Les formes du culte de la personnalité proscrites par thermidor, le héros disparaît de la fête directoriale, mais pas totalement, puisque Brutus et Rousseau se retrouvent à Marseille en l'an VI, cependant que la même année Avignon célèbre le général Hoche en promenant sur un brancard un « simulacre » du héros revêtu d'un uniforme de général en chef : rappel intéressant des figures de cire des églises baroques comme de la pratique du tour de ville. Ces ultimes exceptions ne sont point sans intérêt.

Appel à la mythologie : oripeaux de Romains

Avec les déesses Raison ou Liberté, le héros fait partie d'un panthéon qui se complète parfois de références explicites à la mythologie antique : assez rares il est vrai, et essentiellement urbaines, encore qu'on rencontre à Entrevaux en décembre 1793 un cavalier armé de pied en cap « pour figurer le dieu Mars ». Pour se draper dans leurs oripeaux de Romains, les cités ne manquaient pas, à vrai dire, de références qui n'étaient point toutes néo-classiques, mais bien plutôt extraites de la fête de cour popularisée et folklorisée : qu'on se souvienne des divinités des jeux de la Fête-Dieu à Aix. C'est bien un char de ce style que l'on croit voir promener à Avignon en 1792, où trône Bacchus, au milieu, il est vrai, de faisceaux d'emblèmes nationaux. Bacchus, référence encore carnavalesque, se voit préférer en l'an II l'Hercule à massue qui triomphe à Aix du fédéralisme (20 décembre 1793), comme il se retrouve à Marseille à plusieurs reprises paré de ses dépouilles. Dans ces deux villes, la présence d'un

théâtre et de la figuration qu'il fournit agrémente le cortège du spectacle moins sévère du char d'Apollon et des Muses, lui aussi repris
de la fête traditionnelle, tandis que les blessés et invalides sont pour
leur part préposés à celui de Mars. Une lecture plus politique, plus
scolaire aussi, ne se trouve que bien rarement, encore que Toulon,
au 20 prairial an II, décore son temple d'images figurant la mort
de Lucrèce, le dévouement de Décius ou l'héroïsme de Scevola. La
figuration à la romaine... ou à la grecque n'est pas inconnue en l'an II :
ce sont quatre Romains associés à quatre sans-culottes qui portent
à Nice en nivôse la déesse Liberté, cependant que Fréjus organise sur
le modèle spartiate les groupes symboliques des enfants, des vieillards
et des adultes (janvier 1794) : c'est à ce niveau d'une lecture de collège que subsistera seule cette symbolique dans le seul exemple que
nous propose la période directoriale, à Marseille en l'an VI : pour
fêter la souveraineté du peuple, quatre jeunes gens vêtus à la romaine
entourent un cinquième costumé en tribun du peuple qui porte le
grand livre de la Constitution.

Les accessoires de l'anathème

Au registre de l'exaltation ou de l'apothéose s'oppose celui de
l'anathème : non sans ambiguïté parfois, car l'objet d'exécration trans-
figuré devient symbole du triomphe : à Marseille comme à Avignon
ou à Nice, on a porté en 1793 et 1794 une maquette ou des pierres
de la Bastille : et dans la même inspiration on porte, pour célébrer
la reprise de Toulon, les drapeaux pris sur l'ennemi comme on avait
présenté en grande pompe à l'automne 1792 les étendards ravis aux
troupes du roi de Sardaigne. Mais, plus généralement, c'est comme ali-
ments du brasier de l'autodafé qu'apparaissent ces accessoires, souvent
désignés globalement « emblèmes féodaux » ou « papiers de l'Ancien Régime » dans un premier registre, « emblèmes du culte » ou
mobilier des églises, des tableaux aux statues de bois ou aux confessionnaux dans un autre. Mais de même, qu'on a peuplé l'univers
lumineux de la fête d'un panthéon composite, les enfers le sont aussi :
on brûle des portraits exécrés (le cardinal Maury à Arles en octobre
1793), plus souvent des mannequins dans la « flambée » des mascarades de l'hiver 1793-1794 : roi, pape, souverains coalisés, mais

aussi parfois adversaires plus connus ou plus proches : contre-révolutionnaires locaux pendus en effigie à la lanterne à Marseille dès janvier 1791 à Arles (l'ancien maire Loys en janvier 1793). Comme on
faisait parfois appel dans le charivari à un voisin complaisant pour
tenir le rôle du mari battu, il se trouve parfois des sans-culottes dévoués
pour tenir ces rôles ingrats : un chiffoniste et un prêtre sont ainsi ridiculement promenés à Arles en octobre 1793.

XIV

DU VOCABULAIRE À LA SYNTAXE :
L'ORDRE DU CORTÈGE

On nous accuserait à juste titre de morceler artificiellement les aspects de la fête, alors qu'elle se veut spectacle total, en n'en retenant que les éléments pour la plupart inanimés : l'idéal rousseauiste, auquel consciemment ou non se sont référés les organisateurs, refuse la distinction spectateur-acteur et valorise l'élément humain dans la fête : et bien certainement l'opposition est essentielle, que nous avons été amené à faire en parlant de la sociologie de ces célébrations, du cortège qui défile entre deux haies de soldats ou de gardes nationaux et de la fête où toute la population est invitée à participer directement : différence de la fête donnée (ou reçue) et de la fête vécue.

Mais supposé résolu ce point (avec toutes les incertitudes qui demeurent), l'ordre du cortège reste essentiel comme perception du message que l'on a voulu faire passer : abordons-le, si l'on veut bien nous passer cette commodité pédagogique, de façon statique tout d'abord, pour l'animer ensuite.

Nous ne manquons pas sur ce point de documentation : exceptionnellement abondante dans les grandes villes, où le souci des municipalités de publier à l'avance un ordre du cortège répond essentiellement à des préoccupations d'ordre public et d'organisation : mais les procès-verbaux après la fête répondent en écho, tant au village qu'à la ville, aux documents préparatoires. A partir de ces éléments, il est loisible de voir s'élaborer, quitte à être un temps radicalement

remise en cause, une ordonnance qui deviendra finalement très sté-
réotypée.

L'héritage : la procession

On ne manquait pas, à vrai dire, de références ou de solutions
toutes prêtes à partir du système festif de l'Ancien Régime. Référence ?
La procession, en campagne comme à la ville, le cortège urbain dans
les cités. La procession, sans même intention parodique, fournit l'ordonnance de ses groupes aussi tard que le 20 nivôse an II (1er janvier
1794) à Annot, il est vrai bourg alpin, lieu retiré. Pour célébrer la
prise de Toulon, on voit défiler derrière les autorités municipales
le juge de paix, la société populaire, « huit chantres choisis » suivis
de « toutes les chanteuses et autres citoyennes », puis de « tous les
autres chantres et citoyens de la commune », cependant que la constitution est portée par les quatre plus âgés sur un brancard, sous un
dais rouge..., le tout défilant entre deux haies de troupes. On le
voit, jusqu'à la ségrégation des sexes, tout le cérémonial religieux
est transposé, à la différence près que le Saint-Sacrement a été remplacé par la Constitution : arrivé à l'église, le maire monte à l'autel
et procède à l'ostension du texte constitutionnel qu'il montre au
public, avant qu'on ne le ramène à la mairie. On ne serait pas en
peine de trouver pareilles transpositions, singulièrement lors des fêtes
funèbres, où la pratique du « tour de ville » traditionnel dans les
mœurs baroques est constamment reprise.

Adopter le cortège « profane » urbain aux circonstances nouvelles posait un certain nombre de problèmes techniques ou idéologiques : les nouvelles autorités en ont eu conscience et on en trouve
en particulier l'écho autour du 14 juillet 1791 : dès la fin juin, les
municipaux de Saint-Rémy s'inquiétaient auprès des Marseillais pour
savoir s'il convenait de faire défiler sur deux rangées parallèles les
officiers municipaux et les autorités judiciaires. Les Marseillais répon-
daient qu'il convenait de faire passer les tribunaux derrière les municipalités, et que jusqu'à ce jour il avait été, à Marseille, de tradition
de faire défiler parallèlement membres de la municipalité et du district : mais qu'une loi récemment prise avait donné aux districts le
pas sur les autorités locales. On mesure à de telles négociations la

difficulté de se défaire des anciennes querelles de préséance, alors même qu'on affirmait par ailleurs l'idéal tout différent d'une fête égalitaire, débarrassée des anciens codages hiérarchiques : c'est à la même date (13 juillet 1791) que la mairie de Marseille, incitant messieurs de la marine marchande au renouvellement du serment fédératif, ajoutait : « Nous ne vous assignons aucune place particulière, parce qu'au pied de l'autel de la Patrie tous les rangs doivent être confondus. »

Naissance d'un ordre stéréotypé

L'ordre qui émerge de ces contradictions parfois aigrement vécues est sans imagination : cortège ouvert et fermé par un peloton de cavalerie, suivie de tambours et de détachements armés — troupes de ligne ou gardes nationales —, autorités diverses : département, municipalité, district, tribunaux, représentants aussi, sinon des « corps » (les corporations, on l'a vu, ne subsistent dans le cortège qu'un temps en Avignon), du moins des notabilités : consuls étrangers, ou à Marseille bureau de la Santé, du Commerce, administrateurs des hospices... présences qui ne sont point sans rappeler l'ancien cérémonial de l'âge baroque. De la participation des instituteurs et de leurs élèves comme de celle du clergé, il a déjà été traité et nous n'y reviendrons pas : d'un mot, disons qu'un cortège type s'élabore, qui connaît ses versions plus ou moins fournies ou diversifiées suivant l'importance des agglomérations, la complexité la plus grande se rencontrant dans les grandes villes : Aix, Arles, Avignon et surtout Marseille.

C'est en 1792 que les choses commencent à changer ; comme on peut en juger d'après l'esquisse statistique que nous en proposons ci-contre :

	1790	1791	1792	1793	1794
Nombre de fêtes *dont on connaît l'ordonnance*	16	13	23	28	50
Fêtes « sans ordre » (du type spontané) (1)		1		3	1
Ordonnance originale ou inventée (2)	2		6	9	30
% (1) + (2)	12 %	7 %	26 %	43 %	62 %

1792-1793 : l'éclatement du cortège

Qu'il s'agisse des plantations d'arbres de la Liberté ou de fêtes funèbres ou triomphales, de nouveaux éléments s'introduisent dans un cortège qui se diversifie : dans un quart des cas en 1792, près des deux tiers en 1794. Comment le tournant s'est-il fait ? Si l'on ne craignait d'appauvrir en simplifiant abusivement, on pourrait dire que la nouveauté prend naissance par deux voies, endogène et exogène. D'influences extérieures proviennent alors ces groupes qui prennent place dans le cortège : ainsi les vestales de blanc vêtues dont Dorfeuille orne les cortèges funèbres. Mais la province est-elle moins inventive ? C'est dès le printemps (avril 1792) que les « glaciéristes », de retour à Avignon, ont promené le chariot tiré de vingt-deux ânes, portant Bacchus sur son tonneau, et Arles en octobre n'a pas besoin qu'on lui apprenne, pour agrémenter le cortège de plantation d'un arbres de la Liberté de groupes composites, d'âges ou de professions, scandés ou séparés par des barrières, des drapeaux, des emblèmes symboliques. Avec les liturgies organisées par Dorfeuille en août, à Marseille ou à Grasse, comme avec celle-ci, le cortège prend une autre allure et comme une autre finalité : il n'est plus simple manifestation de présence mais démonstration pédagogique plus ou moins structurée.

C'est ce type de cortège qui s'enfle et se généralise en 1793, dans les deux poussées que nous connaissons bien désormais : janvier, février, fêtes en l'honneur de Le Peletier, puis cortèges de l'hiver 1793-1794, des célébrations en l'honneur de Marat, au groupe des cortèges carnavalesques de la période déchristianisatrice. Ordres foisonnants, déconcertants bien souvent par la multiplicité des éléments qui renforcent le caractère de spectacle de la démonstration. Si l'on veut dater avec quelque précision, c'est à Marseille le 18 novembre 1793, lors d'une des toutes premières fêtes décadaires encouragées par Fréron que se mettent en place les groupes et chars (civiques, mythologiques, professionnels...) que l'on retrouvera ensuite avec constance pendant plus de six mois ; c'est à la même époque qu'Entrevaux, dans un site beaucoup plus agreste fait, en décembre, de la célébration de la prise de Toulon, l'occasion d'un défilé où la Liberté, la Raison, Mars et la Victoire conduisent le branle civique qui s'achève en autodafé.

C'est dans la continuité de ces trouvailles que se déroulent les grands cortèges de l'hiver et du printemps 1794, à Marseille, Arles, Avignon, Nice, Monaco, Fréjus, Carpentras et même Toulon fraîchement reconquise. Les décrire tous ? Il suffit d'évoquer un ou deux des plus significatifs : contentons-nous, si l'on veut, de la fête fraternelle du 1er germinal an II à Marseille et du cortège en l'honneur des martyrs de la Liberté du 30 nivôse à Fréjus ; l'un et l'autre nous ont déjà proposé plus d'un détail illustratif : on ne considérera ici que leur ordonnance générale.

Il n'y a pas moins de trente-trois groupes à Marseille :

1. Un détachement de cavalerie et deux trompettes,
2. Un Hercule portant le guidon de la République,
3. Douze tambourins,
4. Le faisceau du département,
5. Les drapeaux et tableaux du 10 août,
6. Six tambours de guerre,
7. Le char d'Hercule traînant les dépouilles du fédéralisme,
8. La Nation génoise et son pavillon noué à celui de la République,
9. La Direction des hôpitaux,
10. La charrue et les agriculteurs,
11. Le char de l'abondance et des quatre saisons,

12. Le comité des subsistances et des répartitions,
13. Six tambours de guerre,
14. Le char de Mars et des guerriers,
15. La compagnie des invalides,
16. Le modèle de la Bastille,
17. Un corps de musique instrumentale et des acteurs et actrices,
18. Le char d'Apollon et ses neuf muses,
19. Les écoles nationales portant les allégories des arts,
20. Un groupe de vieillards,
21. Un groupe de citoyennes avec des rubans tricolores,
22. Le buste de Le Peletier,
23. Le buste de Marat,
24. Le buste de Brutus,
25. La statue de la Raison,
26. La Société populaire,
27. Le char des grands hommes morts pour la patrie,
28. Un corps de musique instrumentale,
29. La Montagne suivie du décret qui rend son nom à Marseille,
30. Le représentant du Peuple et les autorités constituées civiles et militaires...,
31. Les ateliers révolutionnaires,
32. Le peuple et la garnison sans armes,
33. Un piquet de cavalerie fermant la marche.

Ordre à première vue déconcertant : et cependant évidente intention pédagogique dont l'agent national, dans son procès-verbal, livre la clé : les vieillards sont « le vrai symbole du respect dû à la vieillesse », les agriculteurs et les ouvriers, « la figure des devoirs et des besoins que la nature impose », tandis que le bataillon du 10 août annonce aux ennemis de la liberté qu'ils doivent redouter l'énergie révolutionnaire.

Point n'est besoin d'un décryptage pour la fête des martyrs de la liberté à Fréjus, dans la mesure où les groupes proposent, sous forme d'inscriptions portées, la justification de leur présence :

1. Une bannière portant les mots :

> *La Société populaire de Fréjus à Marat, à Le Peletier et autres martyrs de la Liberté.*

2. Quatre sapeurs. — Les tambours. — Un détachement du bataillon de chasseurs...

3. La Société républicaine précédée d'une bannière où il était peint le soleil entre les signes du lion et du scorpion avec ces mots :

Les monstres ne m'arrêtent pas.

4. Un premier corps de musique... et un chœur de citoyennes.

5. Les Droits de l'homme et du citoyen et l'acte constitutionnel portés par les quatre âges figurés par le Génie de la France...
Cette statue était suivie d'un groupe d'enfants portant des lois ; le tout précédé par une bannière où étaient inscrits ces mots :

Ces lois comme celles de la nature ne périront jamais.

6. Les vertus républicaines telles que la fidélité à la patrie, la loyauté, le courage, la piété filiale, la vieillesse, le malheur... (Tous les personnages représentant ces vertus étaient accompagnés d'un enfant portant une branche d'olivier.)

7. La Raison avec ses attributs.

8. Douze vieillards... précédés d'une bannière où était inscrit :

Nous avons été jadis
jeunes, vaillants et hardis...

9. La Liberté avec ses attributs.

10. Douze citoyens armés d'un fusil portant une branche de laurier précédés d'une bannière...

Nous le sommes maintenant
A l'épreuve à tout venant.

11. L'Egalité avec ses attributs.

12. Douze enfants... précédés d'une bannière :

Et nous un jour le serons
Qui bien vous surpasserons.

13. Les Instituteurs nationaux précédés d'une bannière :

Nous les élèverons dans la haine de la tyrannie et la pratique des vertus...

14. Les arts et métiers :

D'utiles citoyens, respectable assemblée.

15. Les administrateurs de l'hôpital de la charité :
    Le malheur soigné et honoré.

16. Le corps de la marine :
    Il brave les dangers.

17. Le tribunal de paix :
    Il porte la lumière et la tranquillité.

18. Les tribunaux de commerce et de district précédés d'une ban-
    nière où était peint une balance en équilibre et pour devise :
    Aussi justes.

19. Une corbeille contenant les ouvrages des grands hommes.

20. La municipalité.

21. Les bustes de Marat et Le Peletier.

22. Le second corps de Musique.

23. Un détachement de la force armée suivi d'une bannière portant
    ces mots :
    La mort n'est qu'un sommeil éternel.

24. L'urne contenant les cendres des martyrs de la liberté portée
    sur un brancard.

25. L'administration du district précédée d'une bannière où étaient
    peints des domaines nationaux, des gerbes de blé, des meubles,
    des pièces d'argenterie, et sur le devant un chien avec des per-
    dreaux et pour devise ces mots :
    Il les garde.

26. Le comité de surveillance précédé d'une bannière où était peint
    un œil :
    Rien ne peut m'échapper.

27. Un détachement de la force armée...

Mieux encore que le précédent, tel cortège dans son incohérence
apparente offre une illustration assez significative de la prolixité des
discours que la Révolution, pour reprendre l'expression de M. Ozouf,
tient alors sur elle-même : se référant à la fois au panthéon de ses
génies protecteurs, déités abstraites ou héros défunts, au système des

valeurs morales qui régissent son cours, passant enfin en revue ses forces concrètes : autorités civiles et militaires, groupes professionnels et groupes d'âge, sans qu'apparaisse encore de façon décisive le choix mystificateur qui fera privilégier les seconds aux détriments des premiers.

Disparition du cortège ?

Cette vision qui se veut totalisante de l'univers révolutionnaire apparaît bien comme un des traits les plus caractéristiques de la fête, sinon spontanée, du moins localement organisée de l'époque qui court jusqu'en ventôse-germinal an II : c'est elle qui se substitue à l'inorganisation relative de la foule déchristianisatrice des mascarades et autodafés ; autre forme possible, alors, de la fête révolutionnaire, encore qu'on puisse, de l'une à l'autre, trouver tous les stades de transition. On ne peut s'empêcher, à parcourir des yeux ce cortège prolixe, bavard et souvent naïf, de penser à telles autres formes d'expressions ou de proclamations révolutionnaires que nous avons pu rencontrer : ainsi l'étonnant cénotaphe maçonnique du bourgeois aixois autodidacte Joseph Sec qui se veut également une vue complète du monde.

Cette innocence n'a qu'un temps : il serait commode de dire qu'elle cesse dès floréal an II, reprise en main par le gouvernement révolutionnaire du système des fêtes sur le plan national, et dans les faits (ou sur le terrain), dès prairial an II, lors de la fête de l'Etre Suprême. Dans l'analyse que nous faisons du cortège, le tournant est à coup sûr d'importance, puisque désormais, pour la très grande majorité des cas, il y aura application locale d'un canevas national parfois très détaillé. En suivre sur place les éléments garde-t-il son intérêt et ne risque-t-on pas de voir se répéter les motifs stéréotypés d'un schéma qui n'a rien de provençal ?

En fait, le cas même de la fête de l'Etre Suprême indique bien l'autre piste d'exploitation qui s'offre désormais à l'étude de la composition des cortèges : celle des variantes, des refus ou des ajouts locaux : de la part d'initiative qui reste à ceux qui appliquent les directives, permettant ainsi de distinguer la fête reçue de la fête incomprise. Ce volant d'initiative n'est pas nul encore au 20 prairial, puisqu'il semble

bien que deux cités provençales seulement, Aix et Avignon, aient
appliqué dans sa littéralité le canevas davidien. Ailleurs, on s'est
interrogé, et nous n'en prendrons pour exemple — mais il est beau
dans son unicité même — que celui du village de Fontvieille près
d'Arles, où, pour régler, de la façon la plus égalitaire qui soit, l'ordre
du cortège, on décide que les citoyens défileront dans l'ordre alpha-
bétique de leurs noms. Pointe extrême de l'égalitarisme jacobin.

Le temps de la reprise en main : cortèges directoriaux

Mais les temps de la reprise en main sont venus. A-t-elle été vécue
comme coercitive ou appauvrissante ? Dans ces élites, mêmes montagnardes, qui tiennent alors villes et bourgs du Midi, elle a pu être
souhaitée : dès nivôse an II à Carpentras, le compte rendu de la
célébration de la prise de Toulon dénonçait l'improvisation, les stations mal disposées, le simulacre ridicule auquel on s'était livré, de
la prise d'un fort de carton... et réclamait cet ordre « toujours le
même » qui donnerait aux fêtes le « caractère de dignité auguste »
qui leur permettrait de remplacer « les anciennes fêtes du fanatisme ».
Contestée la fête improvisée ou le simulacre puéril, on retrouvait les
vieilles querelles d'antan : et la fête de l'Etre Suprême à Aix voit se
réveiller une aigre contestation entre le district et la municipalité sur
la préséance qui leur revient dans les cortèges.

Le système des fêtes directoriales règle, semble-t-il, la question en
imposant un scénario identique à la plupart des célébrations, seules
les fêtes funèbres à la limite laissant aux exécutants une part d'invention. Dans l'ensemble, c'est le cortège de type stéréotypé qui l'emporte et se fige dans un rituel très codifié : c'est lui que l'on rencontre
sans fioritures dans des célébrations aussi importantes que celle de
la fondation de la République ou du 21 janvier. Point n'est besoin
ici de multiplier les exemples de cortèges qui se ressemblent : et nous
nous contenterons, pour évoquer la fête « banale » de l'époque directoriale, d'emprunter à Marseille le plan de marche de la plantation
d'un arbre de la Liberté le 26 pluviôse an VI : en tête, un détachement
de la gendarmerie, suivi d'une peloton de cavaliers, puis le commandant de la place et son état-major à cheval, l'état-major de la
Marine, suivis de détachements des troupes de ligne. La magistrature

emboîte le pas, séparée par quelques tambours du groupe du bureau
central et des commissaires du département, des trois municipalités
marseillaises enfin. La fioriture ici, où la nuance de fantaisie est
apportée par le groupe de trois jeunes citoyennes porteuses d'aiguières,
de lait, de vin et de miel, puis par celui des quatre jeunes filles
qui symbolisent les quatre parties du monde. Mais ce qui suit est fort
classique : instituteurs et leurs élèves, mâles et femelles, commissaires
de police, agents aux relations extérieures, consuls, conservateurs de
la Santé, membres de l'Agence d'Afrique, administrateurs des hospices,
membres du bureau de bienfaisance, directeurs et agents des postes,
des domaines et des douanes, prudhommes... un détachement de cavalerie ferme la marche de ce cortège où se retrouvent, selon l'expression
du sentencieux chroniqueur Coulet qui les observe en Avignon, « tous
ceux qui mangent le pain de la République ».

Tel schéma se retrouve à des dizaines d'exemplaires, simplement
modulé en fonction de l'importance des agglomérations : il comporte
aussi, on le sait, les exceptions prévues par la loi dans le cadre de
certaines fêtes particulières : les fêtes de la Jeunesse, des Epoux, des
Vieillards comme celle de l'Agriculture mais aussi de la Souveraineté
du peuple en ventôse, mettent en valeur des groupes particuliers :
agriculteurs et leurs instruments de labour, et plus souvent encore
ces groupes d'âge dont on a souligné l'importance décisive dans la
fête directoriale : jeunes et vieux notamment affectés à des rôles
complémentaires tant dans la fête de la Jeunesse que dans celle des
Vieillards ou de la Souveraineté du peuple, parfois présents aussi
dans celle des Epoux.

Mais telles nuances restent, en Provence, surtout curiosité urbaines,
dans la mesure où ces fêtes « morales » prévues dans le système
des festivités directoriales n'ont que très modérément mordu sur
les bourgs et villages. De l'an IV à l'an VII — et surtout en l'an VI —
les groupes de la fête de la Jeunesse ont pu prendre consistance dans
des bourgs comme Pertuis ou même Grimaud, mais le cortège de
la fête des Vieillards ne se rencontre guère sous sa forme complète
qu'à Marseille, et ce privilège urbain vaut aussi bien — paradoxe ! —
pour le cortège des agriculteurs.

Montrer et démontrer : le « gestuel » dans la fête

Le cortège se veut démonstration et proclamation : et dans bien des cas il se suffit à lui-même : c'est la « promenade », d'un terme qui revient constamment. Mais on sait aussi que la symbolique de la fête révolutionnaire s'appuie sur tout un réseau de gestes et de cérémonies par lesquels elle tente d'assumer les vocations fort lourdes qui deviennent progressivement les siennes pour mobiliser les énergies au service du monde nouveau. Remplaçant la fête sacrée comme la fête profane, mais en donnant à cette dernière un contenu tout nouveau, elle doit s'inventer sa ou ses liturgies. Dans l'étude de ces cérémonials, nous ne sommes point sans précédents ni références méthodologiques : et les contributions pionnières de Mona Ozouf ont d'ores et déjà ouvert plus d'une piste de réflexion. On tente ici de valoriser la continuité dans l'espace et le temps d'un corpus homogène pour mesurer et décrire les formes de diffusion de cette symbolique nouvelle.

La typologie que nous proposons ne se veut pas définitive : elle apparaît, du moins, opératoire pour tenter d'organiser ces rituels hérités (A1 et 2), ou adaptés (B3 et 4), ou encore inventés (C, D et E).

Rituels hérités : messes et bénédictions

L'héritage, dans les rituels de la fête, c'est en premier lieu la messe : que l'on se rende à l'église ou que le culte se célèbre en plein air dans le cadre des fêtes de la Fédération, la messe se retrouve dans trois quarts des cas en 1790, près de moitié encore en 1791. Le vrai décrochement est ici 1792, qui la voit rétrograder à moins de 20 % des cas, laïcisation précoce dont il conviendrait de savoir si elle est générale ou spécifiquement provençale. En 1793, la messe est devenue plus rare encore, si l'on considère que les exceptions sont fournies en partie par les liturgies expiatoires de la période fédéraliste à Marseille ou à Toulon : la messe est devenue contre-révolutionnaire et 1794 la voit disparaître complètement à quelques exceptions près dans le monde rural. Avec le culte catholique disparaissent aussi ces liturgies annexes que les premières années de la

A) L'héritage											
1. La messe	12	17	11	7	3						
2. La bénédiction	1		7								
B) L'héritage laïcisé											
3. Baptême ou mariage civique		1		1				jeunesse / Fêtes époux / vieillesse			
4. Le sacrifice ou l'adoration				2					1		
C) Rituels de l'unanimité ou de la fraternisation											
5. Le serment	7	5	6	6	6	1	6	25 (et janvier)	4	6	1
6. La fraternisation		1		4				1			
7. L'échange	2	1		1					+ souveraineté du peuple + agriculture		
8. Plantation ou érection			9 (+5)	2	1		1	6			
D) La Révolution vécue : rituels de la jubilation ou de l'apothéose											
9. Les triomphes			2	4	7	3	1				
10. La fête funèbre	1	3 (+4)		7	5 (+2)	2	5 (+1)			8 (+12)	(+1)
11. Le simulacre ou le regard de la Révolution sur elle-même				4			1	3	7	2 (+ fêtes du 9 thermidor ? de la fondation de la république)	
E) La Révolution en lutte : rituels de l'anathème ou de la destruction											
12. L'autodafé			1	3+2	13	1	(+ fêtes du 9 thermidor)				
13. La mascarade		1	2	4	8	1					
14. Le jugement					1						
15. La purification		1		1							
Pour référence : nombre de fêtes par année	16* +2	25 +5	26 +26	39 +16	85 +37	34 +9	53 +19	41 +10	97 +80	57 +23	3 +1

* 1er chiffre : fêtes décrites
2e chiffre : fêtes signalées

Les rituels de la fête

Révolution avaient utilisées : bénédictions des drapeaux, signalées
au camp fédératif de Beaucaire en juillet 1790, retrouvées en 1792
encore lors de la poussée des plantations d'arbres de la Liberté, tant
en ville (Avignon ou Marseille, octobre 1792) qu'au bourg (Gardanne).

Le moyen le plus expressif de suivre cette laïcisation de la fête est
sans doute de recourir à une série particulièrement représentative
sous ce rapport : entendons la fête funèbre. En février 1793, les célébrations en l'honneur de Le Peletier comportent encore un *requiem*
à Aix, comme à Arles qui déploie un faste bien dans la tradition
baroque (le tour de ville), mais elles semblent laïcisées à Avignon,
et partiellement à Marseille (la cérémonie municipale sur l'autel
de la Patrie est toute civique, mais la section 13 fait célébrer une
messe à l'église des Prêcheurs). Lorsqu'il s'agira, à l'hiver suivant,
de célébrer Marat, plus trace de cérémonies religieuses : et bien
souvent même la fête en l'honneur des martyrs de la liberté offre
l'occasion d'inaugurer le temple de la liberté. (Fréjus, 30 nivôse
an II), même si l'arrêté du représentant Fréron du 26 brumaire an II,
à la mémoire de Gasparin, comportait encore l'obligation de lire au
prône le récit de ses mérites. Une chronologie nuancée se dessine
ainsi, qui révèle curiosités et inerties : à Trets, non loin d'Aix, la
société populaire pétitionne encore en frimaire an II pour une messe
d'actions de grâces. Mais en général, à cette date, le temple de la
Liberté ou de la Raison a relayé l'église.

Une autre lecture du sacré

Une autre lecture du sacré s'est donc imposée : parfois en se coulant
simplement dans les rites de l'ancien culte. Mariages ou baptêmes civiques se rencontrent assez précocement : mais entendons-nous sur les
mots. Lorqu'à Aix, en 1791, la célébration du 14 juillet s'agrémente
du mariage, célébré sur l'autel de la Patrie, d'une fille dotée par
la municipalité, la cérémonie, toute civique qu'elle soit, demeure
religieuse, et garde même un relent des traditions paternalistes d'ancien style. A Avignon, au contraire, le baptême civique qui prend
place en février 1794 à l'occasion de l'inauguration du nouvel autel
de la Patrie n'a plus aucune attache avec le catholicisme, il s'en

faut, puisque la fête, en pleine flambée déchristianisatrice, s'achève par un autodafé. Ce sont les fêtes décadaires de l'an II dans les villes (Marseille en premier lieu) qui habitueront à la pratique du mariage civique, que le Directoire codifiera. Nous possédons dans un site — Grimaud dans les Maures — le bilan des cérémonies décadaires de vendémiaire à messidor an VII, lors de la réanimation momentanée de ces activités : les mariages y prennent place assez naturellement (deux en germinal, un en floréal, deux en prairial), encore qu'on note qu'ils brisent avec les interdits du ci-devant carême. Hymnes et discours appropriés les accompagnent : mais peut-on considérer Grimaud, dans le Var jacobin, comme un bon échantillon à partir duquel il serait loisible d'extrapoler ? On hésite à s'y risquer. Les mentions les plus fréquentes de mariages rencontrées par ailleurs s'intègrent dans le cadre des fêtes « morales » et singulièrement, on s'y attend, de celle des époux. D'autres rites que l'on pourrait dire, à l'imitation des sociologues religieux, « saisonniers » tendent à s'y associer : inscription civique des nourrissons dont la fête de l'Etre Suprême avait donné l'exemple au 20 prairial an II, et qui est attestée au moins dans les cités importantes ; plus souvent encore sous le Directoire, rite de passage à l'adolescence, ou à l'âge de porter les armes. Doit-on s'attarder sur ces rituels officiels qui n'ont plus rien d'original ? On peut au moins en délimiter la diffusion : en l'an IV, lors de la fête de la Jeunesse, on arme symboliquement les adolescents à Avignon comme à Marseille, cependant que Arles se contente d'une sorte de distribution des prix, d'un cachet plus scolaire. En l'an V, l'inscription civique des jeunes gens ne se rencontre plus qu'à Aix, dans notre fichier provençal..., mais elle retrouve, en l'an VI et en l'an VII, une certaine vitalité, sous la forme au moins de la distribution des prix, agrémentée ou non de récitations, voire de saynètes. Seul, en l'an VII, le bourg de Pertuis, sur la Durance reste fidèle à une procédure qui marque les étapes : armement symbolique des jeunes de seize ans, inscription de ceux de vingt et un. Mais le problème des réfractaires aux levées commence déjà à empoisonner un rituel qui prend un caractère semi-policier (tableau d'honneur... et d'infamie). Les fêtes de la Jeunesse ne sont pas d'ailleurs les seules qui s'accompagnent de distributions de prix : celles de la fondation de la République ont prévu une telle rubrique, avec l'ambition plus haute et peut-être excessive, de récompenser non seulement l'instruc-

tion des jeunes mais la production littéraire : tel pari ne put être
tenu qu'à Aix, en l'an IV, V et VII ; mais en l'an VI les membres
du jury, peu convaincus peut-être, ont oublié de se déranger.

La fête des Epoux accueille les nouveaux mariés auxquels elle
réserve une place de choix : à la ville (Avignon et Marseille, an IV,
Carpentras, an VI), mais parfois aussi au bourg (Valensole, an VI) ;
elle s'accompagne aussi de célébrations collectives (Avignon ou Grimaud, an VII). Mais ces mariages se trouvent insérés dans le cadre
plus ambitieux d'une célébration de la famille qui associe couples
anciens et couples nouveaux, en réservant parfois au vieillard marié
le plus âgé le soin de distribuer prix et couronnes aux familles les
plus méritantes : telle pratique n'est décrite que dans une demi-
douzaine de cas (villages et bourgs : Mezel, Entrecasteaux, Barjols...,
aussi bien que villes) ; mais peut-être en ce domaine notre documentation est-elle trop discrète.

Laïcisation des rites anciens, à commencer par ceux qui rythment
la vie des hommes : peut-on dire que, dans cet effort de substitution,
une forme nouvelle du sacré a pu se faire jour, contre le désir même
d'une partie des promoteurs de ces nouveaux rituels, attentifs à proscrire tout ce qui rappelle la superstition ? On s'interroge à la suite
de J. Deprun qui relève dans le cérémonial de la fête de l'Etre Suprême
les aspects d'une célébration sacrificielle, et l'on n'est pas en peine
de découvrir, à plus d'une reprise, les traces d'un sacré explicite, ou
simplement dans les formes. A Arles, au 20 prairial an II, c'est à un
rituel d'adoration, qui ne cache pas son nom, que sont conviés les
citoyens, en gravissant à l'aube les pentes d'une hauteur pour s'y
prosterner devant les premiers rayons du soleil, et tout à côté, au
village de Fontvieille, dont le cérémonial est très similaire, ce geste
d'adoration connaît immédiatement sa récompense, « alors paraît la
Montagne avec un front calme et serein... ». On dira que cet épisode
de la fête de l'Etre Suprême demeure exception isolée et boulever-
sante dans l'étrangeté même des formes sous lesquelles elle a été
vécue. Les Provençaux n'ont point, en général, multiplié les manifestations d' « idolâtrie » même si l'on rencontre, en l'an VI encore,
les gestes de l'oblation ou du sacrifice à Marseille, sous la forme
de ces aiguières de lait, de vin et de miel dont on arrose curieusement l'arbre de la Liberté, même si l'on a parlé de la Sainte-Pique,
et si l'on a été jusqu'à dire — mais à Arles seulement — que Marat

devait être « notre seule divinité ». Certes, nous ne pouvons savoir
ce qu'ont perçu tels regards populaires des cortèges symboliques qu'ils
ont vus défiler, ni en quels termes ils ont vécu la fête : et la remarque
de l'Avignonnais Coulet, sur cette Liberté de chair et d'os qui devient
pour lui la « mayre de la patrie vivante », ne laisse pas d'être assez
révélatrice de la confusion des genres qui a pu s'instaurer de fait
dans le cadre d'une religiosité populaire.

Ce sont là débordements ou extrapolations qui n'entraient pas
dans le plan de la fête rêvée par ses promoteurs : pour nous en tenir
à ceux que l'élaboration progressive du nouveau rituel a mis en place,
nous les organiserons, avec tout l'artifice que comporte telle procédure pédagogique, en trois rubriques : rituels de l'unanimité ou de
la fraternisation ; rituels de la jubilation ou de l'apothéose — avec
leur complément, la fête funèbre en l'honneur d'un héros —, seconde
série qui introduit dans la fête l'événementiel révolutionnaire ; rituels
enfin de l'anathème ou de la destruction, expressions de la lutte
révolutionnaire.

Rituels de l'unanimité : le serment

Le serment est dans la première catégorie la forme d'expression
à la fois la plus importante et la plus précoce. Les contemporains
en ont eu conscience dès lors : commentateur fielleux, le chroniqueur
du *Journal de Marseille* qui écrit au 2 thermidor an III : « Le fameux
14 juillet a passé ici incognito sans amener à sa suite ni serment ni
fête... », et de gloser sur l'inutilité de ces serments réitérés prêtés en
masse : « Jamais on n'a tant juré en France que depuis la Révolution
et jamais les hommes n'y ont été plus fourbes et plus méchants. »
Mais — est-il besoin de le dire ? — il est loin de refléter l'opinion générale. Le serment affirme, d'entrée, avec éclat sa place dans la fête dans
le cadre des Fédérations : repris par tous, et comme le dit Coulet à
Avignon aussi bien par « la troupe et la populasse », il est alors
l'expression la plus adéquate d'un rêve d'unanimité qui n'est pas
seulement bourgeois. Réitéré lors des années suivantes, le serment
apparaît bien comme l'une des constantes les plus stables dans ces
rituels révolutionnaires. Mais il s'en faut que le contenu et même la
signification en soient identiques : serments de conformisme révo-

lutionnaire des autorités installées en 1791, d'engagement guerrier à l'été 1792 « Vivre libre ou mourir », d'abolir à jamais la royauté (Marseille, janvier 1793), de maintenir les droits de l'homme, l'égalité naturelle et la liberté, l'unité et l'indivisibilité de la République, la souveraineté du peuple (Arles, janvier 1793). Précisé, combatif, le serment se diversifie suivant les groupes : ce sont les jeunes qui jurent de défendre la République à Arles, en messidor an II, lors de la célébration de Bara et de Viala, comme à Marseille au 20 prairial de la même année. Les jeunes filles de leur côté s'engagent à ne prendre pour époux que de bons républicains.

La réaction de l'an III détourne des serments : et peut-être notre journaliste marseillais reflétait-il à sa manière l'esprit d'une époque. Ceux que l'on voit reprendre, à partir de l'an IV ou de l'an V, sont d'un caractère bien différent : serments des fonctionnaires et agents de la République, du notaire à l'instituteur, ils sont prêtés en général au 21 janvier dans le cadre d'un rendez-vous annuel ritualisé, même si certains bourgs précisent encore que le serment est repris par le peuple (Barbentane, 21 janvier 1796), ou plus modestement par les élèves des écoles. Devenu simple geste de conformisme administratif, tel serment est bien loin de l'enthousiasme des camps fédératifs.

La fraternisation

Au rang de ces rituels de l'unanimité, la fraternisation ou l'effusion tiennent une place difficilement quantifiable : « l'accolade fraternelle » prolonge ou achève plus d'une réunion sans pour cela être toujours signalée : parfois cependant le geste prend assez de solennité pour mériter les honneurs de la chronique : à Avignon, ville si profondément divisée, le maire, nous dit-on, « a commandé à tous de s'embrasser en signe de paix » lors de la cérémonie du 14 juillet 1791. C'est en l'an II que de telles manifestations se multiplient, paradoxalement, à la mesure même de l'accentuation des luttes : en janvier 1794, les quatre bourgs de Riez, Valensole, Moustiers et Puimoisson se réunissent en un banquet civique de fraternisation pour éteindre leurs discordes.

Ces cérémonials de la fraternisation culminent dans les célébrations de la fête de l'Etre Suprême : on dira qu'ils sont prévus au pro-

gramme, mais plus d'un compte rendu relève avec insistance cet
« embrassement fraternel », qui devient en Avignon véritable commo-
tion électrique, « tout le peuple s'émeut, s'agite, tous s'entrelacent... ».
Le système jacobin de l'an II avait prévu, dans son calendrier même,
des jours à part pour ces rencontres : les sans-culottides, faites pour
« resserrer les liens de fraternité », mais nous n'en possédons en Provence de traces en l'an II que pour Aix, et deux localités de sa région
(Pelissanne et Saint-Chamas)... puis plus rien : mais telle fraternisation était-elle encore possible ? Occasionnellement, on signalera encore
— ainsi à Valensole en l'an VI pour la fête des Epoux — l'accolade
finale. Mais le temps de l'effusion est passé.

L'échange

Les rituels de l'échange dont M. Ozouf a souligné l'importance
dans le cadre de cette lecture, qui suppose l'interchangeabilité des rôles,
ne sont pas nés avec la mise en forme directoriale : ils tiennent une
place, déjà, dans la Révolution constituante, où ils matérialisent l'unanimité souhaitée, ainsi à Aix au 14 juillet 1790, où l'on procède à
l'échange des drapeaux de la ligne et de la garde nationale. Dans la
même période on les voit symboliser la transition sans heurt de l'Ancien au Nouveau Régime : à Carpentras en août 1790, l'installation de
la nouvelle municipalité se coule dans un cérémonial très précis où
l'échange des clefs de la ville entre les sortants et les entrants s'accompagne du passage du chaperon à l'écharpe, où deux cortèges se succèdent symétriquement, — aller et retour —, les premiers se retrouvent les derniers à l'issue du manège. Le ballet ne se déroule pas
toujours aussi élégamment : à Aix, en novembre 1791, l'installation des
nouveaux juges dans le palais remplace — faute de combattants —
le rituel prévu de l'échange ou de la relève par celui... de la purification des lieux. De manière plus ou moins formelle les gestes de
l'échange — des emblèmes, des drapeaux ou des armes — se retrouvent lors des fêtes de la fraternisation de l'an II : ainsi, lors de la réception des femmes de la Crau par les Arlésiennes. Mais c'est dans les
fêtes de l'époque directoriale que cette symbolique devenu partie intégrante des fêtes nationales s'impose tout particulièrement : lors des
fêtes de l'Agriculture les Provençaux ont refait les gestes prescrits,

du moins en l'an IV et en l'an VI et VII, de l'échange symbolique du fusil du guerrier contre les instruments du travailleur des champs. Lors de la fête de la souveraineté du peuple à partir de l'an VI, ils se sont appliqués avec une incontestable bonne volonté au rituel compliqué qui fait porter sur l'autel de la patrie le livre de la Constitution, que vont chercher les autorités accompagnées de quatre jeunes gens et d'un groupe de vieillards (12 ou 24). Puis les vieillards ayant rassemblé en faisceau les baguettes blanches dont ils sont porteurs, le cortège revient dans l'ordre inverse, conduit par les quatre jeunes gens porteurs du livre de la Constitution. Dans les grandes villes, mais aussi dans plus d'un bourg varois ou vauclusien (une dizaine en l'an VI, quelques-uns encore l'année suivante), ce cérémonial a été reçu et parfois enrichi (chevaux frus ou groupes de métiers).

Au rang de ces gestes de la fraternisation, est-il encore temps de placer ces rendez-vous qu'ont été les plantations d'arbres de la Liberté ? C'est revenir en arrière, rançon du plan analytique que nous suivons, puisque, comme on l'a vu, la poussée la plus vive en fut l'été 1792, et secondairement, mais en réplique bien pâle, la réédition de l'an VI : pour en avoir traité ailleurs nous n'y reviendrons pas ici, mais il ne faudrait pas sans doute sous-estimer l'importance, dans ces fêtes de la fraternité rêvée de la plantation du Mai de la Liberté, symbole sans détours d'enracinement de la Révolution, comme de la venue du printemps de la liberté.

A ces fêtes qui se veulent celles de la stabilité ou de la consécration d'un nouveau monde, la Révolution vécue au jour le jour est amenée à adjoindre un autre type de cérémonies : celles qui célèbrent l'événement, soit pour le glorifier (les « triomphes »), soit pour les déplorer (les fêtes funèbres) — mais dans ces déplorations il reste une part d'apothéose — ; soit pour jeter l'anathème.

Les « triomphes »

Ce que nous dénommerons par commodité le « triomphe » et qui rappelle sans doute plus les cortèges de la Renaissance ou de l'âge classique que ceux de l'Antiquité, c'est le cortège apothéose qui, à la limite, se suffit à lui-même, sans nécessiter véritablement une autre démonstration que l'ostension des dépouilles de l'adversaire, ou de

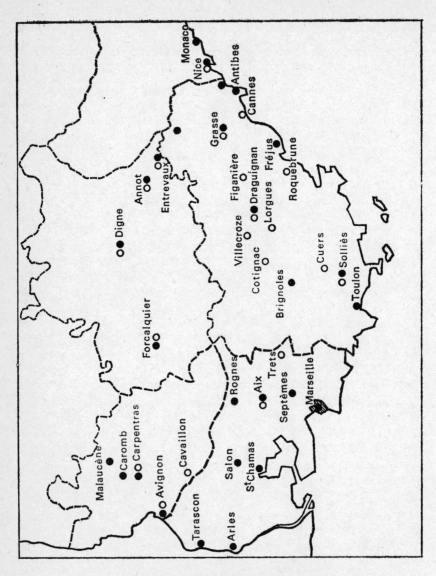

Les fêtes pour la reprise de Toulon
● officielles
○ spontanées

l'effigie du héros. Certes il se prolonge et s'achève parfois par le couronnement de celui ou de ceux — vivants ou morts — que l'on veut honorer. Mais pour l'essentiel, il se rattache au type de cortège composite qui nous est apparu si original dans le cours de l'histoire révolutionnaire : association parfois incongrue, de chars, de symboles et de motifs porteurs de toute une pédagogie en images. Ces cortèges « triomphaux » débutent en 1792 avec la célébration des victoires, soit extérieures (Nice ou la Savoie), soit locales, sur la contre-Révolution (le retour des glaciéristes en Avignon). C'est en 1793 et surtout en 1794 que ce type de cérémonial culmine, associant à la célébration des victoires celle des héros protecteurs de la Révolution, comme le triomphe sur la superstition : à ce titre il est difficile de les distinguer bien souvent de la fête funèbre comme de l'autodafé qui en est parfois le prolongement. Fêtes datées — la poussée modale se situe fort nettement entre 1793 et 1794 —, bien particulières dans leur conception, ces cérémonies sont aussi parmi les plus complexes par l'ensemble des éléments qu'elles associent. On y rencontrera le triomphe à l'état pur et au sens quasi militaire du terme : à Toulon, le 1er pluviôse an II, c'est sur le champ de bataille même, interdit aux « infâmes » Toulonnais que sont couronnés les vainqueurs, brisées les chaînes du maire de Salon, ci-devant captif, et brûlées les dépouilles de l'ennemi. Mais ce serait se restreindre à une lecture étriquée du phénomène que de se limiter à ce cas : les plus beaux rituels triomphaux sont ceux que nous avons eu à évoquer plus d'une fois déjà à Entrevaux en décembre 1793 comme à Fréjus en janvier 1794 ou à Marseille sur toute la période qui va de nivôse à prairial an II, et où les mêmes chars se retrouvent d'une célébration à l'autre. Au rang de ces rites de la jubilation il faudrait placer le feu de joie, tradition provençale (et plus que provençale) : nous lui réserverons une place en son temps, parmi les aspects ludiques de la fête.

Le paradoxe n'est que d'apparence, d'associer la fête funèbre au triomphe : les deux cérémonials, en fait, se ressemblent, et souvent, on l'a vu, se confondent. A l'ostension du buste du, ou des héros, la fête funèbre, à peine ébauchée en 1791 lors des hommages à Mirabeau, prenant forme de 1793 à 1794 des célébrations de Le Peletier à celles de Marat, associe des accessoires spécifiques : cénotaphe, urne, vestales ou pleureuses selon que l'on voudra. Surtout elle affirme au long de l'histoire de la fête révolutionnaire beaucoup plus de continuité, du début à la fin de la période : différence marquée avec le cortège triomphal de l'an II.

Le simulacre

Au spectacle que la Révolution se donne d'elle-même dans le cadre de la promenade « triomphale », il convient d'associer l'évocation qu'elle tente de donner de sa propre histoire, soit dans sa totalité, soit d'après un épisode ponctuel. Mais nous savons, à partir des études de M. Ozouf, avec quelle difficulté elle parvient à se situer dans le temps, au-delà de la simple opposition manichéenne de l' « avant » — ou l'ancien régime —, et de l' « après », ou le nouveau monde. Ce qui apparaît de façon encore anarchique, mais aussi créatrice, dans les cortèges iconoclastes de la période 1793-1794 (ostension, puis destruction des dépouilles tant de la féodalité que de la superstition) s'organise et se ritualise au lendemain de thermidor : la fête même du 9 thermidor, dans son cérémonial officiel, se déploie non seulement dans l'espace mais dans le temps, puisqu'elle requiert deux journées pour son achèvement : la première, où des groupes de citoyens (six, précise-t-on parfois) martèlent et détruisent les trophées de l'Ancien Régime, la seconde où cette semi-spontanéité contrôlée est remplacée par l'unique intervention du président de l'administration municipale qui, de sa torche, met à feu les symboles de la tyrannie décemvirale. Trop complexe peut-être, ou peu reçu dans une Provence qui ne laisse point, entre jacobins et réacteurs, de place à la sophistication des symboliques thermidoriennes, tel rituel ne se rencontre qu'à Avignon, Marseille et... Aubagne en l'an IV, à Marseille en l'an V. On pourrait associer à ce simulacre symbolique de la destruction des forces mauvaises, la symbolique inverse de la fête de la souveraineté du peuple : ces baguettes que les vieillards du cortège, on l'a vu, réunissent pour en former le faisceau qui représente la force de la République par la fusion de toutes les énergies individuelles.

Si l'on se permet un flash-back rétrospectif, ces simulacres symboliques, dont la fête directoriale consacre l'inégale fortune, ne sont que la reprise systématisée de scénographies spontanées que la Provence (comme d'autres sites) avait expérimentées auparavant. Le simulacre

sous sa forme ludique n'était point inconnu de la fête folklorique traditionnelle (le combat contre les hommes sauvages), la Révolution lui
donne une finalité : pour n'en prendre qu'un exemple parmi les plus
précoces, à Grasse c'est au 10 août 1792 que l'on érige un arbre
surchargé de sceptres et de couronnes, et de surcroît enchaîné : un
groupe de sans-culottes brise à coup de hache les chaînes de l'esclavage. C'est lors de la poussée créatrice des fêtes en l'honneur de la
reprise de Toulon que ces simulacres s'organisent et s'articulent :
à Lorgues (Var) comme à Carpentras, on a pris d'assaut des forts
en carton. A Avignon la tentative de restituer le temps de l'histoire
ou du moins l'épaisseur de l'événement est la plus poussée : le premier jour on procède à l'attaque d'un fort, le lendemain le cortège
intègre en son sein la représentation d'une statue de la Liberté pour
signifier, écrit J. Coulet, « que Toulon était pris », et enfin le troisième jour une escorte se promène par la ville « représentant les
esclaves et prisonniers qu'on avait pris en prenant Toulon ». Symbolique lien, sommaire, nous paraît-il : et pourtant le témoin populaire
ne s'y est pas trompé.

A Toulon même, le 8 frimaire an III (nous sommes toujours en
1794, mais après thermidor), le représentant Jean Bon Saint-André
imposera encore aux Toulonnais l'humiliant simulacre anniversaire
de l'attaque de la ville, investie, traversée de part en part, purifiée
de ses souillures.

Sous cette forme militaire, le simulacre, loin de régresser, se retrouvera avec constance lors de la période directoriale : et singulièrement
lors des anniversaires du 10 août. On n'y verra rien que de naturel
dans le cours d'une Révolution qui se juge en droit de se pencher sur
son passé et de faire revivre une légende déjà structurée. Mais on
notera, de l'an IV à l'an VIII, un certain nombre de traits : le simulacre se ruralise (Serignan, Sainte-Cecile, Beaumes-les-Venise, Lorgues, aussi bien qu'Aix, Marseille ou Carpentras), il se « militarise » :
entendons qu'il tend à se confondre avec des évolutions militaires
à la limite gratuites, il se folklorise enfin : et c'est au rang des manifestations ludiques ou des à-côtés de la fête que nous rencontrerons
le 18 fructidor an VI la prise du pont Saint-Benezet à Avignon.

Rituels de l'anathème ou de la destruction : mascarades et autodafés

Par transition très directe, le simulacre nous fait passer au dernier groupe des rituels observés, ceux de la destruction ou de l'anathème, images de la lutte révolutionnaire. Encore que nous ayons par souci de clarification distingué, au sein des rituels de l'anathème ou de la destruction, différentes formes d'expression : la mascarade, dont le jugement dérisoire est une des variantes, la purification dont l'autodafé est l'expression la plus commune, nous ne devrons pas nous leurrer : c'est associés que nous les rencontrerons le plus souvent, l'autodafé prolongeant la mascarade. Et surtout ils appartiennent au même réseau de comportements : les dirons-nous populaires, jusque dans leurs formes les plus précises, les gestes pluriséculaires du charivari... ? Ce serait passer un peu lestement sous silence la participation de la bourgeoisie révolutionnaire (ou contre-révolutionnaire dans les autodafés fédéralistes de 1793) et même la reprise en charge officielle, en forme de point final ou d'exorcisme que fut le bûcher de l'athéisme lors de la fête de l'Etre Suprême... avant que les célébrations de l'anniversaire du 9 thermidor ne ramènent annuellement une caricature d'autodafé à double visage : destructeur du royalisme comme de la « tyrannie décemvirale ». Sous cette forme apte à recevoir comme à exprimer tous les contenus idéologiques, c'est cependant très majoritairement un des langages les plus subversifs dans son agressivité qu'ait tenu la fête révolutionnaire.

On en sait les toutes premières étapes et comme la préhistoire dès 1791 : la mascarade ne s'étale pas encore et n'apparaît point comme expression d'une fête de la dérision, mais à Marseille c'est le 30 janvier et le 6 février que l'on trouve accrochés aux lanternes les mannequins de contre-révolutionnaires notoires. Nous soulignons la date intentionnellement : c'est à la même époque, et dans les mêmes semaines, qu'à Aix comme à Marseille les municipalités prohibent sévèrement tous déguisements carnavalesques de saison comme aptes à cacher des menées subversives : mais on le voit, « caramantran » est déjà pendu au réverbère. A la fin de l'année, par une autre voie, le désir de l'autodafé se profile : à Aix, lors de l'installation des nouveaux juges dans le Palais naguère souillé par la présence de la caste parlementaire, une foule de citoyens se portent sur les lieux pour les purifier par leur présence : mais dans le feu de joie qui s'ensuit, on ne cache point le désir d'une purification plus radicale. Au printemps 1792 le cortège dérisoire ose s'étaler en public : et l'on ne s'étonne pas que ce soit dans les sites où les affrontements sont les plus vifs entre jacobinisme populaire et contre-révolution : Avignon où les glaciéristes se font précéder par le burlesque char de Bacchus traîné par vingt-deux ânes (29 avril), Arles où l'on promène un buste du Père Eternel en forçant, nous dit-on, femmes, filles et vieillards à cracher dessus (13 avril). D'août 1792 à décembre, alors que brûlent les feux de joie pour la chute des Tuileries comme pour la délivrance des nissards, l'autodafé s'y glisse. A Aix le 1ᵉʳ août, comme à Paris quinze jours plus tôt, on met à feu un arbre mort « chargé des attributs de la féodalité », à Nice, le 18 novembre, les citadins pour célébrer leur liberté brûlent un catafalque surmonté des attributs royaux (sceptre et couronne) voilés de crêpe, cependant qu'en janvier 1793 les carnavals d'Arles, d'Avignon ou de... Monaco, se ressemblent : en Avignon on pend à la lanterne l'effigie du roi et de la reine, à Arles c'est celle du ci-devant maire Loys, tandis qu'à Monaco flambent les insignes de la royauté.

C'est de septembre 1793 à mars 1794 (ou ventôse an II) que culmine la vague des autodafés. et que leur scénographie revêt les traits les plus complexes. Les plus élémentaires se réduisent à la promenade des « dépouilles » de l'Ancien Régime, du fédéralisme ou de la superstition (Toulon, 1ᵉʳ pluviôse II, Nice, 20 nivôse) suivie de leur brûlement sur la place publique : Marseille, Arles, Avignon, Toulon, Brignoles, Draguignan, Nice, Grasse, Antibes, Manosque, mais aussi bien Rognes, Roquevaire ou Entrevaux. Portraits royaux, armoiries, confessionnaux et jusqu'aux calottes et collets des prêtres s'en vont ainsi en fumée. Dans un certain nombre de cas, et pour être précis à Arles (octobre 1793, puis janvier 1794), Entrevaux, Grasse et Monaco, le cortège qui précède l'autodafé suit les rites du charivari en les adaptant à la situation. A Arles, le 3 octobre, en l'honneur de Marat, un sans-culotte ficelé sur un âne accepte de tenir le rôle dérisoire d'un « chiffonniste » contre-révolutionnaire abreuvé de quolibets. A Grasse comme à Monaco les 22 pluviôse, puis 10 ventôse, soit en février, c'est du procès de Caramantran que l'on s'inspire sans le dire, pour juger de façon posthume le tyran Capet à Grasse, un mannequin revêtu de guenilles papales à Monaco,

avant de les conduire l'un et l'autre sur le dos d'une bourrique, au
bûcher qui le consume à Grasse, ou à la mer qui l'emporte à Monaco.

Le cortège complet des ânes mitrés ou affublés de défroques que
l'on peut suivre au fil de l'onde déchristianisatrice depuis le centre
de la France jusqu'à ces rivages ne se rencontre qu'en deux sites :
à Arles en janvier 1794 à l'occasion de la reprise de Toulon, où les
trois mannequins du pape, du roi d'Angleterre et du roi d'Espagne
sont ensuite brûlés sur la place, à Entrevaux qui entasse avant de
les jeter au feu les quatre mannequins des despotes exécrés sur un
chariot traîné par de méchantes bourriques.

A cette fête à la fois joyeuse et grinçante, à laquelle on pourrait
associer les promenades de la guillotine à Arles, le cérémonial du
20 prairial an II met fin, comme il souhaite mettre fin à une déchristianisation ici longuement poursuivie : mais tous ne le comprennent
pas de suite, et les sans-culottes de Draguignan qui, au lieu de brûler la statue de l'athéisme livrent au feu les calottes de leurs prêtres
sont visiblement en retard d'une guerre.

Sous le Directoire, mise à part l'application littérale du cérémonial
de l'anniversaire du 9 thermidor à Avignon et Marseille en l'an IV,
les brasiers s'éteignent à partir de l'an III, où l'on tenta en Arles
de retourner l'autodafé contre ses auteurs en brûlant en public une
bannière représentant la Montagne, après en avoir, précise-t-on,
enlevé les trois couleurs : et c'est simple curiosité isolée que de
rencontrer en l'an VII à Orange un dernier bûcher des attributs du
despotisme.

L'exercice auquel se livrent, dans ces années, les badauds niçois, de
prendre pour cible au jeu du palet, des fleurs de lis, témoigne de la
régression à un niveau purement ludique de ce qui avait été activité
révolutionnaire.

Mais ces aspects « ludiques » de la fête sont-ils si méprisables que
cela, et ne péchons-nous pas en séparant les genres ? On a dû bien
s'amuser à Entrevaux le 25 janvier 1794.

XV

DES À-CÔTÉS DE LA FÊTE
À LA TOTALITÉ DU SPECTACLE

La fête gratuite ou les à-côtés de la fête

Dans le schéma général qui vient d'être démonté, il semblerait qu'il n'y ait pas de place pour la gratuité : ces fêtes révolutionnaires tendent à une célébration et répondent à une finalité précise. Mais quoi ? La fête traditionnelle avait connu ses à-côtés, réjouissances populaires dans la fête urbaine de type « entrée » ; réjouissances collectives comme partie intégrante, et de plus en plus importante du romérage rural. Les municipaux qui planifient la fête sous la Révolution font bien la distinction des genres, qui spécifient parfois que « le reste de la journée sera consacré à la joie et au plaisir pur » (Aix, 20 prairial, puis 14 juillet an II). Le problème n'est cependant pas mineur, ou marginal, car il met en cause toute la conception de la fête : fête une ou double, officielle d'une part, populaire de l'autre, engagée et gratuite, sérieuse ou ludique ? Or nous savons bien que la Révolution, et plus encore peut-être dans la pratique populaire des premières années, que dans la lecture rousseauiste des élites et législateurs a rêvé d'une fête sans discontinuités... La fête en deux parties, c'est un peu l'aveu d'échec de la fête révolutionnaire : et c'est cela sans doute qui fait l'importance du problème. Il amène en outre à traiter l'épineuse question des rapports de la fête nouvelle et de la fête folklorique, dans ses pratiques anciennes : ces bruits, ces gestes et ces rites qui avaient rythmé la fête traditionnelle sont-ils repris en compte par la Révolution, ou se réfugient-ils dans cette réjouissance parallèle, qui coexiste dans la célébration révolutionnaire sans s'y fondre, et parfois même en contrepoint avec elle ?

En suivant dans notre corpus les séries « tambourins », mousqueterie et bravade, avec parfois son complément du simulacre ; puis farandoles et danses, les deux termes ne faisant pas doublet ; jeux collectifs, feux de joie et banquets enfin, c'est toute cette mise en question qui se trouve formulée.

Galoubets et tambourins

Ainsi, le tambourin dont il a déjà été question et sur lequel on ne reviendra donc pas plus qu'il n'est nécessaire ; cet « instrument de gaieté provençale », comme le dit un compte rendu, ne fait-il pas totalement double emploi avec le tambour, encore qu'il soit parfois difficile de les distinguer, certains municipaux n'ayant point osé ou voulu recourir au terme local. Mais dans les grandes cérémonies urbaines la séparation des groupes fait qu'on distingue très bien celui des tambours (ou « tambours de guerre ») et des tambourins parfois accompagnés de fifres. Le tambourin très fréquent en 1790 s'éclipse dans la Révolution jacobine ou s'y fait discret : il reparaît dans la fête directoriale, en l'an V et VI : mais c'est surtout comme accessoire de la réjouissance de l'après-midi, quand ce n'est pas comme indice de la folklorisation de la fête officielle. A partir de ce test, et du *trend* qu'il suggère, on est mieux à même de comprendre l'évolution suivie par un certain nombre d'autres manifestations.

Boîtes et mousqueteries

Du même type, pour des raisons qui se conçoivent, sont les profils qui sont proposés pour deux autres pratiques de type « folklorique » : les mousqueteries et décharges d'une part, le tirage des « boîtes » d'artifice d'autre part. Les mousqueteries ne sont quasi jamais appelées « bravades » suivant le terme ancien : mais c'est d'évidence à cette pratique que l'on se réfère, de même que les « boëttes » sont parties intégrantes de l'ancien cérémonial. On les rencontre attestés jusqu'en 1792, puis après une interruption totale ou presque de

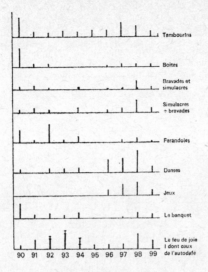

Les à-côtés de la fête

quatre ans, en l'an VI et en l'an VII, la bravade étant particulièrement fréquente en l'an VI. On serait tenté d'y adjoindre les « simulacres » militaires en souvenir de ceux que pratiquaient certaines
villes traditionnellement (Manosque ou Volx) : mais, comme on l'a
vu, le simulacre — prise de fort ou de ville — fait partie intégrante
de la démonstration de certaines fêtes, singulièrement pour la célébration de la prise des Tuileries au 10 août, ou occasionnellement pour
celle de Toulon. Toutefois, à l'époque directoriale des évolutions militaires « gratuites » égaient parfois la fête : ainsi à Avignon, au
18 fructidor an VI, mime-t-on la prise du pont Saint-Benezet, sans
arrière-pensée démonstrative semble-t-il. Peut-être l'arrière-pensée n'a-
t-elle pas été toujours absente, ainsi en l'an V lorsque les évolutions
de troupes (que ce soit à Marseille... ou à Cavaillon) ont pu prendre l'aspect de démonstrations d'intimidation : mais il semble ensuite
que le plus souvent les évolutions au champ de Mars dans les villes,
ou celles de la garde nationale mobile dans les bourgs deviennent
progressivement éléments d'un spectacle qui se suffit à lui-même.
   A côté de cette série de manifestations, une autre obéit à un

rythme semble-t-il différent : et nous songeons à la farandole, comme
au banquet et pour une part au feu de joie. A première vue, peu de
points les rapprochent, et cependant, il est un dénominateur commun
qui s'impose à l'examen : ce sont les aspects de la fête populaire et
spontanée, du moins dans la majeure partie des cas. On peut en juger
à partir du banquet, qui apparaît sous ce rapport comme un bon point
de référence.

Le banquet fraternel

A vrai dire, au point de départ, le banquet n'a rien de populaire,
ainsi en cette année 1790 où il est cependant attesté dans la moitié des
cas, taux inégalé par la suite. A Marseille, à Aix ou à Digne, au printemps ou à l'été c'est le repas de notables qui s'enferme parfois à demi
dans un pavillon de feuillages (Marseille, avril 1790, fête donnée aux
commissaires du roi), qui se morcelle en repas de corps (Marseille,
14 juillet), qui s'achève en toasts et chansons de bon ton (Digne) et se
prolonge parfois en donnes aux pauvres (Aix encore en novembre
1791, pour l'installation des juges du tribunal de district).
    A partir de 1792 la tonalité change : le pseudo-unanimisme des
notables s'efface, quand les banquets se fragmentent suivant les
options : à Marseille au 14 juillet, il y a eu des banquets, mais « les ris
et la joie » n'ont présidé qu'à ceux des patriotes ; surtout le banquet
se popularise, et le dit : à Cogolin, le 2 septembre 1792, autour de
l'arbre de la Liberté, le banquet se veut populaire, patriotique, frugal
et sans distinction de fortune. Cette première série de banquets populaires culmine dans la flambée des banquets de style carnavalesque
que connaît Marseille en fin janvier 1793 à l'occasion de la mort
du tyran ; par professions, par sections, on dresse les tables et l'on
rôtit les moutons : deux moutons et deux barriques de vin le 29 dans
la section du Manège.
    Ce n'est encore qu'annonce d'une évolution par rapport à la généra-
lisation de la pratique que l'on voit s'opérer en l'an II : pas sur toute
l'année d'ailleurs. Les agapes civiques, les repas fraternels et républicains se multiplient de janvier à mars 1794, là encore au temps du ci-
devant carnaval. Le caractère populaire s'accentue, notamment lors
des réjouissances pour la reprise de Toulon : en nivôse an II à Nice, le

20, après la promenade de la déesse Liberté chaque citoyen sort une
table devant sa maison, où chacun peut se servir ; à Fréjus, dix
jours après, l'idée d'un banquet frugal naît d'elle-même en sortant
du temple de la Raison : on dresse les tables, et l'on va chercher de
quoi les garnir, en Arles le banquet féministe qui réunit en ventôse
femmes et filles de la Crau s'achève, nous dit-on, en orgie : sans
doute s'y était-il mêlé quelques hommes. Mais n'est-ce point à cette
époque qu'au souvenir horrifié de l'abbé Trichaud, neuf prêtres d'Arles dont le célèbre Lardeyrol, un des Marat arlésiens, célèbrent en
public leurs noces durant plusieurs jours au milieu de réjouissances
qui rappellent « les impures orgies des saturnales du paganisme ? »
La fête est parfois plus compassée, ou plus traditionnelle, ainsi celle
qui, le 7 pluviôse an II, réunit en un banquet fraternel les quatre
bourgs de Haute-Provence, de Riez, Valensole, Moustiers, Puimoisson,
pour éteindre leurs anciennes querelles. Mais en général, le banquet
fraternel se fait à la bonne franquette, comme on peut l'imaginer à
partir d'un exemple un peu tardif : en Arles encore, le 20 messidor,
pour la fête de Bara, à l'initiative de la société populaire, les participants de la promenade civique qui ne sont pas armés portent chacun
un sac dans lequel ils ont amené qui un pain, qui une bouteille, des
raves, des oignons, de l'ail, des poireaux, des artichauts, un morceau
de fromage, de lard, de saucisson, « anchoye ou haren », voire « un
petit gibier » : et c'est sur la place du Marché-Neuf qu'hommes, femmes et filles s'asseyent pêle-mêle et dévorent les mets apportés. Ce
pique-nique estival est déjà hors de saison, à un moment où le banquet recule : on sait d'ailleurs la suspicion qui pesa à Paris, ou ailleurs, à partir du printemps sur cette pratique trop populaire. En Provence, il ne semble pas que le robespierriste Maignet y ait été hostile :
il préfère l'organiser. C'est ce qu'il fait dès ventôse, en continuité avec
les manifestations carnavalesques spontanées, lorsqu'il réquisitionne
à Marseille pour la fête de la fraternité huit bœufs, trois cents agneaux
et cent trente et une millerolles de vin dans les caves d'un émigré. Le
nouveau statut du banquet apparaît dans celui du 1er germinal an II
à Marseille encore, avec quelque ambiguïté : certes les citoyens qui
s'associent aux tables dressées au champ de Mars apportent leurs pains,
mais il en coûte 46 920 livres. A Marseille le banquet s'institution-
nalise, même si ailleurs il reste plus spontané, ainsi à Avignon au
14 juillet 1794 où l'on sort encore les tables dans les rues.

Le banquet qui disparaît ainsi à l'été 1794 ne sera pas remplacé :
les années suivantes, jusqu'au printemps 1798, ne verront rien de
semblable et les rares exemples que l'on peut relever sont là pour
accentuer le contraste entre ce qui s'est fait et ce qui a cours : à Marseille, au 9 thermidor, cependant que les jeunes gens de bonne famille
qui tentent de ressusciter le romérage portent fleurs et gâteaux aux
maisons des plus apparents, les autorités se réunissent le soir pour
un « dîner splendide » chez le général Sahuguet... tout un style. Intéressante dans son ambiguïté est la semi-résurrection du banquet au
printemps de l'an VI. Certes la pratique reste beaucoup plus discrète
qu'en 1794 et se survivra difficilement en l'an VII. Plusieurs traits
y transparaissent cependant. La fête fraternelle, celle où l'on sort les
tables, n'est pas inexistante : mais elle s'est réfugiée de la ville au
bourg ou au village. A Varages, dans le Haut-Var, en ventôse, chacun
apporte de chez lui sur la place le plat qui lui a plu, à Meolans, dans
les Basses-Alpes, un simple repas frugal rassemble les citoyens, aux
Sieyes dans le même département pour la fête des Vieillards, ceux-ci
vont manger entre eux, cependant que les jeunes gens festoient de
leur côté : mais on se retrouve l'après-midi pour trinquer collectivement, l'agent national a apporté les bouteilles. Mais ce qui se passe
ici à la bonne franquette prend déjà ailleurs l'allure de fête « donnée » :
à Thèze, dans les Basses-Alpes, pour la fête de la souveraineté du
peuple, il y a fontaine de vin à côté de l'autel de la Patrie. C'est dans
les gros bourgs mais surtout dans les villes que la mutation est la plus
sensible : le banquet civique s'est enfermé, généralement en salle, parfois dans une salle verte. Il s'est restreint à un groupe fermé : « table
de réunion républicaine » à Aix au 18 fructidor an VI, « cercle
constitutionnel » à Orange : et si parfois on fait état du grand nombre
des participants, comme dans ce dernier exemple, on en donne ailleurs les limites, deux cents citoyens à Aix, en ventôse an VII pour le
repas civique de la fête de la souveraineté du peuple.

A ces rencontres socialement comme politiquement sélectives, on
chante et l'on porte des toasts : chansons à Aix en ventôse VI, toasts
à Bonnieux à la même occasion, toasts à Carpentras, l'Isle sur Sor-
gues comme à Aix, pour la même occasion : à la Liberté, au héros
italique, aux autorités. Parfois, dans ce qui doit correspondre à la
chaleur communicative, le banquet, sur sa fin, se prolonge en farandole dans les quartiers, ainsi à Carpentras en l'an VII, mais même

si l'on nous dit que la chaîne se grossit de quartier en quartier, le banquet qui s'ouvre ainsi *in extremis* en rite de fraternisation n'en est pas moins devenu, en général, réservé aux initiés.

De la farandole à la danse

On doit traiter de la farandole parallèlement à la danse : à la fois parce que les deux thèmes, on s'en doute, sont proches, et en même temps qu'ils apparaissent bien antagonistes sur la représentation graphique que nous en donnons, ce qui ne laisse pas de paraître au premier abord paradoxal : la farandole, qui culmine en 1792, s'éteignant pratiquement à partir de la fin de 1794, la danse s'institutionnalisant à partir de l'an IV pour triompher en l'an VI et VII. La danse, c'est le bal qui prend place après, ou en annexe de la fête, retrouvant parfois ses rites : les épingles, les joyes, et même ses aspects folkloriques : chevaux frus à la Roquebrussanne en ventôse 6, troupes de danseurs dans les rues, à Manosque, le 25 messidor an VIII, « préludant par leurs danses à l'allégresse de la fête ». La farandole, on la danse spontanée *dans* la fête, et généralement dans la fête la plus subversive a sinon un contenu révolutionnaire par elle-même, du moins est le support formel directement adapté à l'expressivité révolutionnaire. Il y aura, on le sait, farandoles de sabreurs ou de campagnons du soleil : mais jusqu'à l'an II, la farandole a bien été l'accompagnement électif de l'activité révolutionnaire.

Dès 1790, ce sont les farandoles qui se forment au camp fédératif à l'issue du serment du 14 juillet (Avignon ou Toulon dès le 25 mai). Le thème du « branle civique » apparaît : il s'accompagne, on l'a vu, de premières mises en garde à Arles, où Antonelle, le maire, invite ses concitoyens à éviter d'entraîner de force religieux ou religieuses dans les « branles ou farandoles ». Le thème se soutient en 1791 : il culmine à l'été de 1792 qui est sans doute l'une des époques où la Provence révolutionnaire a le plus dansé. La farandole est quotidienne à Marseille où elle éclate dans les quartiers à toute heure du jour, au point que la municipalité doit en interdire par arrêté du 2 août 1792 la pratique après la retraite : c'est qu'elle n'est point forme de réjouissance anodine, surgissant en spectacle sauvage comme couronnement ou prolongation des pendaisons de cet « été chaud ». En

Avignon, où le thème du branle civique est constant, la municipalité tient des tambourins à disposition de ceux qui voudront faire la farandole (14 juillet 1792). 1793 représente, comme on s'y attend, un hiatus dans cette histoire de la farandole révolutionnaire : du moins n'y dansa-t-on qu'en hiver, en janvier et février d'abord à l'occasion de la mort du roi, puis à partir d'octobre 1793 et jusqu'au printemps 1794 durant la longue séquence festive qui va des fêtes pour la reprise de Toulon aux mascarades déchristianisatrices. La farandole y est aussi fréquente, sinon plus que lors de l'été 1792 : elle éclate impromptu autour de l'arbre de la Liberté (Nice, 20 nivôse II) et couvre toute la Provence d'Arles et d'Avignon, à Toulon, Digne, Fréjus ou Nice.

La fête directoriale ne supprime pas la farandole : elle disparaît pour ne ressurgir — à la campagne — que dans les moments de grâce de la festivité populaire, essentiellement en l'an VI. Cela ne veut point dire, loin de là, que la danse soit finie : sans doute danse-t-on encore plus qu'auparavant. Mais en ville, la danse devient le bal qui prolonge l'après-midi, en termes profanes la liturgie révolutionnaire célébrée le matin. Organisé, le bal se structure : dans les mauvaises périodes il s'enferme dans la salle verte (Marseille, 9-10 thermidor an V), durant les plus actives il se décentralise : à Marseille, au 18 fructidor an V, on danse jusqu'à la nuit sur six points de la commune, quitte à se replier par la suite sur le cadre plus étriqué d'une fête oasis : ainsi à Avignon, le 26 messidor an VII (14 juillet 1799) où le bal s'enferme dans l'aire d'une salle verte délimitée par des tapisseries. Mais même lorsque, au fil de cette respiration annuelle, le bal « éclate » dans la cité, il n'en redevient pas forcément beaucoup plus populaire pour cela : on perçoit plutôt la coupure qui s'effectue entre le bal officiel qui se déroule pour les notables dans les salons de l'administration et le bal en plein air refoulé dans les quartiers. Ainsi cette dialectique de la farandole et du bal, que l'étude sérielle révèle en contraste plus net encore que nous ne l'attendions, scande-t-elle de façon fort nette la mutation interne qu'a connue la fête révolutionnaire.

Redécouverte des jeux

On se trouve dès lors à l'aise pour interpréter et commenter la place que tiennent les jeux dans le cycle festif provençal sous la Révolution : inconnus jusqu'à l'an IV d'un cérémonial qui ne s'y serait pas reconnu, ils affirment dès lors leur importance croissante jusqu'en l'an VI, moment central avant le repli de l'an VII. On dira que les cadres nationaux de la fête y sont pour quelque chose, et que ces activités ludiques font parfois partie intégrante du nouveau cérémonial officiel (ainsi pour la fête de la Jeunesse.) Certes : mais l'enracinement provençal y est aussi pour beaucoup, qui fait redécouvrir alors les courses en la forme traditionnelle (jeunes, vieillards, jeunes filles), la lutte, le tir, voire le saut sur l'outre enflée (Aix, 10 août an VI, Barjols, ventôse an VI). Rarement il est vrai, rencontre-t-on d'autres exercices de tradition : pas de joute, un seul exemple de courses de taureaux (à Tarascon le 18 fructidor an VI) et bien peu souvent aussi de courses de chevaux ou de mulets (Senas, ventôse an VI) : mais sans doute l'époque ne s'y prêtait-elle pas. Elle se prêtait mieux peut-être à quelques innovations qui connaissent un succès mitigé : ainsi une montgolfière tricolore lancée à Cucuron pour la fête du 18 fructidor VII voit-elle sa course brutalement arrêtée par le premier arbre qu'elle rencontre. Au total la partie proprement ludique de la fête tend à se développer constamment ; facilité sans doute, mais plus encore choix délibéré : et l'un des procès-verbaux marseillais, en germinal an IV (fête de la Jeunesse) en exprime sans détour les finalités : les promenades civiques ne sont pas (ou plus ?) propres à remplir l'objet que l'on se propose, pour intéresser la jeunesse c'est aux jeux et aux concours qu'il convient de recourir, de la course au tir ou au jet du palet. La « dépolitisation » de la fête révolutionnaire s'exprime assez bien à travers telles opinions, comme dans l'évolution des gestes, même si l'on habille les jeux de certains accessoires révolutionnaires parfois cocasses : ainsi à Nice le 19 prairial an IV (fête de la Victoire) où le tir se propose de décrocher une cocarde tricolore, et le jeu des palets d'abattre des fleurs de lis. La dernière image, et comme la dernière étape de cette évolution sera offerte par les jeux publics de vendémiaire an VIII à Marseille, auxquels on doit se faire inscrire vêtu de blanc pour la lutte ou la course des jeunes, des filles... et sem-

ble-t-il des vieillards, comme pour le saut du bouc. Il ne sera pas
accepté de candidats irréguliers. Toute une réglementation tatillonne
et, dirait-on, répressive se met en place, qui témoigne combien les
choses ont changé.

En guise de conclusion de ce parcours des à-côtés de la fête
— « à-côtés » qui tiennent, on en juge maintenant, une place...
centrale — on peut d'un mot suivre la courbe des feux de joie,
qui peuvent figurer comme le symbole de l'embrasement collectif.
Le feu de joie, celui de la Saint-Jean, le plus souvent d'été, parfois
d'hiver, comme celui des entrées et illuminations, était un élément
rituel de la fête traditionnelle : la Révolution ne le méconnaît pas
d'entrée, mais lui donne une place constamment croissante de 1790
à l'hiver 1793 où flambent les bûchers de nivôse an II, dans plus
de la moitié des fêtes de la période. C'est dans un embrasement
général que s'insère cette catégorie particulière de feux de joie que
sont les autodafés qui couronnent la mascarade déchristianisatrice.
Retombée en 1794 : il est vrai que cette année ne compta que six
mois qui s'achève pour nous sur les bûchers du 20 prairial où flamba
l'athéisme. Puis une obscurité presque complète sur trois ans, que
dissipent momentanément les nouveaux feux de joie de l'an VI et
secondairement de l'an VII, mais le réveil est éphémère. Les feux
de la fête se confondent bien finalement avec ceux de la Révolution.

L'impression générale sur laquelle nous laisse ce dernier parcours
reste bien du passage d'une fête globale dans laquelle l'élément ludique a certes sa place, mais directement inséré dans la dynamique
générale de la fête à laquelle il contribue, à une fête brisée, qui
sépare le sacré et le profane, l'officiel de la réjouissance, sans pour
cela que le « plaisir pur » en soit sous-estimé, puisqu'il prend à bien
des égards une place croissante dans la fête de l'après-midi à partir
de laquelle la Révolution bourgeoise tente de faire passer et d'accli-
mater celle du matin. Corollaire de tout ceci, une « refolklorisation »
de la fête, si l'on veut bien nous passer l'inélégance de l'expression,
qui se raccroche aux pratiques du romérage à l'ancienne.

La fête comme un tout : héritage ou mutation — fête reçue ou rejetée

En abordant ce corpus à la fois limité à quelques centaines de fêtes et démesuré par le nombre des questions que l'on peut poser à chaque pas, nous avons, avant de nous engager dans l'analyse, tenté une reconnaissance globale... A plus ample informé, il est temps de revenir à cette vision synthétique en nous interrogeant pour savoir si nous sommes en mesure de répondre désormais aux questions qui sous-tendaient l'enquête : continuité ou mutation dans la fête révolutionnaire ; fête reçue ou fête rejetée ? Ultime question qu'il faudra sans doute reprendre dans le cadre de la conclusion générale mais dont les réponses peuvent être préparées ici.

Le poids de l'héritage, continuités formelles

Le poids de l'héritage ? L'enquête sur le terrain permet d'en mesurer l'ampleur, comme d'en moduler les aspects. La fête traditionnelle n'est pas contestée jusqu'à 1792 dans ses aspects religieux, elle réapparaîtra timidement, par à-coups, mais d'un *trend* continu à partir du Directoire. La fête profane connaît une courbe un peu différente, s'éclipsant aussi un temps à partir de 1792, mais réapparaissant plus tôt, dès l'an IV, comme associée à la fête civique. A ce premier niveau du bilan, plus que d'héritage, c'est de coexistences tantôt pacifiques et tantôt âprement rivales qu'il faudrait parler.

Mais dans la fête proprement révolutionnaire, le poids des gestes et des pratiques acquises se fait sentir longuement de façon directe : c'est celui de la messe ou de la célébration religieuse jusqu'en 1792, c'est aussi la continuité visible dans l'ordre des cérémonies, des défilés profanes aux cortèges révolutionnaires.

On peut pousser plus loin cette recherche des ancêtres, au-delà des traits de ressemblance évidents. Mais qui aura suivi notre parcours ne pourra manquer d'être frappé de l'importance des frayages, cadres formels dans lesquels se coule la fête révolutionnaire, sans qu'ils apparaissent toujours d'entrée. Dans le temps de la fête, nous avons relevé l'opiniâtreté du dimanche jusqu'en 1794, comme, plus curieuse encore, la résurgence incongrue du décadi — pseudo-dimanche stabilisant l'heure de ses cérémonies à celle de la messe. Dans l'espace festif, si la mutation est plus marquée et si la fête révolutionnaire n'arrive pas à contrôler l'aire qui était celle de l'ancien romérage — bourg et terroir — mais en compensation s'extériorise plus dans la cité que la fête religieuse « d'intérieur », il reste néanmoins que, de l'église au temple de la Raison, puis au temple décadaire, le lieu d'accueil est le même et que les chemins du tour de ville n'ont guère varié.

Enfin tout un ensemble d' « accessoires » de la fête n'ont pas changé : de la bravade aux feux de joie, de la farandole aux banquets. Et c'est avec quelque étonnement satisfait que l'on découvre, par exemple, que c'est bien entre Fréjus, Grasse et Nice que l'on sort le plus facilement les tables du banquet fraternel, comme il est attesté que c'était dans cette Provence orientale que la pratique était la mieux enracinée.

Dans la période directoriale, sous la forme des à-côtés de la fête ou de la fête de l'après-midi, c'est tout un pan de la fête traditionnelle qui se réinstalle ainsi sans heurts comme une fête parallèle et parfois plus animée que la vraie.

Ce ne seraient là que continuités extérieures ou formelles. A décrypter les procédures de la fête révolutionnaire, nous avons vu surgir nombre de rappels plus précis : la fête de l'Etre Suprême, c'est la Fête-Dieu jusque dans ses fleurs et ses reposoirs, l'arbre de la Liberté n'est-il point le « Mai » de la Liberté... et que dire de l'évident héritage des pratiques du charivari dans les formes de la fête contestataire de 1793-1794, et notamment des mascarades ?

L'autre héritage : la fête carnavalesque

Mais on est amené ici à nuancer, en prenant conscience que cet héritage, dans la fête révolutionnaire provençale, n'est pas simple ni univoque. A côté de celui de la fête « officielle » de l'âge classique, profane ou religieuse, voici que ressurgit un autre passé : c'est la revanche de carnaval. Comprimée et refoulée par l'action conjuguée de l'Eglise et de l'Etat, la fête de type carnavalesque s'affirme à nouveau comme support formel de l'action subversive et de l'expression d'une festivité proprement populaire. C'est elle qui

rythme — dans les dates mêmes qu'elle retrouve — la grande
flambée de l'hiver 1793-1794, la plus marquée sans doute de toute
la Révolution. C'est elle qui donne aux liturgies comme aux cortèges
inventés leur style caractéristique : encyclopédisme, mélange des genres, fautes de goût dans lesquelles ne tombera point la période ultérieure, thérapeutique de la dérision — la mascarade — empruntant
aux pratiques populaires en voie d'éradication, comme le charivari,
leur langage comme leurs accessoires : le mannequin, l'âne mitré,
le cortège burlesque ; enfin, passage sans transition de la violence
à la joie, de l'exécution à la farandole... La fête révolutionnaire
authentique dans sa spontanéité, que certains cherchent aujourd'hui
à retrouver dans les jeux sanglants de l'ivresse et de la mort, serait-
elle cette fête « carnavalesque », cette libération prudemment amorcée à partir de 1792, explosant dans l'exaltation d'une saison — de
brumaire à germinal an II ?

Entendons-nous : nous ne ferons point de cette fête spontanée
mais passéiste, sortie comme l'on dit du fond des âges, « la » fête
révolutionnaire, pas plus que nous ne croyons que les fureurs populaires de la Révolution française sont dans le droit fil de la longue
série des sursauts sans espoir qui vont de la Ligue à la Fronde. Cette
ouverture momentanée, cette brèche d'un instant dans l'ordonnance de
la fête reste l'expression à notre avis originale d'une culture populaire
ambiguë dans son contenu comme dans ses formulations, d'autant
plus intéressante peut-être à percevoir par ce biais. Héritage de très
longue durée et dépassement tout à la fois, la fête carnavalesque
n'est pas « la » fête révolutionnaire : elle en est l'un des visages
et à coup sûr un des temps forts.

La « vraie fête », la fête sérieuse, celle qui compte et celle qui
tranche, va nous apparaître, par contrecoup, un peu triste.

Un modèle nouveau de la fête

Cette fête « nationale » n'est pas brutalement imposée de l'extérieur. Les élites locales, celles mêmes que nous avons vues réfléchir
en termes ambigus sur la signification, le passé et l'avenir de la fête
à la fin de l'Ancien Régime, ne pouvaient qu'être prêtes à adopter
un système conforme à la nouveauté des temps. A travers les discours

de la fête provençale que nous n'avons pu que décompter faute de
pouvoir nous lancer dans l'étude sémantique de leur contenu, un
discours sur la fête affleure à plus d'une reprise : il est parfois tenu
par des émissaires de l'extérieur comme Fréron dans son arrêté
du 28 brumaire an II sur les fêtes civiques dans les Bouches-du-Rhône,
ou Dherbez-Latour dans un arrêté similaire pris dans les Basses-Alpes
dès le 3 brumaire de la même année. Et point n'est besoin de rappeler l'influence — en actions — d'un Dorfeuille en Provence dès
1792. Mais lorsque ce sont des Provençaux qui s'expriment, ils ne
tiennent point un autre langage : ainsi le citoyen Mittié, bon jacobin
Marseillais, lorsqu'il publie en nivôse an II sa « Note sur les fêtes
nationales » ainsi justifiée « comme on prépare à Marseille une fête
pour la prochaine décade, afin de célébrer la prise de Toulon, j'offre
aux artistes et au public ce passage sur les fêtes nationales que j'ai
ajouté en note à la suite d'un discours sur l'instruction publique... ».
N'attendons pas de cette réflexion mieux que la répétition de thèmes
connus. « ... Qu'il serait grand et majestueux de rétablir parmi nous
ces institutions qui ont illustré d'anciennes républiques ! Nous pourrions créer des fêtes augustes qui tinssent des jeux olympiques et
portassent le caractère sacré de la belle antiquité... »

Ce n'est pas un autre discours que tiendra, le 26 germinal an IV,
le *Journal de Marseille* de Ferréol Beaugeard dans un éditorial consacré aux fêtes dont il fait l'historique, des célébrations religieuses et
civiles de l'Ancien Régime au rétablissement des fêtes civiles dont
il illustre les bienfaits par l'évocation de la fête de la Jeunesse récemment célébrée à Marseille, le 10 germinal. Institution qu'il rattache
à la tradition des « trains » et « romérages » mais plus encore au
lointain héritage de la fête à l'antique. Certes, en l'an V, au 3 fructidor, le journaliste contre-révolutionnaire mettra bas le masque et
partira en guerre contre la fête : « On a célébré le 14 juillet et la
guerre civile s'est montrée... on a célébré le 9 thermidor et les dis-
sensions intestines et politiques se sont également fait sentir. On va
célébrer le 10 août et qui sait ce que le courroux du ciel et la malice
des hommes nous préparent encore ? Chaque fois qu'il y a une fête
à célébrer, on est assuré d'y voir deux partis ennemis en présence,
dont le plus fort maltraite le plus faible... A quoi servent ces fêtes
auxquelles on ne voit jamais prendre part que le parti qu'elles flat-
tent ? Ce sont des jours perdus pour l'artisan... ce sont des réunions

dangereuses... ce sont des dépenses... C'est le plus souvent le masque de la satisfaction, les dehors trompeurs de la joie, lorsque l'esprit est tourmenté... Ne pourrait-on se dispenser de fournir aux partis l'occasion de crimes nouveaux en leur rappelant sans cesse le souvenir de leurs fureurs passées ? »

Mais c'est là lecture, non point de « l'élite » provençale qui n'existe pas, mais de cette fraction des groupes dirigeants qui est alors engagée dans un furieux combat contre la Révolution : et les succès réels, comme la redécouverte de la fête en l'an VI, montrent bien qu'elle n'était pas partagée par tous.

La fête nationale : reçue ou rejetée ?

Cette fête nouvelle dont nous avons suivi les étapes — temps forts de 1794 ou de l'an VI — temps faibles aussi ; comme la mise en place progressive, des festivités inventées ou imitées de 1790 à 1794 aux canevas respectés de prairial an II à l'an VIII, est-elle localement un succès ou un échec ? On ne saurait lui dénier les apparences, et plus que les apparences, d'un succès. Qualitativement, si l'on veut, on reste étonné même si le constat a été fait depuis longtemps, et peut par suite paraître naïf, de l'ampleur de la novation introduite dans le rituel, dans la symbolique, dans les significations mêmes de la fête : et à côté des traits de l'héritage, on ne saurait surestimer la part de l'invention, qu'elle soit locale ou reçue. Quantitativement — et c'est sur ce plan que l'expérimentation *in situ* révèle sa fécondité —, on mesure aussi l'importance dans le temps des flambées festives de 1792, début 1794, an VI, comme la pénétration dont elles témoignent, des cités aux bourgs et aux villages. On apprécie, par référence à la complexité et à l'enracinement du système festif ancien, l'importance du temps remodelé, des nouveaux rythmes de la vie collective pendant onze ans.

Mais les limites de ce succès apparaissent aussi : elles s'inscrivent sur le terrain dans le déséquilibre relevé entre fêtes urbaines et fêtes rurales, comme elles s'inscrivent, sur les courbes et les témoignages, dans la retombée, sans appel, de la fête à partir de l'an VII. Plus secrètement, elles sont perceptibles dès l'an IV, si l'on veut, à certains traits dont ce clivage que nous avons relevé entre la fête proprement civique, qui serait la fête du matin, et la fête folklorique ou profane qui retrouve sa place l'après-midi. Et passons sur les traits connus en tous lieux de l'irrespect du décadi et de la désertion des cortèges...

Fête reçue ou fête rejetée ? Greffon mal pris, parce que son rejet le plus vigoureux, la fête populaire ou carnavalesque a été réprimée, digérée et peut-être même est morte de sa belle mort s'il est vrai qu'il est de la nature de ces flambées de ne durer qu'une saison. Quant à l'autre greffon, la fête dont la bourgeoisie des Lumières a rêvé pour la communauté nationale, elle n'aurait duré que le temps des illusions, celle de l'unanimité en 1790, celle d'une Révolution achevée à partir de l'an IV, pour subir ensuite un phénomène de rejet.

Ne nions pas l'évidence : mais c'est à la longue que les conséquences de telles aventures se font sentir ; le problème demeure de savoir ce qu'il est resté au fond d'un tel épisode, et si la restauration de la fête à l'ancienne a été pleinement reçue.

CONCLUSION

N'ont-ils rien appris ni rien oublié ?

Fête de tradition, fête révolutionnaire : fête du temps long et du temps court : deux modèles ont été mis en place et confrontés. On doit se garder de la tentation de poursuivre, du moins trop avant, un parcours qui nous mènerait loin. Mais on ne peut éviter de clore le débat, au moins dans le temps court. La fête révolutionnaire, simple épisode, greffon mal pris, avons-nous dit : est-ce à dire que l'autre fête — la vraie — reprenne son cours comme si de rien n'était ? Telle question sollicite une double réponse : que reste-t-il des fêtes révolutionnaires, qu'en est-il de la fête « restaurée » ?

La fête révolutionnaire : un épisode oublié ?

Parce que la fête de type révolutionnaire disparaît complètement dans les premiers mois de l'an VIII, et qu'une double restauration s'opère, à la base par la remise en place du romérage et de la fête folklorique, au sommet par le relai de la fête officielle consulaire puis impériale et d'autre part de la fête religieuse, il serait facile de conclure à l'oubli total.

Pour mesurer la nature et la profondeur de cet oubli, il faudrait mener une première enquête dans un de ces mondes du silence auxquels s'affronte l'historien. Celui de la mémoire populaire col-

lective : une mémoire longue et courte comme l'on sait. Longue parce
que l'on s'est souvenu des rôles tenus par les uns comme par les
autres, et que la fête, en imprimant des souvenirs visuels durables,
en théâtralisant les attitudes, a pu être un support privilégié. La Cavale
et la Fassy, déesses Raison marseillaises massacrées à Aix par la
réaction thermidorienne, portent dès l'époque témoignage que ce rôle
fut pris au sérieux. Plus heureuses, les petites vieilles comme la
vieille Riquelle qui se souvenaient, au temps de la jeunesse de Mistral,
d'avoir figuré la Raison dans les cortèges villageois : représentatives
de ces gens du peuple qui gardèrent, leur vie durant, la nostalgie
de la grande fête révolutionnaire. Pour beaucoup, il dut y avoir ce
soulagement un peu lâche, dont le préfet du Var, Fauchet, que nous
cite Agulhon, se fait l'écho en l'an IX : « On s'est bien diverti partout, on était étonné de s'amuser. On regardait comme un songe que
les plaisirs que l'on goûtait ne fussent pas mêlés de ces scènes désa-
gréables si fréquentes autrefois et surtout depuis la Révolution... »
L'impression d'avoir retrouvé la vraie fête purgée des ajouts incon-
grus de l'époque révolutionnaire a pu contribuer à cet exorcisme collectif.

L'exorcisme n'a pas été inconscient à tous les niveaux : et si nous
passons du domaine passionnant, mais si flou, faute de traces, de
la mémoire collective populaire, au monde de ceux qui ont écrit,
on rencontre des évidences plus palpables. Les chroniqueurs qui, dès
la Restauration, se sont attachés à retracer l'histoire qu'ils avaient
vécue ou connue par témoignages directs, n'ont pas toujours fait
de la fête révolutionnaire un portrait charge caricatural : Lourde,
qui publie en 1838 une *Histoire de la Révolution à Marseille et en
Provence, de 1789 jusqu'au Consulat*, et qui n'est point un jacobin
prononcé, évoque avec un intérêt réel l'atmosphère de fête continue
de Marseille à l'été 1792, lors de la campagne de plantation des
arbres de la Liberté. Mais la lecture libérale n'est pas, on s'en doute,
celle qui domine : et c'est durant ces années que se plantent les
calvaires expiatoires comme s'accumulent les pièces des dossiers à
charge que l'on retrouve dans certains fonds manuscrits (Arles,
Fonds Véran) sous des titres sans ambiguïté : « Quelques-unes des
principales fêtes jacobytes célébrées dans Arles... » (Mss. 794). Telles
pièces, bien propres à alimenter les premières et longtemps seules
évocations des « saturnales » et des « orgies » révolutionnaires, que

l'on voit s'élaborer sous des plumes souvent ecclésiastiques dès les décennies suivantes (abbé Soullier : Histoire de la Révolution d'Avignon et du Comtat... 1844 ; abbé Trichaud : Histoire de la Sainte-Eglise d'Arles... 1864). Qu'on le traite (si l'on peut dire) par le silence ou par l'anathème, il en va de ce thème comme de celui — voisin par plus d'un point — des prêtres abdicataires : il figure au rang des souvenirs longtemps présents, voire obsédants, et en même temps occultés.

Après l'absente de l'histoire, pour reprendre une expression commode, — entendons la fête révolutionnaire — qu'en est-il de la fête « restaurée » ?

La fête : une restauration « reçue » ?

On nous permettra d'emprunter, là encore, une formule heureuse, en l'occurrence à Maurice Agulhon qui, dans son étude sur « La vie sociale en Provence intérieure au lendemain de la Révolution », a placé la fête au rang des restaurations bien reçues : religion, folklore, sociabilité.

Cette restauration, nous en avons suffisamment détaillé les étapes, au déclin de la Révolution, dans l'étude dynamique de la fête révolutionnaire pour n'avoir pas besoin d'y revenir, et pour souscrire aux conclusions que M. Agulhon propose dans le cadre varois : remise en place spontanée sous l'œil complaisant, encore que parfois étonné, de préfets hommes du Nord (Fauchet dans le Var), des expressions traditionnelles de la fête provençale, des plus spontanées (le carnaval) aux plus codifiées (la procession), en passant par le romérage.

Pour voir d'un peu plus loin, franchissons vingt à trente ans : la sociabilité provençale de l'époque de la Monarchie censitaire, telle que l'évoquent les sources, fait à la fête une place d'honneur. Dans les ouvrages statistiques que les préfets de l'époque consacrent aux départements, elle tient une place, d'entrée, considérable chez certains, ainsi Villeneuve-Bargemont dans la statistique des Bouches-du-Rhône de 1821, notable chez d'autres (Ladoucette dans les Hautes-Alpes) ; croissante à la mesure d'une découverte chez d'autres encore (Delacroix qui n'en parle pas encore dans l'édition de 1817 de sa statistique de la Drôme et qui lui consacre quelques riches pages dans

18

la réédition de 1835). Des uns aux autres, dans la tradition aussi du
« Voyage dans les départements du Midi » de Millin, qui appartient
au même milieu culturel, un regard se met en place, une observation
porte ses fruits, qui se trouveront monnayés dans des outils de travail courant tel le dictionnaire des communautés provençales de
Garcin, paru en 1836. Regard froid de l'homme de science et d'administration, ce qui va de soi en cette période stendhalienne, mais avec,
bien sûr, des modulations différentes suivant les options des uns et
des autres : les uns rechercheront dans la fête provençale l'image
transposée de leur idéal néo-classique, d'autres (Garcin) seront sensibles aux scories héritées du fanatisme et de la superstition qui
l'encombrent, d'autres au contraire (Villeneuve) tenteront d'y retrouver l'expression de l'idéal de stabilité conservatrice et passéiste, encore
qu'éclairée, qui est le leur.

Mais à travers ces lectures différentes, et en jouant de leurs dif-
férences mêmes, il n'est pas impossible, peut-être, de percevoir ce
qui a changé dans la fête restaurée. On dira que ces auteurs ne sont
pas inconnus : et que nous les avons exploités dans notre tableau
initial pour ce qu'ils peuvent apporter à la connaissance de la fête
de longue durée. Loin de nous l'idée de faire repasser à deux reprises,
sur le plateau de ce théâtre, les mêmes figurants : mais il est possible,
en leur appliquant une seconde lecture, de percevoir ce qui a changé.
Nous nous contenterons de deux de ces approches, différentes et
convergentes à la fois, celle de Villeneuve et celle de Garcin.

Villeneuve-Bargemont, témoin de la stabilité

1. La fête restaurée

C'est chez Villeneuve-Bargemont, à la fois plus fouillé et plus
compréhensif dans sa statistique des Bouches-du-Rhône, que la fête
« restaurée » de 1820 se présente dans toute son ambiguïté.

Restauration réussie ? A coup sûr aux termes de la statistique
même : sur cent une communes du département (la totalité à l'exclusion des plus grandes cités), les monographies communales font état
d'une fête locale dans soixante-dix-sept cas ; c'est plus qu'on n'en
rencontrait pour la même aire en 1787 dans le dictionnaire d'Achard
(45), il est vrai moins exhausif et moins sûr statistiquement.

Fête patronale, s'exprimant le plus souvent sous la forme du romérage : les vingt-quatre communautés sans fête attestée sont, dans
une quinzaine de cas au moins, les plus médiocres villages, de moins
de trois cents habitants. Passé ce seuil, la fête est quasi universelle.
Par ailleurs, et sur un plan qualitatif, le romérage, que l'auteur appelle
roumevage, affirme sa vitalité au long des pages qu'il lui consacre.
Au village, il attire les foules, et une nébuleuse dense d'implantations
se dessine dans l'arrière-pays marseillais comme dans tout le pays
d'Arles. L'auteur relève la vitalité de la danse comme des jeux qui
accompagnent la fête. Ceci vaut pour les bourgs et villages : en ville,
on insiste sur la solennité comme sur la profusion, à l'horizon 1820,
des processions marseillaises, multipliées dans les quartiers, à tel
point qu'il n'est pas de semaine qui n'en connaisse au moins une.
Surtout, cette fête affirme sa vitalité par sa mobilité et son pouvoir
d'adaptation : l'auteur relève les liens plus serrés qui se tissent
entre la fête et la foire et ce trait qui scandalisait dans le Var le
préfet Fauchet (multiplication des jours d'inactivité) lui semble comme
à Delacroix dans la Drôme un élément d'animation. Puis cette fête,
dans le cadre d'une évolution profane accentuée, poursuit sa structuration : on relève la formation de corps de musique spécialisés
dans les principales agglomérations, la novation dans certains secteurs,
ainsi la tauromachie dans le pays d'Arles (Arles, Tarascon, Graveson), ou dans la partie entre le Rhône et la Durance, pays du blé
et des troupeaux, en plein essor, la montée de la Saint-Eloi « devenue
par la nature des lieux la fête de l'agriculture... » (Maillane, Fontvieille, Boulbon, Mollèges, Saint-Andiol, Chateaurenard, Cuges...).
Cette fête à coup sûr n'est point moribonde, il s'en faut, qui exprime
l'assurance d'une paysannerie bien établie.

Villeneuve-Bargemont, témoin du changement
2. Le déclin de la fête

Mais la fête n'est plus ce qu'elle était : et l'auteur, malgré sa
propension à privilégier la continuité, permet de saisir ce qui a
changé.

Des fêtes partout, ou presque... peut-être : mais somme toute moins
de fêtes. Dans cette région de Basse-Provence occidentale, en 1787,

le dictionnaire d'Achard permettait d'apprécier la multiplication des fêtes dans le cours de l'année : deux... trois, et jusqu'à six fêtes par an. En 1821, la fête unique s'impose beaucoup plus généralement et la moyenne par lieu où des fêtes sont attestées tombe de 1,8 à 1,2. Est-ce à dire que l'on revienne en arrière, et que le mouvement d'émiettement hebdomadaire suggéré par M. Agulhon dans la seconde moitié du XVIIᵉ siècle ait régressé ? Non sans doute, et d'une certaine

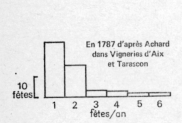
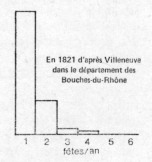

Le déclin de la fête

façon, il a trouvé son achèvement. La sociabilité diffuse du bal du dimanche ne se superpose plus de façon obligée aux rythmes de la fête patronale. Des coupes sombres ont donc été opérées dans le calendrier festif d'Ancien Régime — dans quel sens ? La superposition pour cette même région du diagrammme annuel de répartition des fêtes en 1787 et en 1821 atteste que le regroupement estival, ébauché au XVIIIᵉ siècle, s'est achevé : la double pointe de juin et surtout d'août (réservant en juillet le creux de la moisson) s'est sensiblement accentuée. Par ailleurs, la variété des fêtes au village s'est réduite :il y avait, en 1787, 6 lieux de pèlerinage pour 45 lieux de fête, il y en a 7 pour 100 en 1821, comme il n'y a que 9 cas de fêtes professionnelles pour 100 (essentiellement la Saint-Eloi des paysans) contre 5 pour 45 en 1787.

Quantitativement, la régression est donc notable : elle ne l'est pas moins à la ville comme au bourg sur le plan qualitatif. A travers les évocations du préfet de Villeneuve, il apparaît bien que le visage de la fête s'est modifié, plus encore, que c'est bien souvent au passé qu'il convient d'en parler. Quand s'est fait le tournant ? Il n'est pas toujours daté mais il y a chez Villeneuve comme, nous le verrons, chez Garcin un perpétuel passage du présent à l'imparfait qui fait apparaître la fête évoquée dans sa plénitude passée au presque-présent si l'on peut dire. Dans certains cas, la précision est donnée : de façon lâche, les jeux de la Pentecôte à Tarascon sont évoqués à partir des souvenirs d'un témoin oculaire qui les a « vus dans sa jeunesse dans toute leur splendeur » ; « autrefois », dans certaines villes, on exécutait des jeux pour la Fête-Dieu ; à Vitrolles le repas du Mardi Gras a disparu « depuis quelques années seulement », et la même impression d'une évolution en cours apparaît à propos des usages autour de la fête de Noël : nombreux « il n'y a pas longtemps », « chaque année on en voit tomber quelques-uns en désuétude », en fonction de l' « uniformité qui s'établit dans toute la France ». Dans la plupart des cas, toutefois, une date est proposée, qui sépare aujourd'hui d'autrefois : et c'est la Révolution. Suppression sous la Révolution, sans reprise véritable ensuite : ceci vaut pour les fêtes et jeux urbains (Aix, Tarascon, Salon) comme pour les processions et pèlerinages (le vœu de Mgr de Belsunce à Marseille) ou même certains usages collectifs populaires (les bains rituels de la Saint-Jean) et surtout pour l'organisation du « roumevage ». La date proposée sans ambiguïté, on peut se demander si elle ne répond point à une commodité : mais il semble bien que, dans la plupart des cas mentionnés, le hiatus révolutionnaire a pour le moins hâté et mis en forme une évolution en cours.

Quel est donc le bilan de ces allégements, voire de ces mutilations de la fête ?

C'est parfois dans le temps très court de l'actualité vécue que prennent place les modifications de la fête familiale : le gâteau des rois a moins de solennité, à Noël la pratique des cadeaux, restée fidèle aux traditions dans le peuple, s'aligne dans les classes aisées sur l'évolution nationale, et la traditionnelle exhortation patriarcale qui terminait le « gros soupé » ne subsiste plus que dans les campagnes et même dans un petit nombre de familles.

Les fêtes que l'auteur dit générales — c'est-à-dire collectives — et qui rythment le calendrier liturgique témoignent de mêmes oublis :

dans le cycle de Carême, si Carnaval se renforce en certains sites mais de façon ambiguë (tendant vers le spectacle officialisé qu'il deviendra plus tard), à Arles on ne célèbre plus les « brandons », à Vitrolles on s'est détaché du repas de Mardi Gras, à Marseille on se souvient qu'avant la Révolution on *allait* pour Pâques entendre la messe aux Chartreux... mais c'est pour y envoyer par plaisanterie (évolution dérisoire du rite) un pauvre gavot nouvellement arrivé en lui faisant croire à la distribution gratuite d'une soupe de fête — comme cela se pratique dans ses montagnes. A la Saint-Jean, si les bains de mer rituels, on l'a vu, ont parfois été oubliés, le peuple continue à se porter en foule vers la Sainte-Baume ou le Ventoux pour y cueillir les herbes de ses potions magiques.

C'est dans le cadre des cérémonials urbains de la Fête-Dieu que cette modification ambiguë se matérialise le plus pleinement. La procession sur le modèle national, à peu de chose près, n'a jamais été aussi ostentatoire, et semble-t-il diligemment suivie qu'à l'horizon 1820. Mais les rituels traditionnels ont pris un rude coup. Certains de ceux qui leur étaient les plus proches, de la Pentecôte à la Fête-Dieu, ont carrément disparu : ainsi l'élection du roi de l'Eguillade à Lambesc, Orgon ou Fuveau. A Pentecôte, les jeux de Tarascon, à Aix et Salon, les jeux de la Fête-Dieu, à Marseille, le cortège composite n'ont repris que très partiellement après la Révolution : à Salon uniquement « dans les occasions solennelles », à Tarascon « dans les grandes occasions » et « avec moins d'éclat ». A Aix, on déclare de la Fête-Dieu que, « depuis la Restauration, elle a reparu plusieurs fois mais avec des suppressions nombreuses et des changements notables dans les costumes ».

Fête partiellement restaurée, mais devenue occasionnelle et par là même accentuant l'impression d'exotisme qu'elle fournit... si l'on voulait risquer un élément de conclusion qui risque de paraître paradoxal, on pourrait dire que l'un des moindres résultats, sinon de la fête du moins de la coupure révolutionnaire, n'est pas d'avoir assuré le triomphe de la politique des prélats du XVIII° et de la fête la plus orthodoxe même si l'Eglise y a laissé elle-même des plumes, comme on le voit d'après l'exemple des pèlerinages (la Sainte-Baume « ne se pratique pas régulièrement toutes les années ») ou des grandes fêtes votives : la procession marseillaise du vœu de Mgr de Belsunce, rétablie en 1807... célébrée et solennisée en 1821 à l'occasion de son centenaire.

Là où la modification est la plus vivement ressentie derrière la vitalité de la pratique, c'est dans le déroulement du romérage. L'auteur insiste sur sa « désinstitutionnalisation » si l'on peut se permettre ce terme barbare, en rappelant qu' « avant la Révolution il était dans tous les bourgs et villages l'une des occupations les plus importantes du conseil municipal ». Ce lien n'apparaît plus : pis encore, la pratique institutionnalisée des abbats et prieurs n'est plus signalée que comme une curiosité maintenue dans quelques sites. Les nouveaux liens qui se tissent pour animer la fête privatisée, — l'essor des corps de musique ou des démonstrations para-militaires —, le sont avec les aubergistes, avec les foires, encore que celles-ci, au réseau naguère si dense, soient, dit-on, en recul : en un mot avec ceux qui profitent économiquement du phénomène. Etape dans l'évolution profane qui a par ailleurs été étudiée par M. Agulhon.

Un regard modifié :
La nostalgie du passé. La « Beauté du mort ? »

Mais le changement le plus profond dans le domaine de la fête, perceptible à partir de la cinquantaine de pages que lui consacre Villeneuve, c'est peut-être celui du regard qui est porté sur elle. Non que chez Villeneuve il soit devenu hostile : *laudator temporis acti,* Villeneuve porte sur les usages anciens un œil nostalgique, il nen décrit qu'avec plus de pertinence l'évolution qu'il vit : le repli sur la vie familiale, le spectacle de Marseille déserté le dimanche parce que tout le monde est parti se divertir, qui à sa bastide, qui dans les guinguettes... Et chez lui commence à se profiler l'idéal à la fois de la famille et de la vie collective qui aura la vie si dure jusqu'à De Ribbe et aux émules de l'école de Le Play : « Telle était en résumé la vie sociale de nos pères ; renfermés les jours ouvrables dans leurs affaires domestiques, ils remplissaient les devoirs du père de famille ; réunis les jours de fête pour remplir les devoirs du citoyen, ils menaient de front les affaires publiques et les divertissements. Ce genre de vie a subsisté dans les petites villes et dans les villages jusqu'à la Révolution. Dans les cités populeuses il subit des modifications, mais il ne fut pas complètement changé... Quant aux divertissements, ils durent changer à mesure que les cafés, les concerts, les théâtres et les autres lieux de réunion furent introduits dans l'état social. Mais la coutume de traiter les affaires publiques le dimanche, d'assister en corps aux offices divins, de présider les jeux, de donner des repas de corps subsista partout jusqu'à la Révolution. Maintenant notre vie sociale ne ressemble nullement à celle de nos aïeux... Si la vie domestique s'est améliorée sous quelques rapports, la vie sociale n'offre ni les mêmes charmes ni les mêmes avantages que dans le bon vieux temps. Les jouissances étant plus concentrées dans l'intérieur des familles, on apporte à l'extérieur plus de gêne et de convenance... la politique tend à rendre les réunions moins gaies et à circonscrire dans les familles les divertissements publics ou les plaisirs dont les sociétés se trouvent peu à peu privés. »

Prenant acte de l'évolution qu'il déplore, c'est la « beauté du mort » qu'autopsie Villeneuve dans le déroulement analytique très structuré qu'il consacre aux fêtes, passant des « fêtes générales » (celles du calendrier liturgique) aux « fêtes particulières et locales » (fêtes votives, roumevages, pèlerinages), enfin aux « fêtes accidentelles » (auxquelles il associe... les fêtes « nationales », qui restent encore pour lui accidents dans un rythme à dominante liturgique). On mesure le chemin parcouru depuis les tableaux impressionnistes de Bérenger à la veille de la Révolution, dans ses « Soirées provençales », jusqu'à ce traité préparé pour l'ethnologue ou le folkloriste.

Devenue objet de science en même temps que de nostalgie, la fête post-révolutionnaire se serait-elle décisivement engagée dans la voie d'un déclin masqué par une vitalité apparente ?

Le bilan sans pitié d'un dictionnaire (Garcin, 1836)

C'est bien l'impression que l'on retire si l'on confronte la lecture du comte De Villeneuve à celle, proche et différente, que propose en 1836 dans son dictionnaire de Provence, Garcin, administrateur et érudit, qui renouvelle et met à jour, cinquante ans plus tard, le monument du médecin Achard. Et comme nous avons préludé sur le riche tableau de cette première statistique, il n'est que justice de conclure sur le second. C'est aller, si nous voulons jouer les naïfs, à une déception : là où Achard signale et décrit quatre cent vingt-sept fêtes, Garcin n'en présente que quarante-sept pour l'ensemble de la **Provence** et du ci-devant Comtat. Certes le dictionnaire de Garcin est bien plus court que celui d'Achard, et pour quelques rubriques très développées, la plupart sont beaucoup plus succinctes. Cela ne l'empêchait pas, toutefois, de parler des fêtes, puisqu'il a signalé systématiquement (et plus scrupuleusement qu'Achard) les foires qui représentent l'autre rendez-vous majeur d'une localité. Mais précisément, l'auteur a fait son choix : entre la fête et la foire, entre lesquelles Achard tenait la balance égale, il lui semble plus utile et somme toute plus légitime de privilégier la foire. Il n'en est peut-être que plus intéressant d'apprécier quelle est cette pincée de fêtes qui semblent à l'auteur d'un guide-dictionnaire Restauration dignes d'être signalées. Nous les avons classées suivant trois critères : un classement analytique qui s'imposait à coup sûr ; une stratification historique, car l'auteur distingue la fête disparue complètement de celle qui est devenue exceptionnelle, de celle qui conserve son succès, ou même vient à peine de s'établir : dimension diachronique non négligeable. Enfin, Garcin juge — et sans complaisance — en fonction d'un goût de provincial des Lumières au temps de Louis-Philippe : troisième codage qui présente les perceptions de la fête par une certaine bourgeoisie de l'époque.

Comment s'organisent ces trois variables ? A travers cette cinquantaine de descriptions, la fête provençale apparaît bien en pleine mutation : pour un tiers qui sont soit nouvelles, soit mises au goût du jour, il est un autre tiers qui ne sont plus rappelées que comme des souvenirs. Souvenir que la majorité des usages domestiques : la louange du défunt ou le banquet funèbre en Provence orientale (Vallauris ou Grasse). Réalité vivante encore que les banquets multiples et voraces de la vallée de Barcelonnette pour les fiançailles, mariages et sépultures : mais les gens comme il faut, précise-t-on, s'en détachent. Et même dans les milieux populaires de la montagne alpine, à Sourribes près de Sisteron, les commères qui accueillent la nouvelle épousée respectent le rituel : mais c'est, dit-on, en souriant. Il n'y a que deux lieux (Fours, en Haute-Provence, Cuges, près de Marseille) où les rencontres traditionnelles du repas funèbre soient signalées comme bien vivantes.

Les notations qui tournent autour de la fête villageoise ou du romérage, au sens large, qu'il soit associé au pèlerinage ou à la foire, sont en majorité (27 sur 47). Elles ne témoignent pas d'un déclin, il s'en faut : six cas de recul pour neuf de progrès et douze de stabilité.

LES FÊTES PROVENÇALES ÉVOQUÉES DANS LE DICTIONNAIRE DES COMMUNAUTÉS DE PROVENCE DE GARCIN
(1836)

	FÊTE PRÉSENTÉE COMME...				TOTAL
	révolue, un souvenir du passé	au « passé-présent », devenue rare, occasionnelle	succès maintenu et étale	fête nouvelle, en progrès	
Usages domestiques, fêtes familiales	= : 1 — : 1	? : 1 — : 1	+ : 2		+ : 2 = : 1 ? : 1 — : 2
Fêtes patronales « romérages »	+ : 1 = : 1 — : 1		+ : 1 — : 1		+ : 2 = : 1 — : 2
Fête associée à la foire			+ : 1 = : 1	+ : 1	+ : 2 = : 1
Pèlerinage	— : 2	? : 1	+ : 4 ? : 1 — : 1	— : 1	+ : 4 ? : 2 — : 4
Jeux, fête devenue profane, ou folklorisée			+ : 1 ? : 1	+ : 3 = : 3 — : 1	+ : 4 = : 3 ? : 1 — : 1
Fête hebdomadaire banalisée				? : 2 — : 3	? : 2 — : 3
Fête urbaine traditionnelle	+ : 1 — : 3	— : 2	+ : 1		+ : 2 — : 5
Nouvelles formes de festivité urbaine				= : 2	= : 2
TOTAL	+ : 2 = : 2 — : 7	? : 2 — : 3	+ : 10 = : 1 ? : 2 — : 2	+ : 4 = : 5 ? : 2 — : 5	+ : 16 = : 8 ? : 6 — : 17

Légendes des appréciations de Garcin sur les fêtes provençales :

+ : appréciations louangeuses (34 %)
— : fête décriée (17 %)
= : fête simplement signalée, indifférente (13 %)
? : sentiments partagés, généralement critiques (36 %).

Disparitions ou souvenirs se rencontrent en Provence orientale (Barjols, Correns, Tourrette, Cotignac, Bras, Salernes) et visent les festivités que l'auteur méprise le plus, comme entachées de fanatisme ou de superstition : pèlerinages ridicules à un étang ensorcelé (Bras), source miraculeuse dont « la vertu est épuisée » (Cotignac), visite à une nymphe sous couvert de dévotion à un saint (Salernes), danses ridicules (Barjols), rencontres s'achevant traditionnellement en rixe (Tourrette). Tout ceci, fort heureusement n'est plus, et dans son guide de la Provence cocasse l'auteur ne les cite que comme curiosités d'hier.

Mais il reste que majorité des romérages maintiennent leur audience, et parfois progressent : il est des pèlerinages fréquentés, soit d'audience régionale (Sainte-Baume ou Mont Ventoux), soit d'audience locale : Sainte-Roseline aux Arcs, ou Saint-Ours à Meyronnes, au-dessus de Barcelonnette, soit même élus sélectivement par un groupe professionnel (les marins à la Seyne). La bravade est signalée à Saint-Tropez ou à Callian, les joutes de Tarascon ou la danse des épées à Istres ne sont pas omises. Mais on y perçoit, et ce n'est pas sans doute une lecture spécifique de l'auteur, l'évolution « folklorique » poussée qui en fait un spectacle recherché pour son exotisme. C'est par ces moyens, comme en s'associant à la foire, que le romérage garde sa vitalité : et l'auteur note l'affluence à Grimaud pour la « foire » du 15 août, comme il relève que chez beaucoup de paysans on dit d'un trait, Santanna d'Apt, tant la ville est pour tous associée à son pèlerinage et à la foire qui l'acompagne. Parmi ces nouveautés, certaines sont de bon aloi : la foire du 10 août à Ollioules, où l'on se tient bien et où les dames toulonnaises ne dédaignent point de venir danser ; d'autres, plus inquiétantes, ainsi ce pèlerinage d'un jour ou de quelques semaines que fit naître à Peyrolles en 1814 le faux thaumaturge Beinet, rapidement démasqué. Même regard inquiet se tourne vers les lieux où la diffusion hebdomadaire de la fête est si poussée qu'on ne peut ne pas la remarquer ; de Saint-Chamas à Barbentane, Robion, Callian, ou La Garde Freinet : « on y aime le vin, le jeu, la danse »...

S'agissant des fêtes urbaines, Garcin, s'il rend l'hommage qui s'impose aux héritages du passé (la Fête-Dieu à Aix), les évoque pour la plupart comme souvenirs historiques : et pour lui comme pour Villeneuve, il n'y a guère que les processions marseillaises qui perpétuent avec faste les fêtes du passé.

C'est sans regret qu'on les enterre lorsqu'il s'agit de pratiques d'aussi mauvais goût que la fête des fous d'Antibes, la jouvine de Grasse, ou les anciens jeux nuptiaux de Manosque, comme aussi bien la Tarasque à Tarascon.. Simultanément, l'auteur ne manque pas de relever les nouveautés relatives que sont les courses à la cocarde à Arles ou Tarascon.

Au bilan de ce bref parcours, il semble bien qu'autant que l'évacuation quantitative de la fête ce soient les modifications qualitatives qui l'affectent qui soient ici notables : on y joindra l'esprit général qui sous-tend toute cette lecture.

La fête méprisée

Garcin est sans tendresse pour la fête provençale : dans le droit fil de la lecture des Lumières, d'un Bérenger comme d'un Millin, il n'a que mépris pour les formes anciennes et moribondes, qu'il condamne, lorsqu'il s'agit de pèlerinages, au nom du ridicule de la religion peu éclairée de nos ancêtres, ou lorsqu'il s'agit de pratiques folkloriques comme la jouvine, au nom du bon goût et des bonnes mœurs : on notera que sur seize fêtes disparues ou en voie de disparation, neuf sont condamnées par lui, deux ou trois autres ne sont point sans reproches. Mais s'il condamne le passé, Garcin voit le présent qui annonce l'avenir sans plus de sympathie : et c'est aux nouveautés qu'il réserve également ses plus fortes critiques (7 cas sur 16). Critiques d'ordre esthétique d'un néo-classique qui n'apprécie pas les glapissements aigres des chanteuses (Callian) et qui condamne avec une équitable injustice la passion nouvelle pour la danse et pour le plaisir, qu'elle conduise à la mollesse (Robion)... ou qu'elle n'y conduise pas : à Saint-Chamas, on est passionné pour la danse, mais on n'en oublie pas pour cela ses affaires.

Faut-il trancher ?

De Villeneuve d'un côté, de Garcin de l'autre, finalement assez proches, peut-on tirer les éléments d'un bilan ?

Il est redoutable, car on l'attend de nous à deux niveaux. La fête provençale a-t-elle, au lendemain de la Révolution, repris son cours comme si de rien n'avait été, ou ses traits en ont-ils été altérés ? Dans ce cas, quel est le poids ou, si l'on veut, la responsabilité de l'épisode révolutionnaire : décisif, ou simplement adjuvant d'une évolution en cours ?

Au point où nous sommes parvenu, il semble bien que la restauration de la fête ancienne au lendemain de la Révolution soit une restauration incomplètement reçue, pour autant qu'on en puisse juger à partir du seul témoignage des sources imprimées. Ce n'est point sous-estimer la vitalité des formes reconstituées de la sociabilité provençale, et singulièrement du romérage : mais sur bien des fronts, à la ville, mobile et changeante, plus encore qu'à la campagne, la désagrégation du système festif antérieur à la Révolution s'affirme comme irréversible. Ce n'est aller à l'encontre ni des conclusions de M. Agulhon sur le réemploi et la reconversion de ces expressions de la sociabilité provençale, ni de celle de A. Varagnac, qui date, en gros, de 1870, le processus de destructuration de ces mœurs traditionnelles, que de mettre en valeur la place de l'intrusion dans le temps long de la fête, de l'événement révolutionnaire.

En mesurer la responsabilité précise ? Les allègements ou les mutilations de la fête, telle qu'elle se réinstalle à partir de 1800-1820, par rapport à la fête prérévolutionnaire, autorisent un certain nombre de constats. Les modifications enregistrées sont bien dans la ligne de l'évolution de longue durée ressentie au cours du XVIIIe siècle, soit d'un mouvement spontané, soit sous la pression tant... des prélats que des hommes des Lumières. La distance prise, vis-à-vis des formes les plus anciennes de la fête populaire qui devient « folklorique », l'occultation progressive de son sens vont dans cette voie.

Dans cette perspective, il semble bien que si la Révolution a échoué dans sa tentative d'imposer un nouveau modèle, elle a incontestablement contribué au décapage parfois radical de l'ancien. Sont repartis les rejets les plus vigoureux (le romérage), pour un temps du moins ; les formes moribondes de la fête ont été extirpées sans retour (la fête urbaine).

Dans l'évolution psycho-sociale de longue durée, la fête révolutionnaire n'aurait-elle joué qu'un rôle accélérateur, et somme toute limité ?

L'importance historique ne se mesure pas uniquement aux fruits du lendemain. Considérée pour elle-même, la fête révolutionnaire proven-

çale ne nous apparaît pas non plus comme l'implantation, toute extérieure et vite rejetée, d'un modèle stéréotypé. Si elle a reçu en Provence un succès qui nous semble indéniable, c'est parce qu'elle a
pu jouer de tout un réseau d'harmoniques, de frayages, et de parentés.
Elle s'est enracinée à sa manière, et de multiples façons, trouvant
dans le système festif préexistant structures d'accueil et d'adaptation.
Il nous paraît bien aussi qu'elle a momentanément réveillé toutes les
pulsions qui sont à la base de ce que nous avons appelé, d'un terme
simplifiant, la fête carnavalesque : jugulées et sévèrement tenues en
lisière à l'âge classique. A ce titre, elle occupe une place essentielle
dans l'histoire de longue durée de la fête. Et plutôt que de la condamner du fait de cette apparente absence de postérité, qu'accentue sous
la Restauration le silence pesant et réprobateur qui se fait sur elle,
peut-être est-il plus légitime de la réévaluer comme la dernière des
grandes explosions de la fête carnavalesque ?

Est-ce bien la dernière, et doit-on rester sur un verdict qui fait
de la fête qui a voulu être celle de l'avenir l'expression d'un passé
révolu ? Revient à la fin de cette réflexion, comme elle était au début,
l'image de la vieille Riquelle, la paysanne de Maillane qui se souvenait
d'avoir été, à seize ans, déesse Raison, et qui attendait le temps des
pommes rouges. Cette attente est peut-être un peu plus qu'une nostalgie de vieillard : et c'est pourquoi la fête révolutionnaire n'a pas fini
de faire rêver.

BIBLIOGRAPHIE

A. SOURCES MANUSCRITES

Le développement initial sur la fête traditionnelle s'est volontairement limité aux sources imprimées. S'engager dans le foisonnement des sources manuscrites, en premier rang les sources judiciaires, serait s'engager dans une autre aventure. Sur ce point, notre enquête, qui s'est donné pour but essentiel de valoriser l'important corpus imprimé des statistiques de la période 1760-1830, avoue ses limites. L'importante contribution de Mlle Mireille Meyer a porté principalement sur le traitement statistique de certaines de ces sources (Dictionnaire de Provence d'Achard).

En ce qui concerne la fête révolutionnaire, telle procédure n'eût pas été viable : on en jugera à l'indigence d'une bibliographie des sources imprimées fort réduite. Un très important travail de dépouillement a été mené dans les séries L des archives départementales en Provence (Bouches-du-Rhône, Var, Vaucluse, Alpes de Haute-Provence, Alpes-Maritimes), comme dans les fonds d'archives municipales les plus importants (Marseille, Aix, Arles, Avignon...), comme aussi dans les manuscrits de certaines bibliothèques particulièrement riches (bibliothèques municipales : Marseille, Arles ; bibliothèque inguimbertine à Carpentras, bibliothèque Méjanes à Aix, musée Calvet à Avignon). Le mérite principal de cette prospection revient à Mme Bernardini, alors Mlle Rua, qui recense ces sources en annexe à son mémoire de maîtrise préparé sous notre direction en 1972-1973, sous le titre *Les Fêtes révolutionnaires en Provence* (Aix, dactylographié). C'est à ce travail que se reporteront les spécialistes désireux de revenir directement aux sources.

B. SOURCES IMPRIMÉES

PLAN GÉNÉRAL

I. *Ouvrages généraux*

a) Méthodologie.

b) La fête de longue durée : ouvrages généraux.

c) La fête révolutionnaire : ouvrages généraux.

II. *Ouvrages anciens sur le Midi, faisant office de sources*

a) Dictionnaires et statistiques.

b) Les voyageurs en Provence.

c) Calendriers, almanachs, description d'époque.

III. *Ouvrages modernes sur la Provence*

a) Ouvrages de référence sur l'histoire de Provence.

b) Fête et sociabilité.

c) Le discours des folkloristes et ethnologues.

d) Les lieux et les jours :
— 1. De la bravade en général.
— 2. Monographies et calendrier festif.
— 3. Fêtes religieuses, agraires, corporatives...
— 4. Chants, danses et jeux.

e) Les fêtes révolutionnaires en Provence.

LISTE DES OUVRAGES

I. *Ouvrages généraux*

I. *a) Méthodologie*

(1) AUDIN A. : *Les fêtes solaires,* Paris, P.U.F., 1945.

(2) BARTHES R. : *Mythologies,* Paris, 1957.

(3) BOLL A. : *Théâtre, spectacles et fêtes populaires dans l'histoire,* Marseille, 1942.

(4) CAILLOIS R. : *Les jeux et les hommes,* Paris, 1958.

(5) DRUMONT E. : *Les fêtes nationales en France,* Paris, 1879.

(6) DUVIGNAUD J. : « La fête civique » in *Histoire des spectacles,* sous la direction de G. Dumur, Encyclopédie Pléiade, Paris, 1965.

(7) DUVIGNAUD J. : *Spectacles et société,* Paris, 1970.

(8) DUVIGNAUD J. : *Fêtes et civilisations,* Paris, 1973, Weber.

(9) GAIGNEBET Cl. et FLORENTIN M.-C. : *Le Carnaval, essai de Mythologie populaire,* Paris, Payot, 1974.

(10) HUIZINGA J. : *Homo Ludens,* Paris, 1931.

(11) MAUSS M. : *Manuel d'Ethnographie,* rééd., Paris, Payot, 1967.

(12) MOUREY G. : *Le livre des fêtes françaises,* Paris, 1930.

(13) VAN GENNEP A. : *Manuel de folklore français contemporain,* 9 vol., Paris, 1946-1958.

(14) VARAGNAC A. : *Civilisation traditionnelle et genres de vie,* Paris, 1948.

(15) VILLADARY A. : *Fête et vie quotidienne,* Paris, 1968, Editions ouvrières.

I. *b) La fête de longue durée*

(16) BEDIER J. : « Les fêtes de mai au Moyen Age », *Revue des deux mondes,* 1896, p. 135.

(17) GRUBER A. Ch. : *Les grandes fêtes et leurs décors à l'époque de Louis XVI,* Genève-Paris, 1972.

(18) JACQUOT J. : *Les fêtes de la Renaissance,* vol. I, 1956 ; vol. II, 1960 ; C.N.R.S., Paris.

19

(19) MAGNE E. : *Les fêtes européennes au XVII⁰ siècle*, Paris, 1930. ; rééd. : Genève, 1944 ; sous-titre : *Les plaisirs et les fêtes en France au XVII⁰ siècle.*

(20) MARTIN : Catalogue de l'Exposition sur *les fêtes lyonnaises sous l'Ancien Régime*, Lyon, 1969.

I. c) *La fête révolutionnaire*

(21) Anonyme, 24-27 juin 1974, Colloque « La fête révolutionnaire » (Centre de recherches révolutionnaires et romantiques), publication dans les A.H.R.F., 1976.

(22) Anonyme : « Les fêtes de la Révolution », catalogue de l'Exposition, Clermont-Ferrand, 1974, préfacé par A. Chastel.

(23) AULARD A. : *Le culte de la Raison et le culte de l'Etre Suprême 1793-1794*, Paris, 1909.

(24) DUVIGNAUD J. : « La révolution, théâtre tragique » in *Réalisme et poésie du théâtre*, Paris, 1960.

(25) GODECHOT J. : *Les institutions de la Révolution française*, Paris.

(26) MAGGIOLO L. : « Les fêtes de la Révolution » in *Revue de la Révolution 1885, 1886, 1887.*

(27) MASSIN J. : *Almanach de la Révolution française*, Paris, Club du Livre, 1963.

(28) MATHIEZ A. : *La théophilantropie et le culte décadaire*, Paris, 1904.

(29) MATHIEZ A. : *Les origines des cultes révolutionnaires*, Paris, 1904.

(30) OZOUF M. : « La fête sous la Révolution française » dans *Faire de l'Histoire*, t. III, nouveaux objets, publié sous la direction de J. Le Goff et P. Nora, Paris 1970.

(31) OZOUF M. : « De thermidor à brumaire, le discours de la Révolution sur elle-même », *Revue historique*, janvier 1970.

(32) OZOUF M. : « Symboles et fonction des âges dans les fêtes révolutionnaires », in *A.H.R.F.*, octobre-décembre 1970, n° 202.

(33) OZOUF M. : « Le cortège et la ville. Les itinéraires parisiens des fêtes révolutionnaires », in *Annales E.S.C.*, 1971.

(34) PARKER H. T. : *The cult of Antiquity and the french revolutionaries. A study in the development of the revolutionary spirit.* Chicago, 1937.

(35) SOBOUL A. : *La Civilisation et la Révolution française*, Paris, Arthaud.

(36) SOBOUL A. : « Sentiment religieux et cultes populaires pendant la Révolution. Saintes patriotes et martyrs de la liberté », A.H.R.F., 1957.

(37) STAROBINSKI J. : *L'invention de la liberté*, Paris, Skira, 1964.

(38) STAROBINSKI J. : *Les emblèmes de la Raison*, Paris, Flammarion, 1973.

(39) TIERSOT J. : *Les fêtes et les chants de la Révolution française*, Paris, 1908.

II. *Ouvrages anciens sur le Midi faisant office des sources*

II. *a) Dictionnaires et statistiques* .

(40) ACHARD Cl. Fr. : *Description historique géographique et topographique des villes, bourgs, villages et hameaux de la Provence ancienne et moderne du Comtat Venaissin et de la Principauté d'Orange*, 2 vol., Aix, Calman, 1787-1788.

(41) ACHARD Cl. Fr. : *Dictionnaire de la Provence et du comté Venaissin*, t. I - t. II, Marseille, Mory, 1785.

(42) DELACROIX M. : *Essai sur la statistique, l'histoire et les antiquités du département de la Drôme*, Valence, 1817, rééd. 1835.

(43) FAUCHET (le citoyen), préfet : *Statistique du département du Var*, Paris, an X, rééd. 1805.

(44) FÉRAUD J.J.M. : *Histoire, géographie et statistique du département des Basses-Alpes*, Digne 1861, rééd. Nyons Chantemerle, 1972.

(45) GARCIN : *Dictionnaire historique et topographique de la Provence*, Draguignan, 1835, rééd. Nyons, 1972.

(46) LADOUCETTE J.C.F. : *Histoire, topographie, antiquités, usages, dialectes des Hautes-Alpes*, Paris, 1848 ; Marseille, 1973.

(47) NOYON M. : *Statistique du département du Var*, 1846.

(48) PAZZIS M. : *Mémoire statistique sur le département de Vaucluse*, 1808.

(49) ROUX J. : *Statistique des Alpes-Maritimes*, 2 vol., 1862.

(50) SAUREL A. : *Dictionnaire des villes, villages et hameaux des Bouches-du-Rhône*, Marseille, Olive, 1877.

(51) VILLENEUVE (comte de) : *Statistique du département des Bouches-du-Rhône avec Atlas par M. le comte de Villeneuve,* Marseille, 1821-1829, 4 vol. en 4 + 1 atlas.

(52) VILLENEUVE (comte de) : *Mœurs, usages, coutumes et langage des Provençaux,* rééd. Chantemerle, Nyons, 1972.

II. *b) Les voyageurs en Provence*

(53) BÉRENGER M. : *Les sources provençales ou Lettres de M. Bérenger écrites à ses amis pendant ses voyages dans sa patrie,* 3 vol., Paris, 1786.

(54) FISCH G. : « Le séjour à Marseille de Georges Fisch », *Bulletin géographique de l'Institut de Marseille,* 1894, t. XX n° 4, étude de M. Barré.

(55) FODÈRÉ F. E. : *Voyage aux Alpes Maritimes ou histoire naturelle du comté de Nice et pays limitrophes,* Paris, 1821, 2 vol. in 8.

(56) MARMONTEL : *Mémoires,* rééd. Tourneux, t. I-II, Genève, 1967.

(57) MILLIN A. L. : *Voyage dans les départements du Midi de la France,* 5 vol. + atlas, Paris, 1807.

(58) MOSZYNSKI (comte) : *Voyage en Provence d'un gentilhomme polonais 1784-1785,* édité par F. Benoît, Marseille, 1930.

(59) OBERLIN : 1776, *Voyage en Provence du professeur Oberlin de Strasbourg* (résumé par F. Benoît), Bibliothèque nationale.

(60) PAPON (abbé) : *Voyage littéraire de Provence,* Paris, Barrois, 1780.

(61) PIGAULT-LEBRUN et AUGIER V. : *Voyage dans le Midi, 1827.*

(62) SMOLETT T. : *Lettres sur Nice de Nice (1763-1765),* Nice, imprimerie de l'Eclaireur, 1919.

II. *c) Calendriers, almanachs, descriptions d'époque*

(63) AGNEAU : *Calendrier spirituel contenant les fêtes que l'on célèbre dans chaque église de Marseille et de ses faubourgs,* Leyde, 1759.

(64) AIX (François d') : *Les statuts municipaux et coutumes anciennes de Marseille,* éditions Garsin, 1656.

(65) Almanach de Marseille... (consulté de 1770 à la Révolution).

(66) Frère BONAVENTURE (capucin de Six-Fours) : *Fêtes d'Eglises et Coutumes de Missions en Provence.*

(67) GRÉGOIRE G. : *Explication des cérémonies de la Fête-Dieu d'Aix,* Aix, David, 1777.

(68) HAITZE P. J. : *Esprit de cérémonial d'Aix en la célébration de la Fête-Dieu,* Aix, David, 1708.

(69) L'Hermès Marseillais (guide des négociants et voyageurs, Marseille, 1836).

(70) MARCHETTI F. : *Usages et coutumes des Marseillais,* Marseille, Brebion, 1683. Tome I seul paru.

III. *Ouvrages modernes sur la Provence*

III. *a) Ouvrages de référence sur l'histoire de Provence*

(71) *Atlas historique de Provence,* sous la direction d'E. Baratier, G. Duby, E. Hildesheimer..., Paris, A. Colin, 1969.

(72) BARATIER (sous la direction de) : *Histoire de Provence,* Toulouse, Privat, 1969.

(73) *Idem.* : *Documents de l'histoire de Provence,* Toulouse, Privat, 1971.

(74) BUSQUET R. : *Histoire de Provence des origines à la Révolution,* Monaco, 1954.

(75) BUSQUET R. : *Etudes sur l'ancienne Provence,* Bibliothèque de l'Institut historique de Provence, Marseille, 1930.

(76) CASASSOLLES Cl. : Mémoire de Maîtrise 1972-1973, *Visions et réalités de la Provence chez les voyageurs de la deuxième moitié du XVIII* siècle.*

(77) MASSON P. (sous la direction de) : *Encyclopédie des Bouches-du-Rhône,* 16 volumes, Paris-Marseille, 1932-1937.

(78) MASSON F. : *La Provence au XVIII* siècle,* 3 volumes, Paris, Hachette, 1936.

(79) PALANQUE J. R. (sous la direction de) : *Histoire du diocèse de Marseille,* Paris, 1969.

(80) PALANQUE J. R. (sous la direction de) : *Histoire du diocèse d'Aix,* Paris, 1975.

III. *b) Fête et sociabilité*

(81) ACHARD P. : *Les chefs des plaisirs,* annuaire du Vaucluse, 1869.

(82) AGULHON M. : *La sociabilité méridionale* (confréries et associations dans la vie collective en Provence orientale à la fin du XVIIIᵉ siècle), Aix, 1966, Publications des Annales de la Faculté des Lettres, t. 36.

(83) AGULHON M. : *Pénitents et francs-maçons de l'ancienne Provence,* Paris, Fayard, 1968.

(84) ANDRIEU R. : *Scènes de mœurs toulonnaises,* Toulon, 1880.

(85) ARBAUD J. d' : *La Provence, types et coutumes,* 1939.

(86) BÉRENGER J. : *Les traditions provençales,* Marseille, 1904.

(87) BÉRENGER FÉRAUD : *Réminiscences populaires de la Provence,* Paris, 1885, Laffitte reprints, Marseille 1971.

(88) BÉRENGER FÉRAUD : *Superstitions et survivances,* Paris, 1896.

(89) BÉRENGER FÉRAUD : *La Race provençale,* Paris, 1883.

(90) BERTIN Horace : *Marseille et les Marseillais : mœurs, portraits et paysages, souvenirs du passé,* Marseille, Frezet, 1972.

(91) BERTIN Horace : *Les heures marseillaises,* Marseille, 1878.

(92) BONDURAND : *Les coutumes de Tarascon,* Nîmes, s.d.

(93) BRUNET J. : « Etude de mœurs provençales par les proverbes et dictons », *Revue de langues romanes,* 1882-1884.

(94) CANESTRIER P. : « La hallebarde de l'Abat-Mage », *Nice-Matin,* 16 mars 1953.

(95) CHAUMELIN : *Marseille, coup d'œil sur les mœurs et coutumes.*

(96) CROZET (L. de) : *Notes pour servir à l'histoire des Sociétés de buveurs en Provence au XVIIIᵉ siècle,* Marseille, s.l.n.d.

(97) FABRE Auguste : *Les rues de Marseille,* 5 vol. Marseille, Gamanin, 1867.

(98) HENSELING L. : *Notes et souvenirs de la vie toulonnaise,* Toulon, Tissot, 1914.

(99) HENSELING L. : *Toulon au bon vieux temps,* 1928.

(100) LAFORET A. : « Souvenirs marseillais, Marseille, us et coutumes » in *Mémoires de l'Académie des Sciences Belles Lettres, Arts,* 1868-1869.

(101) LA SINSE : *La vie provençale, scènes populaires*, 1874.

(102) MAZUY : *Essai sur les mœurs et coutumes des Marseillais au XIX⁰ siècle*, Marseille, 1854.

(103) MERY : *Marseille et les marseillais*, Paris, Colmann-Levy, 1877.

(104) MISTRAL Frédéric : *Mémori e Raconte*, Paris, Plon, 1906.

(105) NANDYFER G. : *Les cris de Marseille* (études de la rue), Marseille, 1885.

(106) RIBBE C. de : *Les familles et la société en France avant la Révolution*, Paris, Albanal, 1874.

(107) RIBBE C. de : *La Société Provençale à la fin du Moyen Age*, Paris, Perrin, 1898.

(108) RIBBE C. de : *Une famille au XVI⁰ siècle*, Paris, Albanel, 1868.

(109) RICARD : *Récits des veillées ciotadennes*, Paris, Plon, 1887.

(110) ROUBIN L.A. : *Chambrettes des provençaux*, Paris, Plon, 1970.

(111) ROUX A. : *Légendes, mœurs et coutumes de Colmars-les-Alpes et du Haut Verdon*, Gap, 1967.

(112) ROUX ALPHERAN : *Les Rues d'Aix*, 2 vol, Aix, 1846.

(113) SENES C. : *La vie provençale*, Toulon, Mihiere, 1874.

(114) SENES C. : *Provence, mœurs, vieilles coutumes, description et origines*, Toulon, 1905.

(115) TEISSIER O. : *Le prince d'amour et les abbés de la jeunesse*, Marseille, 1891.

(116) VOVELLE M. : « Sade, seigneur du village » in *Actes du colloque sur le Marquis de Sade*, Paris, A. Colin, 1971.

(117) VOVELLE M. : « Mirabeau et Beaumont, deux communautés paysannes face à leur seigneur, in *Actes du Colloque « Les Mirabeau et leur temps »*, Aix, 1966, publié Paris, 1968.

III. c) *Le discours des folkloristes et ethnologues.*

(118) BENOIT F. : *Les civilisations anciennes de la Camargue. Les coutumes, l'habitation et les fêtes*, Le Chêne, IV, 1938.

(119) BENOIT F. : Nombreux articles et notes dans *Revue de Folklore Français*, 1933 à 1941.

(120) BENOIT F. : *La Provence et le comtat Venaissin*, Paris, Gallimard, 1949. Coll. Les Provinces françaises.

(121) CHARRASSE A. : *Le folklore en Provence*, Ayzac, Avignon, 1941.

(122) MICHEL A. : *Des traces laissées par le paganisme dans le midi de la France et plus particulièrement en Provence*, Marseille, 1893.

(123) PLAT Paul et PEABODY Charles : « Folklore de la France méridionale », *Revue des traditions populaires*, 1913.

(124) PROVENCE M. : *Mission dans le Haut-Pays*, 1932, Essai sur le folklore de l'Ubaye, 1934. La Pastorale de Seguret (*id.*, 1935) ; Les Cerivan-Frus (*id.* 1937).

    — Symbolisme des danses provençales, in *Tablettes d'Avignon et de Provence*, 1937.

    — La Chandeleur en Provence, Ed. du Feu, Aix, 1938.

    — Les offrandes de fruits en Provence *id.*, 1943.

    — Le folklore de Moustiers, *Bull, soc. Scient. et Litt. des B.A.*, 1938.

    — Calendrier des fêtes provençales, *Les Cahiers du Chef*, n° 8, 1942.

    — Enquête sur la vie de l'homme en Haute-Provence, *Bull. soc. scient. et litt. des B.A.*, 1942-1944.

    — Fêtes et jeux, danses provençales, *La Provence Marseillaise* 1946.

(125) SEIGNOLLE C. : *Le folklore de la Provence*, t. VII de *Contributions au folklore des provinces de France*, Paris, 1963, réédité, Paris, 1967.

III. d) Les lieux et les jours

III. d.1. : De la bravade en général.

(126) CAVALIER J. : *Relation de la Bravade de Draguignan*, Draguignan, 1836.

(127) FOUGUE M. : *Fastes de la Provence ancienne et moderne*. 3 vol. Marseille Dory, 1837.

(128) JUMAUD Ph. et SAUREL H. : *Les Bravades*, Saint-Rapall, 1927.

(129) LETUAIRE : *Fêtes provençales*, Illustration, mars, 1857-1859.

III. d.2. : Monographies et calendrier festif.

(130) ARVE (Stephen d') : *Miettes de l'histoire de Provence*. 1ʳᵉ Partie : les fêtes de Noël. Marseille, Ruat, 1902.

(131) BELLETRUD : « La Bravade de Saint-François à Fréjus », *Bulletin de la Société Scientifique et Archéologique*, Draguignan t. XXXV, p. 63.

(132) BERTRAND M. : « La fête des Innocents », *Revue du littoral*, 31 décembre 1904.

(133) CANESTRIER P. : « La Mi-Carême », *Nice-Matin*, 1er mars, 1951.

(134) CLAMON J. N. et PANSIER P. : *Les Noëls Provençaux de Notre-Dame des Doms (1570-1610)*, Avignon, Aubanal, 1925.

(135) COMPAN André : « Traditions de la Mi-Carême en Pays d'Oc », *Nice-Matin*, 17 mars 1955.

(136) DAVIN Emmanuel : *La Fête des Fous en Provence*, 1937.

(137) DUMONT Louis : *La Tarasque. Essai de description d'un fait local du point de vue ethnographique*, Paris, Gallimard, 1951.

(138) FORRER A. : « Le char processionnel des Baux en Provence », in *l'Art populaire en France*, IV, 1932.

(139) GUIET (Abbé) : *Explication nouvelle des Jeux de la Fête-Dieu d'Aix au point de vue historique et symbolique*, Aix-Marseille, Makaire, 1851.

(140) HUET : « Coutumes de la Saint-Jean », *Revue des arts et traditions populaires*, t. XXV, 1910, pp. 461-465.

(141) LAYDET H. : « Fêtes tarasconnaises », supplément au n° de la « Bouiabaisso », du 14 mai 1841.

(142) MAILLOUX A. : *La Quinzoutite ou le 15 août à St Zacharie*, Draguiguignan, 1935.

(143) MARCEL-DUBOIS C. : « La Saint-Marcel à Barjols », in *Arts et Traditions populaires*, janvier-mars, 1957.

(144) MIREUR : « Carnaval au Muy en 1666 », Société des Etudes historiques, t. XXXI, p. 53.

(145) MISTRAL Frédéric : Les Fêtes de la Tarasques, Armana Provençau, 1862.

(146) PROVENCE Marcel : *Le Jour des Rois en Provence*, Aix-en-Provence, 1938.

(147) RIBBE Ch. de : *Anciens usages de l'église métropolitaine d'Aix pendant le Carême, la Semaine Sainte et les fêtes de Pâques*, 1862.

(148) RICHARD A. : « La fête de Saint-Maxime de Riez », *Annales des B.A.*
      XIII 1907-1908.

      III. d.3. : Fêtes religieuses, agraires, corporatives, joyeuses en-
      trées.

(149) ARNAUD C. : « Procession pagano-chrétienne de la Saint-Jean à
      Lauzet, Basses-Alpes », in *Bull. de la Soc. d'Anthropologie de*
      Paris, 1888.

(150) COLOMBIÈRE (Régis de la) : *Fêtes patronales et usages des corpora-*
      tions et associations qui existaient à Marseille avant 1789. Paris,
      Aubry, 1863 ; Marseille, Boy, 1863.

(151) DURBEC J.A. : « Notes historiques sur quelques pèlerinages, proces-
      sions, fêtes et jeux de Provence », in *Actes du 77ᵉ congrès*
      des Sociétés Savantes, 1952.

(152) FERAUD J. J. M. : *Souvenirs religieux des églises de la Haute-Pro-*
      vence, Digne, 1879 ; Marseille, 1972.

(153) FÉVRIER P. A. : « Les fêtes religieuses dans l'ancien diocèse de
      Fréjus », in *Provence historique,* avril-juin 1961.

(154) GANAY (abbé) : « Les Pèlerinages », in *La Provence marseillaise,*
      1946.

(155) MATHIEU. : *Les grandes processions à Marseille depuis le Moyen*
      Age jusqu'à nos jours, Marseille, 1865.

(156) PARADIN G. : *Entrée à Marseille en 1533 de François Iᵉʳ, de la reine,*
      du pape Clément VII, Marseille, Lebon, 1868.

(157) SCLAFERT Th. : « Usages agraires dans les régions provençales avant
      le XVIIIᵉ siècle », in *Revue de géographie alpine,* 1941.

(158) TUBY Victor : Une réminiscence provençale d'un culte païen « La
      fête du bœuf à Barjols », Illustration, 4 février 1939.

      III. d.4. : Chants, danses et jeux

(159) ARAGON H. : *Les danses de Provence et du Roussillon,* 1922.

(160) ARBAUD D. : *Chants populaires historiques de la Provence,* Aix,
      1862.

(161) BENOIT Fernand : « Danses d'hier et d'aujourd'hui » *Les Tablettes*
      d'Avignon et de Provence, 20 décembre 1936.

(162) BERTRAND M. : « La Danse des Epées », *Revue du littoral,* 28 jan-
      vier 1905.

(163) BLANCHARD R. : *Le Bacubert*, Paris, Champion, 1914.

(164) BUSQUET R. : « Le rigodon est-il provençal ? » *Arts et Livres n° 4*, « *La Provence* », Marseille, 1945.

(165) CHABRAND E. : *Le Bacchu-Ber*, 1922.

(166) CHARRASSE A. : *Le Folklore en Provence. Eléments sur le galoubet, le tambourin et les danses de caractère*, Avignon, 1941.

(167) DAVIN Emmanuel : « Le branle de Saint-Elme », *Provincia*, t. XVIII, 1938.

(168) DESMICHELS : « Notice sur la danse des olivettes », in *Mémoires de la Société royale des Antiquaires*, VIII, 1829.

(169) DOUBLET G. : « Le jeu de la Méduse en Provence », in *Bull. Soc. Archéologique du Midi*, 1900.

(170) GALLOIS-MONTBRUN : « Le Rigaudon », *Almanach de Provence*, 1861.

(171) MOURGUES Marcelle : *La Danse provençale*, 1956.

(172) PARES J. : « Les danses publiques à Seillans », *Bulletin de l'Académie du Var*, p. 75, 1920.

(173) PROVENCE Marcel : « Danses et Jeux en Basse-Provence », *La Provence marseillaise*, 1946.

(174) TREMAUD M. : « Les joutes provençales », *Arts et traditions populaires*, 1970, n° 4.

(175) TROUBAT F. : « La danse des treilles », *Rev. Langues romanes*, 45, 1902.

(176) A. VAN GENNEP : *Notes comparatives sur le cheval-jupon*, Paris, 1945.

(177) VILLE D'AVRAY (colonel de) : « Interdiction du Rigodon provençal au XVIIe siècle », *Le Littoral*, 12 juin 1907.

III. e) *Les fêtes révolutionnaires en Provence.*

(178) AGULHON M. : *La vie sociale en Provence intérieure au lendemain de la Révolution*, Paris, 1970. Bil. d'Hist. Révol. 3e série n° 12.

(179) AUBERT A. : *Les fêtes de la Révolution dans les Basses-Alpes*, Digne, 1888.

(180) BENOIT F. : « Notes et documents d'archéologie arlésienne, V : L'Autel de la Patrie à Fontvieille, in *Mémoires de l'Instit. Hist. de Provence*, t. II, 1928.

(181) BOUILLON-LANDAIS : « Une fête républicaine à Marseille », *Revue de Marseille,* mai 1860.

(182) COMBET J. : « Les fêtes révolutionnaires à Nice », *Annales de la Société des Lettres, Sciences et Arts des Alpes Maritimes,* Nice, 1907.

(183) DUHAMEL : « Une fête nationale en Vaucluse », *Annuaire de Vaucluse,* 1919.

(184) LAUTARD : *Esquisses historiques : Marseille depuis 1789 jusqu'en 1815, par un vieux marseillais,* Marseille, 1844, 2 vol.

(185) MATHIEU J. : *La célébration du 21 janvier à Marseille depuis 1793 jusqu'à nos jours,* Marseille, 1865.

(186) MATHIEU J. : *Une cérémonie funèbre à Marseille pendant la Terreur.* Marseille, 1865.

(187) PAGES A. : « La reprise de Toulon et l'opinion publique », *Bulletin de l'Académie du Var,* Toulon, 1931.

(188) POUPE E. : « Les fêtes nationales et les cérémonies civiques à Draguignan sous le Directoire », *Revue Historique de Provence,* 1901.

(189) POUPE E. : « La fête de la souveraineté du peuple en l'an VI dans le Var », *Bulletin historique et philosophique de la Société de Draguignan,* 1900.

(190) RUA-BERNARDINI Danielle : « Les fêtes de l'époque révolutionnaire en Provence » *Mémoires de Maîtrise,* dactylographié, Aix, 1972-1973.

(191) TAVERNIER F. : « Les fêtes civiques à Marseille au temps du Directoire », *Revue municipale,* Marseille, 1963.

(192) TROJANI : *La société et la vie à Toulon sous le Directoire,* Thèse doctorat, dactylographiée, Aix-en-Provence.

TABLE DES MATIÈRES

DEUXIÈME PARTIE

UN NOUVEAU MODÈLE DE LA FÊTE
OU LA FÊTE DANS LE TEMPS COURT

L'impression de ce livre
a été réalisée sur les presses
des Imprimeries Aubin
à Poitiers/Ligugé

Dépôt légal : 3ᵉ trimestre 1976
Nº Editeur : 8534
Nº Imprimeur : 9198

Imprimé en France

LES MÉTAMORPHOSES
DE LA FÊTE EN PROVENCE